C000213890

Buch

Zeynep ist 28 Jahre alt, Mutter von drei Kindern und lebt seit zwölf Jahren in Hamburg. Sie versorgt den Haushalt ihrer Großfamilie und spricht kein Wort Deutsch. Die Wohnung verlässt sie nur zum Koranunterricht. Sie ist »Import-Gelin«, eine Importbraut, eine moderne Sklavin. Tausende junger türkischer Frauen werden jedes Jahr durch arrangierte Ehen nach Deutschland gebracht. Die demokratischen Grundrechte gelten für sie nicht, und niemand interessiert sich für ihr Schicksal. Die türkisch-muslimische Gemeinde redet von kulturellen Traditionen, beruft sich auf Glaubensfreiheit und grenzt sich von der deutschen Gesellschaft ab. Verständnis dafür findet sie bei den liberalen Deutschen, die eher bereit sind, ihre Verfassung zu ignorieren, als sich den Vorwurf der Ausländerfeindlichkeit machen zu lassen. Necla Kelek, Türkin mit deutschem Pass, deckt die Ursachen dieses Skandals auf. Sie ist in die Moscheen gegangen und hat mit den Importbräuten gesprochen, sie forscht den Traditionen nach und zeigt, wie sich die Parallelgesellschaft verfestigt, an der die Bemühungen um Integration immer wieder scheitern. Sie erzählt von ihrem Urgroßvater, einem Tscherkessen, der mit dem Verkauf von Sklavinnen an den Harem des Sultans zu Reichtum kam. Ihr Großvater raubte als Partisan seine junge Frau, der Vater kaufte seine Frau für zwei Ochsen und wurde als einer der ersten Türken »Gastarbeiter« in Deutschland. Und sie erzählt von ihrem eigenen Weg in die Freiheit.

Autorin

Necla Kelek, Dr. phil., 1957 in Istanbul geboren, hat in Deutschland Volkswirtschaft und Soziologie studiert und über das Thema »Islam im Alltag« promoviert und forscht seit Jahren zum Thema Parallelgesellschaften. Für ihre Streitschrift gegen den archaischen Sittenkodex der Zwangsheirat und der arrangierten Ehe wurde Necla Kelek mit dem Geschwister-Scholl-Preis 2005 ausgezeichnet. Im März 2006 ist ihr Buch »Die verlorenen Söhne. Plädoyer für die Befreiung des türkisch-muslimischen Mannes« erschienen.

Necla Kelek

Die fremde Braut

Ein Bericht
aus dem Inneren des türkischen
Lebens in Deutschland

GOLDMANN

Alle arabischen und türkischen Namen und Begriffe
sind der besseren Lesbarkeit halber
der Lautschrift angepasst.

FSC

Mix

Produktgruppe aus vorbildlich
bewirtschafteten Wäldern und
anderen kontrollierten Herkünften

Zert.-Nr. SGS-COC-1940
www.fsc.org
© 1996 Forest Stewardship Council

Verlagsgruppe Random House FSC-DEU-0100
Das FSC-zertifizierte Papier *München Super* für Taschenbücher
aus dem Goldmann Verlag liefert Mochenwangen Papier.

4. Auflage
Taschenbuchausgabe August 2006
Wilhelm Goldmann Verlag, München,
in der Verlagsgruppe Random House GmbH
Copyright © der Originalausgabe 2005
by Verlag Kiepenheuer und Witsch, Köln
Umschlaggestaltung: Design Team München
unter Verwendung des HC-Motivs,
einer Fotografie mit dem Titel »Freitag« von Parastou Forouhar
Lektorat: Ingke Brodersen und Peter Mathews
KF · Herstellung: Str.
Druck und Bindung: GGP Media GmbH, Pößneck
Printed in Germany
ISBN-10: 3-442-15386-7
ISBN-13: 978-3-442-15386-2

www.goldmann-verlag.de

Dieses Buch ist Peter Mathews gewidmet.
Ohne die Auseinandersetzung mit ihm,
ohne seine Fragen, seine Ermutigung, seine Hilfe
hätte ich es nicht schreiben können.
Dafür danke ich ihm. In Liebe.

Inhalt

Vorwort
zur Taschenbuchausgabe

Einige Wochen nach Erscheinen meines Buches, am 7. Februar 2005, wurde die 23-jährige Kurdin Hatun Sürücü ermordet. Ihre drei Brüder wurden kurz darauf verhaftet und angeklagt, die Tat gemeinsam begangen zu haben. Der Verdacht der Polizei: Die Schwester musste sterben, weil die mutmaßlichen Täter meinten, sie habe durch ihre Lebensweise die »Ehre der Familie« beschmutzt. Der älteste Bruder soll die Waffe besorgt, der zweite Schmiere gestanden und der Jüngste der Schwester in den Kopf geschossen haben. Es war der fünfte so genannte »Ehrenmord« in Berlin in Jahresfrist.

Hatun war in Berlin geboren und von ihren Eltern als 16-Jährige mit einem Cousin in Istanbul zwangsverheiratet worden. Sie bekam einen Sohn, konnte sich aber von ihrem gewalttätigen Mann lösen und nach Berlin zurückkehren. Sie kam zuerst in einem Wohnheim unter und begann eine Lehre. Später hatte sie ihre eigene Wohnung, vor der sie dann ermordet wurde.

Ich habe den Prozess beobachtet. Die Anwälte der Brüder hatten sich eine feine Strategie ausgedacht. Sie präsentierten zu Prozessbeginn den jüngsten Bruder Ayhan als Einzeltäter. Als Jugendlicher kann er für den Mord nur mit maximal zehn Jahren und nicht mit Lebenslänglich bestraft werden. Er bedaure, seiner Familie Unglück bereitet zu haben, sagte er, und bereue die Tat. Sein Geständnis und die Einlassungen der beiden anderen Angeklagten wurden nicht von ihnen selbst, sondern von ihren Verteidigern verlesen, die dem Gericht mitteilten, dass die Angeklagten lieber schweigen wollen. Und das ist auch während des ganzen Prozesses so geblieben. Kein Familienangehöriger hat ausgesagt, weder die Angeklagten noch die Eltern, noch die Schwestern und Schwägerinnen. Niemand fand sich bereit, auch nur ein Wort zu Hatuns Verteidigung zu sagen. Zur Strategie der Verteidiger gehörte es ferner, die Aussagen der Kronzeugin der Anklage, der ehemaligen Freundin von Ayhan, zu widerlegen. Sie setzten alles dran, die 18-Jährige unglaubwürdig erscheinen zu lassen, ihr gar eine Mitschuld zu unterstellen. Stundenlang versuchten sie, die junge Frau in Widersprüche zu verwickeln. Unter dem Gejohle der Angeklagten wurde sie gefragt, warum sie denn auf einmal Angst habe vor Ayhan, der sie doch heiraten wolle, ob ihr die Antworten, die sie jetzt gebe, in der Therapie beigebracht worden seien.

Der Täter soll gesagt haben, er könne seit dem Mord wieder ruhig schlafen, weil er seinen Vater nicht enttäuscht habe. Im Sinne der Familientraditionen und mit Hilfe des Korans hatte Ayhan nicht seine Schwester ermordet, sondern ein Problem gelöst. Die Söhne sind in diesen Kreisen der dem Kollektivgedanken des Clans verhafteten Menschen die Ordnungsmacht der Familien. Sie dürfen den Vater nicht enttäuschen, sie haben versagt, wenn die Schwester oder Frau nicht gehorcht. Der Jüngste hat mit der Beseitigung der Schwester die Schande von der Familie genommen.

Arzu, Hatuns Schwester, trat als Nebenklägerin in diesem Prozess auf – ein Kuriosum, das offenbar dem Zweck diente, ständig vollständige Akteneinsicht zu haben, um den Brüdern hilfreich zur Seite zu stehen. Arzu ging es nicht darum, ihrer Schwester Gerechtigkeit widerfahren zu lassen. »Meine Schwester ist im Paradies. Ihr geht es gut«, sagte sie lächelnd unter dem stramm gebundenen Kopftuch. Es ging ihr auch nicht um die Rechte des kleinen fünfjährigen Sohnes von Hatun, dem die Mutter genommen wurde. Arzu verteidigte – und auch das gehört zur archaischen Tradition – die Männer der Familie.

Hatun wurde zwangsverheiratet, geschlagen, eingesperrt und zum Schluss ermordet. Alles unter Berufung auf die Tradition und den Koran. Hatun wollte leben wie eine Deutsche. Das wurde ihr zum Verhängnis. Die Schüsse in ihren Kopf galten unserer Gesellschaft.

In diesem Buch berichte ich aus dem Inneren des türkischen Lebens in Deutschland, über Zwangsheirat und arrangierte Ehen, ich erzähle von Frauen, denen ihre Familien die elementarsten Rechte verweigern. Der Mord an Hatun Sürücü ist die extremste Form der Verachtung, die diesen Frauen entgegengebracht wird. Wovon ich berichte, gehört dagegen eher zum Alltag vieler türkischer Frauen.

Trotzdem hat das Buch seit seinem Erscheinen eine heftige öffentliche Diskussion ausgelöst, wohl weil es gegen eines der bestgehüteten Tabus der türkischen Gemeinschaft verstößt – es macht das Schicksal der gekauften Bräute öffentlich, die mitten in Deutschland ein modernes Sklavendasein führen.

Das Buch hat mein Leben verändert. Für die einen bin ich seitdem diejenige, die endlich die Dinge beim Namen nennt; für andere bin ich eine Kronzeugin jener Ewiggestrigen, die immer schon etwas gegen Ausländer und besonders gegen Muslime hatten. In türkischen Medien galt ich nach Erscheinen des Buches als Nestbeschmutzerin, als eine, die »uns schlecht macht«.

Ich war nicht die einzige Persona non grata – ein ähnliches Urteil traf die in Berlin praktizierende Anwältin und Frauenrechtlerin Seyran Ates sowie Serap Cileli, die sich mit einem Bericht über ihre Zwangsheirat ebenfalls engagiert für Frauenrechte eingesetzt hatten. Wochenlang waren wir drei Gegenstand einer bösartigen Medienkampagne von türkischer Seite. Ein türkischer Reporter machte sich auf die Suche nach den Frauen, von deren Schicksal ich in diesem Buch erzähle. Deren Identität hatte ich aus gutem Grund verändert. Aber in Moscheekreisen hatte sich herumgesprochen, in welchen Gemeinden ich die Frauen getroffen und mit ihnen gesprochen hatte. »Die Frauen hatten danach keine Angst vor der Öffentlichkeit, sondern vor ihren Männern«, berichtete mir der Hodscha jener Moschee, die die meisten dieser Frauen besuchten. Er wurde inzwischen ebenso in eine andere Gemeinde versetzt wie die Frau Hodscha, die die Frauenarbeit in der Moschee organisiert hatte. Obwohl zum Freitagsgebet immer zwei- bis dreihundert Männer gekommen waren, wurde die Moschee inzwischen »mangels Bedarfs« geschlossen; der Vereinsvorsitzende, der mir die Vorstellung meines Buches in den Räumen des Kulturvereins der Moschee ermöglicht und sich dabei über die Weisung des Religionsattachés des türkischen Konsulats hinweggesetzt hatte, wurde – offiziell natürlich aus anderen Gründen – abgesetzt.

Aber ich habe auch viel Zustimmung erhalten. Ich bekomme Briefe von Frauen, die mir von ihrer Zwangsverheiratung erzählen; Strafgefangene, die mit dem hiesigen Gesetz in Konflikt geraten sind, bitten um Rat; Lehrerinnen flehen mich an, eine ihrer Schülerinnen vor der frühen Verheiratung zu bewahren; aber es sind auch viele hoffnungsfrohe Briefe in meiner Post von Frauen und Männern, die Mut gefasst haben, ihren eigenen Weg zu gehen. Und selbst die türkische Zeitung, die sich anfangs so vehement gegen mein Buch gewehrt hatte, initiierte einige Monate später eine Kampagne »gegen Gewalt in der Familie« und befragt seit Monaten täglich auf ganzen Seiten beruflich erfolgreiche Türkinnen zu den Themen Gewalt und Selbstbestimmung. Es tut sich etwas.

Auch die deutsche Politik hat sich des Themas angenommen. Die große Koalition hat gesetzliche Maßnahmen gegen Zwangsheirat angekündigt, unter anderem soll das Zuzugsalter bei Familienzusammenführungen auf 21 Jahre erhöht werden – ein erster richtiger Schritt in Richtung einer anderen Integrationspolitik, die die Integration *fördert*, aber von den Migranten auch *fordert*, sich zu diesem Land, seinen Gesetzen und Werten zu bekennen. Und eben das hat auch Gegner auf den Plan gerufen.

Im Februar 2006 kritisierten 60 »Migrationsforscher«, ich hätte »Einzelfälle zu einem gesellschaftlichen Problem aufgepumpt«, nur um mir unverdiente Aufmerksamkeit zu erschleichen. Würden sie Schulen, Beratungsstellen, Frauenärzte oder Moscheen besuchen und das Gespräch mit den Frauen suchen, würden sie erfahren, dass es in diesem Land verbreitet Zwangsheirat, Gewalt in der Ehe, Vergewaltigungen und sogar die Mehr-Ehe gibt; dass es kurdische Familienväter gibt, die ihre minderjährigen Nichten nach Deutschland holen, sie als ihre Töchter ausgeben – dabei Kindergeld beziehen – und mit ihnen in Polygamie leben. Ich empfehle darüber hinaus die Lektüre der Studie des Frauenberatungszentrums SELIS vom Stadtrat von Batman in Ost-Anatolien von Ende Januar 2006. Diese Studie berichtet, dass 62 Prozent der Frauen von ihren Familien verheiratet wurden, ohne vorher nach ihrer eigenen Meinung gefragt worden zu sein. »Einzelfälle«?

1991 hat der Ethnologe Werner Schiffauer seine Studie »Die Migranten aus Subay« veröffentlicht – ein Meilenstein der Migrationsforschung. Anhand von acht Menschen, deren Schicksal er auf ihrem Weg von Anatolien bis nach Deutschland verfolgte, zog Schiffauer seine Schlüsse über »die Türken in Deutschland«. Er ging damals davon aus, dass der Weg der Einwanderer in die Moderne unaufhaltsam mit einer Ablösung von ihrer Herkunftskultur und ihrer Neuorientierung an den Werten der westlichen Gesellschaft verbunden sei. Die politisch Aufgeschlossenen der Bundesrepublik sind nur zu gern dieser Theorie gefolgt, sie schien das Versprechen zu beinhalten, die Integration der Türken und Muslime erledige sich gleichsam »von selbst«. Die Wirklichkeit hat diese Theorie inzwischen widerlegt.

Auch ich habe noch in meiner 2002 erschienenen Dissertation über »Islam im Alltag« ähnlich wie Schiffauer gedacht und die

Macht des islamischen Weltbildes sträflich unterschätzt. Aber ich habe in den letzten zehn Jahren genau hingesehen und die Veränderungen registriert, die seitdem zu beobachten sind. Als ich 1995 in Berlin Kopftuch tragende junge Türkinnen interviewen wollte, musste ich selbst in Berlin-Kreuzberg lange suchen, um überhaupt die eine oder andere »Verschleierte« anzutreffen. Geht man heute zum Kottbusser Tor in Kreuzberg, findet man kaum noch eine muslimische Frau ohne Kopftuch.

Auch die 60 »Migrationsforscher« hätten solche Veränderungen registrieren können. Gerade sie hätten die Fragen stellen können, die ich gestellt habe – oder auch andere. Für sie stand allerdings nie die Frage der Integration im Zentrum ihres Interesses – die erledigte sich ja angeblich von selbst –, sondern eher die Frage, wie man die Herkunftsidentität der Migranten bewahren und schützen kann. Deren »eigene Kultur« wurde immer wieder als Rechtfertigung bemüht, wenn es um Praktiken ging, die frauenfeindlich und menschenrechtsverletzend sind, etwa dass die Söhne muslimischer Migranten auf eine starre Kultur der Ehre verpflichtet oder die Töchter in die Türkei an einen Ehemann verkauft werden. Die 60 »Migrationsforscher« hätten in den vergangenen Jahrzehnten die Mittel und den Apparat gehabt, die Probleme von Zwangsheirat, arrangierten Ehen und Ehrenmorden zu untersuchen und damit einen Beitrag zur Integrationspolitik zu leisten. Das haben sie nicht getan. Sie gefielen sich in der Rolle vermeintlicher Fürsprecher der Muslime, deren Probleme aber haben sie nicht sehen wollen. Damit haben sie ein Tabu akzeptiert, die Verletzung von Menschenrechten und das Leid anderer zugelassen.

Bei den Recherchen zu diesem Buch habe ich mir auch angesehen, wie die Nachbarländer Deutschlands mit der Integration muslimischer Bürger umgehen. Die Politik der Niederlande scheint mir – neben der der skandinavischen Länder – mit ihrem eindeutigen Bekenntnis zu den Errungenschaften der Demokratie und mit ihrer liberalen, aber durch Prinzipien geprägten Praxis in vielem weiter zu sein als die deutsche Politik.

Die Niederländer haben aus dem Mord an dem holländischen Filmemacher Theo van Gogh gelernt. Auch für mich war mit diesem Verbrechen jede Hoffnung zerstört, dass es zwischen dem gelebten Islam und einer zivilen Gesellschaft auf absehbare Zeit einen konstruktiven Dialog geben kann. Da helfen auch die Vorhaltungen einiger Muslime und Islamversteher nicht weiter, die nach Erscheinen meines Buches in Deutschland immer wieder behaupteten, dass das, was ich über den Islam schreibe, nichts mit »dem« Islam zu tun habe. Ich würde Falsches über den Propheten und über die türkischen Muslime verbreiten. Nur hat mir bisher keiner der Religionswächter oder Türkenretter nachweisen können, wie denn der »echte« oder »wahre« Islam im Gegensatz zu »meinem« Bild beschaffen sei. Dabei gibt es in der Tat gravierende Unterschiede zwischen uns: Für die selbsterklärten Hüter der Religion ist der Koran »heilig«, er kommt direkt von Allah und gilt Wort für Wort. Aber wer sich weigert, den Koran als historisches Dokument zu sehen, wer sich weigert, den Propheten als einen Mann aus der Mitte des 7. Jahrhunderts zu erkennen, der unter bestimmten Umständen und Verhältnissen gelebt hat, die auf das Hier und Heute nicht übertragbar sind, der plädiert auch für die Scharia und eine Welt, in der Frauen nicht die gleichen Rechte wie die Männer haben. Wer nicht nur den Koran, sondern auch den Propheten und die Überlieferungen, also praktisch die gesamte religiöse Praxis für »heilig« hält und Kritik daran als Blasphemie ächtet, verweigert sich jeder Veränderung. Er proklamiert ein Weltbild, das seine Ideale aus dem tiefsten Mittelalter schöpft. Und es gibt Menschen, die wollen einem solchen Weltbild mitten im Europa des 21. Jahrhunderts nacheifern. Immer, wenn dem Islam vorgeworfen wird, er würde die Menschenrechte nicht achten, wird von den Islamvertretern gesagt, das habt ihr falsch verstanden. Dabei spricht die gelebte Realität des Islam eine allzu deutliche Sprache.

Der Schriftsteller Salman Rushdie, einst von dem Ayatollah Chomeini mit dem Todesurteil einer Fatwa überzogen, hat das Dilemma dieser Position auf den Punkt gebracht. Er schreibt, die Diskussion über den Islam »erinnert mich ein bisschen an das, was die Sozialisten während der schlimmsten Exzesse in der Sowjetunion behauptet haben. Das ist nicht wirklich Sozialismus, sagten sie. Es gibt einen wahren Sozialismus, in dem es um Freiheit, soziale Gerechtigkeit und so weiter geht, aber das tyrannische Regime dort drüben, der real existierende Sozialismus hat nichts mit dem wirklichen Marxismus zu tun. (...) Ich glaube, man fängt an, diese Trennung auch in der Debatte über den Islam zu machen. Es gibt aber einen aktuellen existierenden Islam, der überhaupt nicht liebenswert ist.« Und dieser Islam existiert nicht nur im Iran, in der Türkei oder in Marokko, sondern vor unserer Haustür.

Bevor dieses Buch in Deutschland erschien, gab es immer wieder den einen oder anderen Bericht über Zwangsheirat und »kulturell« bedingte Morde, eine offene und kritische Diskussion über die Praxis der archaischen, islamisch fundierten Leitkultur aber fand nicht statt. Inzwischen sind fast ein Dutzend Bücher von Frauen erschienen, die über ihr Leid berichten, werden »Ehrenmorde« und Gewalt gegen Frauen von der Presse aufmerksam registriert. Bei den Vertretern der Muslime selbst scheinen die Verbrechen keine Fragen auszulösen. Mit Terror, Ehrenmorden und Zwangsheirat, so geben sie in Presseerklärungen bekannt, haben sie nichts zu tun. Ihre Sorge gilt nicht den Entstehungsursachen solcher Verbrechen, sondern nur der Frage, welches Bild von den Muslimen in der öffentlichen Wahrnehmung entsteht, wenn über diese Verbrechen berichtet wird.

Eine Diskussion innerhalb oder mit der muslimischen Community über Demokratie, Menschenrechte und Individualismus wird bisher sträflich vernachlässigt. Gern »erklären« die Muslimvereine den Ungläubigen den Islam. Sie wollen »verstanden« werden. Eine theologische Auseinandersetzung innerhalb des Islams und über den Islam, sein Menschen- und Weltbild – so wie es das im Judentum und im Christentum immer wieder gegeben hat – findet innerhalb der muslimischen Gemeinschaft nicht statt. Es wird sorgfältig darauf geachtet, dass nichts aus der Umma, der Gemeinschaft der Muslime, nach außen dringt. Aber auch die westlichen Intellektuellen haben auf diesem Feld einen großen Nachholbedarf.

Ich habe lange in Hamburg gewohnt, und die schönsten Spaziergänge kann man in Norddeutschland auf den Deichen machen. In einem der Gasthäuser im Alten Land, einem von Holländern erschlossenen Obstanbaugebiet nördlich der Stadt, habe ich den Spruch gelesen »Wer nich will dieken, de muss wieken« – wer nicht deichen will, muss weichen. Deichbau ist Bürgerpflicht, denn wer sein Haus nicht schützt, den holt die Flut. Für Niederländer und Norddeutsche ist die Erkenntnis, dass man wehrhaft die eigenen Errungenschaften verteidigen muss, sicher eine Binsenweisheit, aber ich, ein Mädchen aus Istanbul, musste das erst lernen. Mir scheint das ein passendes Bild für die Verteidigung der Demokratie und der Menschenrechte in Europa zu sein. Wir verteidigen damit unser Leben gegen den Tod.

Ayaan Hirsi Ali, Theo van Gogh und Leon de Winter sind für mich Deichgrafen der Aufklärung. Leon de Winter hat Recht, wenn er den Islamismus als den Faschismus des 21. Jahrhundert charakterisiert, und Ayaan Hirsi Ali hat Recht, wenn sie Mut und Konsequenz von uns Demokraten einfordert und sich gegen die Kulturrelativisten wendet. Ich bewundere sie für das, was sie geschrieben hat und wofür sie einsteht. Ich möchte mich auch bei Alice Schwarzer bedanken. Sie war eine der Ersten, die sich unerschrocken über den Islamismus äußerte, als noch niemand etwas von dem Thema hören wollte. Und sie war es auch, die mich ebenso unerschrocken gegen meine Kritiker in Schutz nahm und sich damit den Zorn der Islamversteher zuzog. Sie hat mir Mut gemacht.

Mut möchte auch ich meinen Leserinnen und Lesern machen, genau hinzusehen, was mit den muslimischen Frauen und Mädchen geschieht. Lassen Sie nicht zu, dass – im Namen welchen Gottes, welcher Kultur oder Tradition auch immer – Menschenrechte missachtet werden.

Necla Kelek, im März 2006

Türkische Hochzeit
oder
Das Fest des Lebens

Dies ist eine wahre Geschichte. Sie handelt von Liebe und Sklaverei, von Ehre und Respekt, von türkischem Mocca und verkauften Bräuten. Sie erzählt von meiner Familie, die aus Anatolien über Istanbul nach Deutschland kam, und sie erzählt von
meinem Weg in die Freiheit. Sie berichtet von türkischen Frauen,
die in arrangierten Ehen von ihrer Familie nach Deutschland
verheiratet werden – gegen den Brautpreis Deutschland – und
hier Fremde in der Fremde bleiben, oft genug wie Sklavinnen gehalten. Sie beschreibt und ergründet, woran und warum die Integration meiner türkischen Landsleute in Deutschland immer
wieder scheitert. Ich möchte, dass sich das ändert.

Türkischen Mocca rührt man besser nicht um, heißt es, denn
der Kaffeesatz am Grund ist bitter. Ich habe kräftig darin he-
rumgerührt, und die Geschichten, die ich Ihnen hier erzählen werde, enthalten einige bittere Wahrheiten, die vielen nicht
schmecken werden: meinen türkischen Landsleuten nicht, meinen deutschen Mitbürgern nicht. Mein Buch richtet sich an beide Gruppen, denn beide müssen manches ändern, soll die Integration künftig gelingen.

Bei den Eingangssätzen dieses Kapitels höre ich schon die ersten empörten Zwischenrufe: »Ja kennen Sie nicht die vielen
tausend Türken, die seit Jahren in Deutschland leben, hier Geschäfte aufgemacht haben, ihre Kinder an deutschen Universitäten studieren lassen und deren zweite Heimat Deutschland ist?«

Ja, die kenne ich. Und ich gehöre dazu. Aber gerade wer es
»geschafft« hat, in diesem Land anzukommen, darf am wenigs-

ten die Augen vor den Schwierigkeiten verschließen, die andere haben und deren Ursachen gesellschaftlich, kulturell und politisch begründet sind. Wir Migranten haben eine doppelte Verantwortung – dem Land gegenüber, das uns aufgenommen hat, und unseren türkischen Landsleuten gegenüber, damit es nicht nur ein Nebeneinander, sondern ein Miteinander gibt.

Aus einer anderen Ecke kommt der nächste Zwischenruf: »Bei uns kann jeder nach seiner Fasson selig werden. Wir können doch unseren Ausländern nicht vorschreiben, wen sie heiraten. Das ist *deren* Angelegenheit. Und außerdem: Unterschiede machen ein Land erst lebendig.« Eben da liegt das Problem. Alles, was »anders« ist, steht bei vielen gutmeinenden Deutschen unter Naturschutz. Das ist heilig, daran darf nicht gerührt werden, im Gegenteil: Es bedarf besonderer Obhut und Pflege. Zumal hierzulande jedwede Kritik an Ausländern sehr schnell als Diskriminierung, womöglich gar als Rassismus unter Verdacht steht. Kritik an fremden Kulturen ist politisch nicht korrekt. Denn jede Kultur wird »an sich« als Bereicherung erachtet. Auch wenn sie barbarische Praktiken gutheißt, wie Zwangsheirat oder Ehrenmorde. Für mich endet diese Seligkeit, wo Menschenrechte missachtet werden.

Ich möchte den Teufelskreis von falscher Toleranz und Schweigen aus Solidarität aufbrechen und helfen, Vorurteile und Abgrenzung durch einen offenen Dialog abzubauen. Ich mische mich ein, *weil ich die Integration will*. Allerdings hat Integration auch ihren Preis. »You can't have the cake and eat it« gilt auch hier. Integration ist keine wechselseitige Liebeserklärung, eher schon eine Art Vertragsverhältnis. Für beide Seiten gelten bestimmte Bedingungen, und die müssen eingehalten werden. Und daran hapert es. Auf beiden Seiten.

Unvermeidlich wird dieses Buch vielen Leserinnen und Lesern nahe treten. Den Türken und Muslimen, weil ich aus dem Inneren ihrer Gesellschaft berichte, was versteckt, verschwiegen, verdrängt wird – weil sie meinen, dies ginge niemanden etwas an. Und auch einigen Deutschen, die sich seit Jahren redlich um den Abbau von Ausländerfeindlichkeit bemühen und denen ich sage: Verschenkt euch und vor allem eure Verfassung nicht. Und es wird die »falschen Freunde« geben, die triumphieren werden: »*Wir* haben das doch immer schon gewusst!« Wer gegen lieb gewonnene politische Vorurteile verstößt, ist vor ungebetenem Beifall nicht gefeit. Aber mir geht es nicht darum, Vorurteile zu bestätigen. Es geht um Klarheit und darum, einen *gemeinsamen* Weg zu finden. Integration ist keine Einbahnstraße.

Es ist das Schicksal von Migranten, in einem fremden Land zu leben. Das deutsche Wort »Elend« spielt etymologisch darauf an – E-Lend, aus dem Land, in der Fremde. Wir verstehen dieses Schicksal heute als einen beklagenswerten Zustand. Aber das muss nicht zwangsläufig so sein. Zuweilen gibt es auch ein Happy End – und damit möchte ich beginnen.

Der Falke auf der Reise

An einem wunderschönen Abend im August 2002 findet in Mudanya am Marmara-Meer die Hochzeit meines Bruders statt. Die Sonne ist seit einer Stunde untergegangen, die Häuser stehen wie schwarze Schatten um den kleinen Platz. Junge Frauen mit brennenden Kerzen in den Händen bilden Spalier, Musiker mit Geige, Trommel und Ud spielen ein melancholisches Lied, als die Braut in einem roten bestickten Kaftan erscheint, auf dem Kopf die traditionelle Kappe der Partisanen, an deren Rand goldene Münzen an kleinen Häkchen befestigt sind. Ihr Gesicht ist hinter einem durchsichtigen Schleier verborgen, der über ihre Schultern fällt. Sie wird zu einem Stuhl in der Mitte des Platzes geführt. Ihre beste Freundin trägt ein Tablett mit Kerzen und einer Schale mit Henna vorweg, die zukünftige Schwiegermutter, meine Mutter, geht zur Braut, tupft ihr ein wenig Paste in die rechte Handfläche und bindet ein weißes Tuch darum, damit der Fleck tief in die Haut eindringt. Jetzt ist die Braut befleckt, unsere Familie hat ihre Marke gesetzt, was so viel bedeutet wie: Du gehörst jetzt zu uns. Die Frauen gehen im Kreis um die Braut herum und singen: »Möge die Mutter uns verzeihen, dass wir ihr nehmen, ein Stück von ihrem Leben / Gehe mit Sehnsucht von meiner Mutter, von meinem Vater, von meinem Dorf.«

Der Henna-Abend ist der Tag, an dem die Braut sich von ihrer Familie verabschiedet. Mutter und Tochter sehen sich an diesem Abend zum letzten Mal. Manchmal ist es ein Abschied für immer. Tränen fließen. So soll es sein, sagen die Wächterinnen der Bräuche, die mit ihren Kopftüchern am Rand sitzen.

Aber an diesem Abend ist alles anders. Der Abschied ist fröhlich, die Stimmung ausgelassen. Es ist der Abend vor dem Tag, an dem ein Mann seine Liebste heiraten wird. Die Braut tanzt kurz darauf im schicken kurzärmeligen Kleid mit ihrem zukünftigen Mann in der Mitte des Kreises. Die Musik wird schneller und wilder, bald strömt die ganze Gesellschaft in den Kreis und feiert. Nur die Familie der Braut hält sich zurück. Es scheint ihr nicht schicklich, so ausgelassen und fröhlich zu sein.

Am nächsten Tag findet die Hochzeit statt. Sie beginnt mit dem Einzug des Brautpaares. Der Bräutigam sitzt hoch zu Pferde. Er trägt die Festtracht der Tscherkessen, einen langen roten Rock mit schwarzem Revers, ein weißes Hemd mit Stehkragen, einen Gürtel mit einem silbernen Dolch und Patronentaschen, schwarze Hosen und Reitstiefel. Er sitzt kerzengerade auf dem großen braunen Pferd, vor ihm die Braut im Damensitz mit einem Tüllschleier, einem schulterfreien engen Bustier aus rotem Taft und einem weißen Tüllrock mit Schleppe. Sie hat das Hochzeitskleid in einer englischen Zeitschrift gesehen und nachschneidern lassen. Das Paar reitet langsam auf ein Zelt zu, das auf der Wiese aufgebaut ist, eine Jurte mit weit aufgestelltem

Eingang, darin Kelims, Kissen und Tabletts auf schmalen Füßen. Neben dem Hochzeitszelt kurbelt ein kleines Mädchen ein Fass mit Ayran, dem Joghurtgetränk. Drei Hammel drehen am Spieß, und aus den Lautsprechern schallt das Lied, das sich die Braut für ihren Mann ausgesucht hat: »Du hast mich so glücklich gemacht, mit deinen schönen Worten / und als die Sterne leuchteten, lag ich in deinen Armen. / Umarme mich ganz warm, ich möchte vergessen, was war / In deinen Augen, in meiner großen Liebe wurde ich geboren.« Ein Hund bellt, und das Pferd scheut, es fürchtet sich vor der lauten Musik und den Menschen, die auf der Wiese stehen und klatschen. Der Bräutigam beruhigt es, steigt ab, hilft seiner Zukünftigen aus dem Sattel und gemeinsam schreiten sie zum Zelt, setzen sich auf die Kissen.

Mein Onkel Enischte steht unter den Gästen und ruft: »Das ist das Fest des Lebens! Ich wünsche allen ledigen Männern, dass sie die Nächsten sind!« Die Gäste klatschen. Es sind fast dreihundert.

Der *Nikah Memuru,* der Standesbeamte, kommt und fragt die Braut nach ihrem Namen, dem Namen ihrer Eltern und dem der Schwiegermutter. Dann sagt er: »Sie haben den Antrag gestellt, die Ehe zu schließen, und ich möchte Sie fragen, ob Sie das getan haben, ohne dazu von irgendjemandem gezwungen worden zu sein.« Und die Braut antwortet: »Evet«, ja. Er stellt dieselbe Frage an meinen Bruder und bekommt dieselbe Antwort. Damit ist die Ehe geschlossen. Dann küssen die Brautleute sich auf die Wangen – auf den Mund wäre unschicklich, das gehört sich nicht in der Öffentlichkeit. Ein Orchester beginnt zu spielen, das Lied der Tscherkessen »Scheich Schamil«, das vom verletzten Falken erzählt und für mich so etwas wie die Hymne der Migration ist; frei übersetzt lautet es: »In die Fremde flog der Falke / Mit Sehnsucht im Herzen flog und stürzte der Falke / Und wieder schwang er sich auf / Halte ihn nicht, fessle ihn nicht / Er ist auf der Reise, auf dem Weg in die Fremde.« Junge

Männer aus meiner Familie sind in die Mitte gesprungen und tanzen mit flinken Füßen, kerzengerade und mit ausgebreiteten Armen, als würden sie wie der Falke über die Wiese fliegen. Man sieht förmlich die Säbel unter ihren Füßen blitzen, so schnell tanzen sie.

Alle Gäste stellen sich an, um dem Brautpaar zu gratulieren. Die Frauen legen der Braut Gold an, Armreifen und Ketten, und stecken ihr Goldtaler ans Kleid. Es ist das Brautgeld, das die Braut als Aussteuer und Versicherung behalten darf. Diskret organisiert mein Bruder per Handy die eigene Feier, wann das Essen serviert wird, wann die Musik einsetzt, wann das Feuerwerk beginnen soll.

Seine Frau ist 27 Jahre alt und Lehrerin für Wirtschaftsenglisch. Sie hat ihren Mann bei der Arbeit kennen gelernt. Mein Bruder ist 43 Jahre alt und kaufmännischer Direktor einer internationalen Firma. Er wollte seine Englischkenntnisse aufbessern und buchte Einzelunterricht. Nach der ersten Stunde war klar, dass er noch eine Menge lernen musste, nach der zweiten hatten er und seine Lehrerin sich ineinander verliebt. Eine dritte Lektion gab es nicht mehr. Die Eltern erfuhren von der Heiratsabsicht der beiden, als alles bereits beschlossene Sache war.

Diese Hochzeit war wie eine Revolution. Noch nie hatte jemand im türkischen Bursa eine Tscherkessenhochzeit gefeiert. Aber noch ungewöhnlicher war, dass mein Bruder und seine Frau alles selbst bestimmt hatten. Die Hochzeit ist in der türkisch-islamischen Gesellschaft traditionell eine Sache der Eltern, die Selbstbestimmung der jungen Leute darüber ist nicht vorgesehen. Mein Bruder aber – er ist ein Jahr jünger als ich – hat es einfach anders gemacht, als die Tradition es gebietet. Er hat zwar einen türkischen Pass, aber er ist in allem von seinen Erfahrungen in Deutschland geprägt, wo er wie ich aufgewachsen und zur Schule gegangen ist. Er hat Betriebswirtschaft und Finanzwissenschaft studiert und war von seiner Firma auch wegen seiner Sprachkenntnisse in die Türkei geschickt worden – in das Land, das er vor 38 Jahren als kleiner Junge verlassen hatte und dessen Traditionen, Sitten, Bräuche, Religion ihm so fremd waren wie jedem anderen deutschen Manager. Bis dahin hatten Betriebsergebnisse und technische Innovationen ihn mehr interessiert als das Land seiner Herkunft. Wenn es jemanden gibt, der in Deutschland mit Kopf, Füßen, Herz und Verstand angekommen ist, dann ist das mein kleiner Bruder. Rationales Denken und selbstbestimmtes Handeln sind ihm zur zweiten Natur geworden. Wenn ich ein Beispiel für eine gelungene Integration geben müsste, dann würde ich ihn nennen. Heute lebt er mit seiner Frau und seinem kleinen Sohn in Bursa, einer Industrieregion und islamistischen Hochburg, ein paar Autostunden von Istanbul entfernt. Ich bin stolz auf ihn.

Wir, ihr und ich

Diese Hochzeit markiert das vorläufig glückliche Ende meiner Familiengeschichte, die ich Ihnen in diesem Buch erzählen möchte. Sie ist auf eigentümliche Weise eng mit den Veränderungen in der türkischen Gesellschaft verbunden, mit der Geschichte der Migration, der Sklaverei und der Demokratie in den letzten hundert Jahren.

Mein Urgroßvater war ein Tscherkesse aus dem Kaukasus, der nach Anatolien kam und durch den Verkauf von Sklavinnen an den Harem des Sultans reich wurde. Mein Großvater war Partisan und kämpfte gegen Atatürk, der die Türkei nach Westen blicken hieß. Mein Vater hingegen war ein Anhänger eben dieses Mustafa Kemal Atatürk. Aber er verließ Anatolien, um zunächst in Istanbul und dann – als einer der ersten Türken – in Deutschland Arbeit zu suchen.

Ich werde Ihnen vom Leben meiner Familie erzählen, und ich

werde meine Geschichte erzählen, die Geschichte eines kleinen Mädchens aus Istanbul, das nach Deutschland kam. Es ist keine dramatische Geschichte, sondern eine, wie so viele Mädchen aus der Türkei sie erleben, die in der Fremde aufwachsen und dabei doch nach Regeln erzogen werden, die mit dem Land, in dem sie leben, wenig zu tun haben. Und ich möchte Ihnen davon erzählen, wie schwer es ist, sich davon wieder zu lösen und endlich in der neuen Heimat anzukommen. Und von Frauen, die dieses Glück nicht haben.

Zeynep ist 28 Jahre alt und hat drei Kinder. Sie lebt seit zwölf Jahren in der Freien und Hansestadt Hamburg, versorgt den Haushalt ihrer Großfamilie und spricht kein Wort Deutsch. Sie verlässt die Wohnung nur zum Koranunterricht. Sie ist eine »Import-Gelin«, eine Importbraut, eine moderne Sklavin. Wie für Tausende anderer türkischer Frauen, die von ihren Familien nach Deutschland »vermittelt« wurden, gelten für Zeynep die demokratischen Grundrechte faktisch nicht. Sie kennt sie nicht, und es ist niemand da, der sich für ihr Schicksal interessiert. Die türkisch-islamische Gemeinde schweigt betreten, redet von kulturellen Traditionen, versteckt die Frauen unter Kopftüchern und grenzt sich von der deutschen Gesellschaft ab – auch wenn sie mit aller Kraft danach strebt, dass die Türkei in die Europäische Union aufgenommen wird. Dabei beruft sie sich auf die Glaubensfreiheit und findet dafür Verständnis bei den liberalen Deutschen, die im Zweifelsfalle eher bereit sind, ihre Verfassung zu ignorieren, als sich Ausländerfeindlichkeit vorwerfen zu lassen. Ich möchte, dass dieser Zustand beendet wird und auch in Deutschland die Menschenrechte ohne Ausnahme gelten.

»Was tun wir Türken für Deutschland?« Als ich 25 Kopftuch tragenden Frauen, die in den Bänken der Koranschule einer Hamburger Moschee vor mir sitzen, diese Frage stelle, regen sich alle auf. »Was soll das denn heißen? Ich habe dreißig Jahre lang hier gearbeitet, das dürfte doch wohl reichen!« – »Die Deutschen tun doch nichts für uns, sie streichen ja sogar die Nachhilfe, und es gibt nicht mal einen Gebetsraum in der Schule!« – »Sie wussten doch, dass wir Türken sind, als sie uns geholt haben!« Ich könnte die Frage, leicht verändert, auch türkischen Männern stellen: »Was könnten die Türken für Deutschland tun?« Die Reaktionen wären ähnlich verständnislos. Warum, fragen sich alle, soll man etwas für Deutschland tun? Und sofort würden sie mit Gegenfragen kontern: Warum zahlt der Staat keinen Sprachunterricht? Warum dürfen Lehrerinnen kein Kopftuch tragen? Warum werden wir Türken diskriminiert?

Die Stimmen der Frauen vor mir überschlagen sich. »Die Deutschen interessieren mich nicht. Ich bin nicht nach *Deutschland* gekommen, sondern in eine *Familie*«, sagt eine von ihnen. »Wir brauchen die Deutschen nicht. Wir haben hier unsere Moschee, unseren koscheren Laden, unser eigenes Fernsehen, wir brauchen sie nicht«, sagt eine andere ganz beleidigt.

Gülistan sitzt in der ersten Reihe und holt einen Zettel aus der Tasche: »Sie haben gegen uns gesprochen«, sagt sie streng, an mich gewandt.

»Was meinen Sie damit?«, frage ich sie.

»Ich habe Sie im Fernsehen gesehen, da haben Sie gegen das Kopftuch gesprochen.«

»Das stimmt, ich habe gegen das Kopftuch bei Kindern gesprochen. Aber nicht gegen die Türken.« Den Unterschied sieht sie nicht. Für sie sind alle Türken Muslime – Brüder und Schwestern im Glauben –, und die müssen gegen die Ungläubigen zusammenhalten. Die Welt ist zweigeteilt. In Innen und Außen. Innen, das sind die Türken, das sind die Muslime, das ist die Türkei. Draußen, das sind die Deutschen, die Ungläubigen, das ist Deutschland. Zwischen diesen zwei Welten gibt es keine Verbindung. Bist du für oder gegen uns, gehörst du zur Umma, zur Gemeinschaft der türkischen Muslime, oder nicht? Bist du rein oder unrein? Das sind die Fragen, die das Leben, den Alltag und den Umgang miteinander bestimmen. Ich möchte erklären, warum das so ist, warum es sich so schwer ändern lässt und doch geändert werden muss.

Manchmal verstehe ich die Deutschen nicht, besonders wenn sie alles verstehen. Da erzählt mir eine Lehrerin auf einer Veranstaltung in Glinde, wie sehr sie sich freue, dass die kleine türkische Schülerin jetzt wie alle anderen in der Klasse Kopftuch trage und damit endlich auch von ihren türkischen Mitschülern anerkannt werde. »Sie ist jetzt glücklich, weil sie ihren Glauben gefunden hat.« Wie kann sich eine deutsche Lehrerin daran erfreuen, dass ihre türkische Schülerin sich dem Druck des Kollektivs beugt? Wäre es nicht vielmehr ihre Aufgabe, dem Mädchen zu mehr Selbstbestimmung zu verhelfen?

Ich verstehe nicht, warum ein sozialdemokratischer Bürgermeister einer Freien und Hansestadt dafür wirbt, dass es Frauen als Lehrerinnen erlaubt sein müsse – meist angeblich aus »religiösen Gründen« –, ihr Haar zu verbergen. Wo bleibt bei diesem Politiker das Bewusstsein davon, dass wir in einem Rechtsstaat leben, der auf der Trennung von Religion und Staat beruht?

Ich verstehe nicht, warum Frauen, die sich einst als Feministinnen verstanden und heute Staatsämter innehaben, tatenlos zuschauen, wenn junge Frauen mitten in Deutschland wie Sklavinnen gehalten werden. Sie könnten doch etwas dagegen tun! Ist der Artikel 1 des Grundgesetzes: »Die Würde des Menschen ist unantastbar« nicht verpflichtend?

Ich verstehe nicht, wenn deutsche Richter auf mildernde Umstände für kurdische Killer entscheiden, die ein junges Paar ermordet haben, das sich den Gesetzen der Umma nicht fügen wollte. Ich verstehe nicht, dass der Respekt vor den »kulturellen Eigenheiten« der Kurden bei ihnen größer ist als der Respekt vor Artikel 2 des Grundgesetzes: »Jeder hat das Recht auf Leben und körperliche Unversehrtheit.«

28

Manchmal verstehe ich die Deutschen einfach nicht.

Ich bin in der Türkei geboren und habe inzwischen einen deutschen Pass. Manchmal aber kommt es mir vor, als gehörte ich zu den ganz wenigen, die stolz darauf sind.

Wasser in den Schuhen
oder
Ali, der Sklavenhändler

Wie es dazu kam, dass mein Urgroßvater dem Sultan Abdul Hamid II. Frauen für den Harem lieferte, warum Schönheit und Sklaverei verwandt sind und der Harem von der Schwiegermutter beherrscht wird

Am besten kann man mit meiner Mutter in der Küche reden. Das ist ihr Reich und für Männer *harem*, eine verbotene Zone. Wenn sie mich besucht, habe ich, spätestens nachdem sie ihre Taschen abgestellt hat, das Hoheitsrecht über diesen Raum verloren. Sie stellt sich vor den Kühlschrank und fragt, was man möchte, um es sogleich hervorzuzaubern. Während sie kocht und backt, ist sie in ihrem Element. Man darf gar nicht erst versuchen, ihr zu helfen. Das wäre ein Eingriff in ihre Intimsphäre und würde unweigerlich zu schlechter Stimmung führen. Während sie gekochten Reis in Kohlblätter wickelt, Schafskäse in Blätterteig rollt oder die herrliche Mischung aus Pinienkernen, Rosinen, Reis und Gewürzen mischt und in kleine Paprikaschoten füllt, kann man mit ihr reden. Die Hände funktionieren unabhängig von dem Geschehen ringsum. Ich bekomme gelegentlich etwas zum Probieren hingestellt, aber ansonsten sind ihre Hände unermüdlich tätig, und sie selbst ist zugleich ganz konzentriert beim Gespräch.

Ich sitze auf der Küchenbank und versuche, etwas über unsere Familie zu erfahren. Das Einzige, was ich von meinem Urgroßvater besitze, ist eine kunstvoll gearbeitete viereckige tscherkessische Silberbrosche mit einem roten Stein, die ich sehr liebe und besonders in schwierigen Situationen wie ein Schutzamulett trage. Meine Mutter erzählt, dass sich einst viele solcher Schmuckstücke im Familienbesitz befanden. Sie hat ein phantastisches Gedächtnis für alles, was sie einmal gehört oder gelesen hat, ganz besonders für Geschichten, die lange zurückliegen. Obwohl sie nie eine richtige Schule besucht hat, sondern nur die Koranschule, hat sie in ihrem Leben einen Schatz von Wissen angehäuft, mit dem sie aber, wie mit bestimmten Gewürzen, sparsam umgeht. Ich taste mich ganz vorsichtig an ihren Erinnerungen entlang, mache mir Notizen, um das, was sie mir sagt, später bei anderen Gesprächen mit anderen Verwandten und Gewährsleuten, Büchern oder Dokumenten bestätigt zu finden, zu ergänzen oder zu verwerfen.

Ich erzähle ihr, dass ich mich mit meinem Onkel Enischte getroffen habe, um zu erfahren, wie mein Urgroßvater gelebt haben mag. Onkel Enischte ist eigentlich der ideale Gesprächspartner, wenn es um türkische Geschichte geht. Er ist Archäologe und inzwischen pensionierter Museumsdirektor in Ankara. Es ist ein Erlebnis, mit ihm durch »sein« Museum zu gehen und all die Geschichten von Hethitern und Assyrern zu hören, die er erzählen kann. Er wusste, dass ich etwas über die Familie und über Hochzeiten schreiben wollte, und hatte sich entsprechend präpariert. Als ich ihn zur Familiengeschichte befragte, bekam ich einen langen, einen sehr langen Vortrag über die Größe der Türkei und des verehrungswürdigen Atatürk zu hören. Er möchte, dass seine Heimat und seine Familie in bestem Licht dastehen, der Republik und der Fahne verpflichtet. Die Osmanen und die unappetitlichen Geschehnisse des Bürgerkriegs sieht er, da ist er sich mit den türkischen Historikern einig, wie die Muslime die Zeit vor Mohammed als *Djahiliya*, die Zeit der Unwissenheit.

Ich liebe meinen Onkel Enischte, er ist eine hohe Persönlichkeit, mit Herz und Verstand, klein von Statur, aber mit großem

Charisma. Er kommt nicht in einen Raum, er tritt auf. In Gesellschaften spricht er nicht mit den Menschen, sondern er hält Vorträge, wie er sie vor Tausenden von Menschen gehalten hat, die er durch sein Museum führte. Wenn er in ein Geschäft geht, um etwas zu kaufen, fragt er den Verkäufer als Erstes, wie er heißt und aus welchem Ort er stammt. Dann erklärt er dem verblüfften Mann, dass er, Enischte, seine Familie kenne oder zumindest jemanden kenne, der sie kenne, sie also quasi Verwandte oder zumindest Freunde seien. Er nennt ein paar Namen und Ereignisse, und die Freude seines Gegenübers ist groß. Es gibt kein Dorf, keine Stadt in der Türkei, das oder die mein Onkel nicht kennt. Einmal allerdings hat er bei einem solchen Einkauf offensichtlich seinen redebegabten Meister getroffen. Anstatt mit einem leichten Sonnenhut, den er sich für den Sommerurlaub kaufen wollte, kam er mit einer Ballonmütze zurück, wie man sie von Bildern russischer Revolutionäre kennt. Als seine entsetzte Frau ihn fragte, was das denn für ein scheußliches Ding sei, war er empört. »Die habe ich bei einem Freund gekauft«, sagte er, »der würde mich niemals schlecht beraten.«

Onkel Enischte ist ein kluger Mann und ein Patriot. Als 2001 die sozialdemokratische Regierung bei den Parlamentswahlen weniger als drei Prozent der Stimmen bekam und die islamistische AKP von Tayyip Erdogan die Regierung übernahm, marschierte er zum Mausoleum *Anit Kabir* in Ankara, legte einen Blumenstrauß am vierzig Tonnen schweren Marmorsarg des Mustafa Kemal Pascha nieder und bat den Vater der Türken persönlich um Entschuldigung.

Als ich ihn nach meinem Urgroßvater fragte, erzählte er mir von den großartigen Leistungen dieses Mannes, der es, aus dem Kaukasus kommend, in Anatolien zu großem Wohlstand gebracht und dem Land vieles gestiftet hätte – unter anderem eine Moschee und eine Schule. Es hätte nicht viel gefehlt, und Onkel Enischte hätte auch noch den Frühling und die kristallklaren Bäche in unserem Heimatort Pinarbashe als Geschenke gepriesen, die wir meinem Urgroßvater zu verdanken haben. Dass er diese Gegend als neue Heimat für sich und damit für unsere Familie ausgesucht hatte, dafür dankte er ihm besonders.

Als ich Onkel Enischte fragte, womit denn der Urgroßvater seinen Reichtum erworben hätte, es gäbe da Gerüchte, wonach er mit Frauen gehandelt haben soll, sah mein Onkel mich streng an und sagt: »Meine Tochter, davon weiß ich nichts.« Thema beendet.

Mein Onkel ist ein überzeugter Türke, ein nationalistischer Republikaner, die Moschee betritt er zum Freitagsgebet und zu wissenschaftlichen Zwecken. Sein Leben und seine Auffassung von dem, was man tut und lässt, sind allerdings ganz von der türkisch-muslimischen Kultur geprägt. Und in dieser herrscht das Prinzip der *Umma*, der muslimischen Gemeinschaft. Wenn jemand etwas gegen die Verhältnisse in der Türkei sagt oder die Politik der Türkei nach außen kritisiert oder eben Fragen stellt wie ich, dann wird die Gemeinschaft verteidigt, mag man selbst auch vieles daran in Zweifel ziehen – die *Umma* geht vor. In seinem Fall sind es die Türkei, die Fahne, die Republik und die Familie, auf die kein Schatten fallen darf. Ich erfuhr von ihm viel über das moderne Anatolien, über die Mandelblüte und wie man aus frischem Schnee und Sirup Speiseeis macht, aber nichts über die Ereignisse jener Zeit, als die Männer aus dem Kaukasus nach Anatolien kamen.

Meine Mutter kann sich besser erinnern, und ausgerüstet mit ihren Stichworten mache ich mich auf die Suche nach Ali, meinem Urgroßvater, dem Tscherkessen, seiner Frau und seiner Verbindung zum Harem des Abdul Hamid II.

Der Exodus der Tscherkessen

Wie alle muslimischen Stämme suchten auch die Tscherkessen
lange eine Verbindung zu den Stämmen Arabiens. Um ihre Nähe
zum Propheten nachzuweisen, wird erzählt, die Tscherkessen
seien ein Stamm der Qureischen aus Mekka gewesen und im 7.
Jahrhundert über Syrien in den Kaukasus ausgewandert. Es finden sich keine Beweise für diese These, sie ist wohl eher ein
frommer Wunsch gewisser Muslime gewesen.

Die Tscherkessen waren ein Volk unter verschiedenen Völ-
kern und Stämmen, die seit Urzeiten im Kaukasus lebten, etwa
vierzig davon sind uns heute bekannt mit etwa sechzig verschiedenen Sprachen. Diese Völker bildeten keinen einheitlichen
Staat, sondern stellten eine auf viele einsame Bergtäler verteilte
Stammesgesellschaft dar. Eine Schrift scheinen sie nicht gekannt
zu haben, ihre Geschichte lebte in der mündlichen Überlieferung
fort. Es waren meist Erzählungen über stolze Stammesführer,
die sich keiner fremden Herrschaft beugten und lieber fortzo-
gen, als sich zu unterwerfen. Heute leben mehr Tscherkessen,
die sich selbst Adygen, Menschen des Lichts, nannten, in der
Diaspora als im Kaukasus, in der Türkei allein 1,5 Millionen.
Fest steht, dass sie schon seit dem 5. Jahrhundert im Kaukasus
siedelten und ein kriegerisches Bergvolk waren, das sich von
Viehzucht und Handel ernährte und bereits im 15. Jahrhundert
unter dem Einfluss der Krim-Tataren mehrheitlich zum Islam
bekehrt wurde. Immer wieder wurden sie von dem nach Süden
vordringenden russischen Reich von den Weideplätzen verdrängt und lebten schließlich hauptsächlich südlich des Asow-
schen Meers, wo sie die Stadt Kaban gründeten.

Der Kaukasus war jahrhundertelang die »offene Flanke«
Russlands, wenn sich das Reich mit den Türken anlegte. Selbst
in Friedenszeiten wurden die Neuansiedlungen der Russen von

den Kaukasiern angegriffen. Lange befehdeten sich die Tschet-schenen, Karbardier, Kumyken und Tscherkessen untereinander und waren dadurch für Russland keine wirkliche Gefahr. Russland aber setzte auf Expansion und begann, sich immer weiter nach Westen und Süden auszubreiten, begründete seinen »Pan-slawismus« unter anderem mit dem notwendigen Schutz der christlichen Armenier und Georgier. Dabei stießen sie auf den Widerstand der Muslime – der Türken auf dem Balkan, der Ta-taren auf der Krim und der Tscherkessen und anderer Stämme im Kaukasus. Erst als der Sufi-Führer Scheich Mansur 1785 dazu aufrief, sich gegen die Ungläubigen zu erheben, verbünde-ten sich die Bergvölker und riefen nach dem *Dschihad*, dem hei-ligen Krieg zur »Verteidigung des Glaubens«.

Der Tscherkesse Imam Schamil stand ein Vierteljahrhundert, von 1834 bis 1859, an der Spitze der Widerstandsbewegung und wusste dabei alle Vorteile des Terrains zu nutzen. Kleine Ban-den leicht bewaffneter Kämpfer machten der zahlenmäßig und technisch überlegenen russischen Armee das Leben schwer und brachten ihr immer wieder schwere Verluste bei. Aber die Rus-sen wussten sich zu wehren: Sie holzten systematisch Wälder ab, verbrannten Ernten, zerstörten Dörfer und verjagten die Bevöl-kerung, siedelten sie um oder ermordeten sie, schreibt der briti-sche Professor für Russische Geschichte Geoffrey Hosking.

Am 21. Mai 1864 fiel in Kbadaa die letzte Bastion des Wider-stands. Was folgte, war der Exodus der Tscherkessen aus dem Kaukasus. Zurück blieben verbrannte Erde und der Hass der Nachkommen, mit dem sich Russland bis heute in Tschetsche-nien herumschlägt. Fast 300 000 Tscherkessen verließen ihre Heimat, etwa 750 000 Nordkaukasier versuchten, über das Schwarze Meer in die Türkei zu gelangen. Das Osmanische Reich schickte zwar eine ganze Flotte zur Rettung der Glaubens-brüder, doch mehr als die Hälfte von ihnen kam um. Sie starben auf der Flucht, stürzten in Schluchten, ertranken im Meer oder wurden durch Seuchen und Hitze dahingerafft. Niemand war auf diese Völkerwanderung vorbereitet, am wenigsten die Türken. Die Überlebenden wurden über das ganze Osmanische Reich verteilt, und die Kabartai-Tscherkessen kamen ins »weite Tal« nach Kayseri in Zentral-Anatolien. Nachdem der vorerst letzte türkisch-russische Krieg 1878 beendet war, in dem die Türken unterlagen, wurde im Vertrag von Berlin festgelegt, dass alle Tscherkessen und Abchasen Russland verlassen mussten.

Ali, mein Urgroßvater, kam 1895 allein über das Schwarze Meer mit einem Schiff nach Istanbul. Meine Mutter und auch die anderen Verwandten beteuern: Er kam allein. Nach Auswertung aller Berichte, Erzählungen und zu Rate gezogener Dokumente kann sich seine Geschichte so zugetragen haben, wie im Folgenden berichtet. Einschränkend muss ich hinzufügen: Ich war nicht dabei, und es gibt von dem Leben meines Urgroßvaters nur mündliche Überlieferungen von meiner Urgroßmutter auf meine Großmutter usw. Die Geschichte ist so wahr wie die Geschichten, die an den Lagerfeuern der Karawanserei erzählt werden. Meine »Lagerfeuer« waren meine Küche, die Bank vor dem Haus meiner Großmutter, die Bibliothek des Enkels eines Wesirs und die Schilderungen der tscherkessischen Prinzessin Leyla »Gülefsan« Hanim Acba.

Im Palast des Sultans

Ali kam allein, und doch auch wieder nicht. In seiner Begleitung und in seinem Besitz hatte er 200 Sklaven und einen ganzen Hausstand an Silber, Samowaren, Geschirr, Schmuck, Waffen. Ali muss eine imposante Erscheinung gewesen sein. Etwa fünfunddreißig Jahre alt, ein Meter neunzig groß, strahlend blaue Augen, ein stolzer Bart und bekleidet mit der Tscherkeska, der Nationaltracht der Tscherkessen, einem hüftlangen, vielleicht roten oder schwarzen Rock mit schmalem Gürtel, kleinem Steh-kragen und langen weiten Ärmeln, auf der Brust waren Schlau-fen für Patronen aufgenäht. Im Gürtel eine Gurka, einen kauka-sischen Silberdolch, vielleicht auch eine Pistole. Darüber eine Burka, ein bodenlanger Umhang mit weit abstehender Schulter-partie, der meist nur über einer Schulter getragen wurde. Auf dem Kopf eine Pelzmütze, an den Füßen schwarze Reiterstiefel.

Seine Ankunft in Istanbul sprach sich schnell herum. Er hatte an Bord, was im Osmanischen Reich wertvoller war als Silber und Teppiche. Er hatte, was Sultane, Wesire und reiche Kaufleu-te begehrten: schöne tscherkessische Frauen.

Obwohl der Sultan bereits 1847 die Sklavenmärkte offiziell geschlossen hatte, blühte der Handel mit schönen Frauen und Leibeigenen. Erst 1923 mit dem Sieg der türkischen Repu-blik wurde das Verbot auch durchgesetzt. Aber noch Ende des 19. Jahrhunderts ließen sich unter der Hand gute Geschäfte ma-chen, und die Tscherkessen verfügten über exzellente Verbin-dungen zur Hohen Pforte, dem Herrscherhaus und der Regie-rung der Osmanen.

Der Ruf von der Schiffsladung schöner tscherkessischer Mäd-chen, die im Hafen von Istanbul angekommen sein sollte, drang bis in den neuen Dolmabahce-Palast am Bosporus, in dem Sul-tan Abdul Hamid II. herrschte, ein Despot. Sein Vorgänger Ab-dul Meschid I. hatte in seiner mehr als zwanzigjährigen Regie-rungszeit das Reich reformiert, ihm eine Verfassung und ein Par-lament gegeben und es mit Hilfe von europäischen Beratern auf den Weg zum aufgeklärten Absolutismus gebracht. Abdul Ha-mid II. löste dieses Reformwerk wenige Tage nach seiner Thron-besteigung wieder auf, suspendierte die Verfassung und entle-digte sich des fortschrittlich gesinnten Großwesirs Mithat Pa-scha durch Mord. Dabei hatte die *Tanzimat*, die Rechts- und Verwaltungsreform, allen Türken erstmals bürgerliche Rechte gebracht – die Unverletzlichkeit der Person ohne Ansehen des

Standes, die Sicherheit des Eigentums und die Abschaffung der lebenslangen Militärpflicht. Abdul Hamid II. kassierte diesen Fortschritt.

Man schickte die Geheimpolizei aus, die »Schergen des Yildiz«, um den Tscherkessen zu suchen. Es war nicht schwer, die 200 Ankömmlinge und ihren Besitzer ausfindig zu machen.

Für den gerade in Istanbul angekommenen Ali war die Lage verwirrend. Die Stadt litt noch unter den Folgen eines Erdbebens, Armenier lieferten sich in den Straßen der Stadt mit der Geheimpolizei des Sultans blutige Kämpfe, und die Gerüchte in den Gassen von Beyoglu besagten, dass mancher vorlaute Student in einen Sack gesteckt wurde und von der Spitze des Serails in die Strömung des Goldenen Horn gestoßen wurde.

Man fand Ali in Tophane und überbrachte ihm die Aufforderung des Serails, sich umgehend dort einzufinden. Wollte man ihn verhaften? Er wusste es nicht, als er sich auf seinen Kabardiner-Hengst setzte und in seiner besten Kleidung zum Palast aufmachte. Sein Pferd, das er aus der Heimat mitgebracht hatte, konnte er getrost vor dem Palast stehen lassen, es wäre ohnehin niemandem gelungen, den Hengst zu besteigen oder auch nur von der Stelle zu bewegen. Keiner außer seinem Herrn kann einen Kabardiner reiten. In den Bergen, aus denen Ali kam, musste das so sein, denn dort war es das größte Vergnügen unter den jungen Burschen gewesen, die Pferde des Nachbarn zu stehlen. Wem das Pferd gestohlen wurde, der verlor sein Gesicht. Und das war die größte Schmach. Ein Kabardiner bewahrte einen davor.

Der Palast war von einer hohen Mauer umgeben, niemand konnte von der Landseite aus die Palastanlage einsehen. Aber Ali hatte schon vom Schiff aus die Pracht des riesigen, ganz in Weiß und im Stil eines europäischen Schlosses gebauten Gebäudes gesehen, bevor er in den Hafen eingelaufen war. Er meldete sich am Haupttor und wurde von den Wachen barsch auf einen

Nebeneingang für Lieferanten verwiesen. Er musste in einem der Torgebäude warten, wurde mehrfach nach Waffen durchsucht und erst Stunden später von einem Soldaten von Raum zu Raum eskortiert, misstrauisch beäugt von den Bediensteten. Dass er seinen Dolch ablegen musste, war eigentlich nicht zu akzeptieren. Ein Tscherkesse ohne Waffen war wie ein Mann ohne Arme. Aber die Regierung hatte Angst vor Mördern. Es waren mehr Sultane durch Gift, den Dolch oder die seidene Schnur umgekommen, als eines natürlichen Todes gestorben. Ali verstand das nicht, das war nicht seine Welt, das waren keine Männer. Auch innerhalb der Palastmauern bot sich ihm ein ungewohnter Anblick: Da wuchsen Rosen in Reihen und Rondells, es gab große grüne Rasenflächen und Brunnen, aus denen das Wasser spritzte, und unzählige Diener, Beamte und Kutschen, die Gäste brachten.

Ali saß in der Wache des Palastes und wartete. Offensichtlich hatte man ihn vergessen. Niemand kam und bot ihm Tee an, und er begann langsam auf der Bank einzuschlafen. Plötzlich wurde die Tür aufgerissen, ein Offizier rief seinen Namen, und zwei Soldaten forderten ihn auf mitzukommen. Sie brachten ihn in den Palast. Er stieg Treppen hinauf, und die Räume, die sie durchquerten, waren groß wie Moscheen und mit kostbaren Teppichen ausgelegt. Kristall-Leuchter hingen von den Decken herab, die so mächtig waren, dass sie nicht auf eine Eselskarre gepasst hätten.

Und wieder musste mein Urgroßvater warten, diesmal in einem Saal voller Spiegel und mit Stoff bespannten Wänden. Es herrschte eine Pracht, als befände er sich hier im Paradies auf Erden. Mit ihm warteten noch andere Effendis, einige von ihnen beäugten den Neuankömmling misstrauisch – wieder ein Tscherkesse, von denen es am Hof nur so zu wimmeln schien. Ali war der Einzige in einer Tracht. Alle anderen Männer trugen Schnauzer und schwarze Anzüge mit engen, bis zum Knie reichenden Jacken, weiße Hemden, dunkle Krawatten und auf dem Kopf einen randlosen Hut, den *Fes*, der mit der europäischen Kleidung auch den Turban abgelöst hatte.

Ali fühlte sich unwohl, er wusste immer noch nicht, was man von ihm wollte. Und niemand redete mit ihm. Jedenfalls war er nicht verhaftet worden, dafür hätte man ihn nicht in den Palast bestellt. Vielleicht wollte man ihn stattdessen gleich mit der seidenen Schnur erwürgen oder zumindest zum Tod durch den Säbel verurteilen. Ali schwitzte, dachte an seine Heimat und bat Allah um Beistand. Er überlegte, was er tun würde, wenn er diese Stunde überleben würde, vielleicht eine *Haddsch* antreten. Dafür war es ohnehin Zeit. Vielleicht sollte er den Wesir – oder wer auch immer ihn vorgeladen hatte – bitten, ihm vor seinem Tod noch eine Pilgerfahrt nach Mekka zu gestatten. Das würde ihm der Kalif, oberster Gebieter aller Muslime, sicher nicht abschlagen.

Endlich ging eine Tür auf, ein Sekretär trat heraus, schloss die Tür wieder und bat nacheinander erst den einen, dann den anderen der wartenden Beys ins Nebenzimmer. Aber außer dem Sekretär kam nie wieder jemand heraus. Das beunruhigte meinen Urgroßvater. Was geschah hinter der Tür? Die wildesten Phantasien überfielen ihn. Dann wurde auch er hineingebeten, man fragte nochmals nach seinem Namen und teilte ihm mit, dass er gleich vor den Sultan treten und nur, wenn er gefragt würde, zu reden habe, den Blick auf den Boden gerichtet. Schlagartig wurde ihm übel. Er hatte schon einiges in seinem Leben durchgestanden, war auf wilden Pferden über Schluchten gesprungen und durch reißende Flüsse geschwommen, hatte seine Liebste verlassen und sich mit korrupten Kapitänen herumschlagen müssen. Aber dem obersten Herrn auf einem weichen Teppich gegenübertreten zu müssen, flößte ihm Furcht ein.

Mit weichen Knien, aber aufrecht schritt er in den Raum, in dem Sultan Abdul Hamid II. an seinem Schreibtisch in der Nähe des Fensters saß. Die Sonne schien trotz der vorgezogenen Vorhänge so hell, dass der Mann im Gegenlicht saß und Ali ihn nicht recht erkennen konnte. Er war so gekleidet wie die Männer im Saal. Mein Urgroßvater hielt den Kopf gesenkt und verbeugte sich. Der Sekretär sagte leise etwas zum Sultan, der nickte und wandte sich an den Gast: »Wir hören, Ihr habt eine lange Reise hinter Euch.«

Ali nickte, brachte gerade mal »Evet«, Ja, heraus und vergaß die Anrede.

»Ihr wisst, dass der Handel mit Menschen bei uns verboten ist?«

»Evet.«

»Ihr seid mutig, es dennoch zu versuchen. Nun ja, Ihr seid ein Tscherkesse. In meinen Adern fließt mindestens so viel tscherkessisches Blut wie türkisches. Aber sagt das niemandem weiter.« Der Sultan lachte.

»Ich liebe die Mädchen aus deinem Volk, Händler. Es sind die schönsten, die ich kenne. Die Valide Sultan, meine Mutter, ist auch aus deinem Volk.«

»Evet.«

»Ich sollte dich einsperren oder besser noch nach Kars verbannen für deine Frechheit, hier, unter den Augen der Hohen Pforte, solche Geschäfte zu betreiben.«

»Evet.« Ali schwitzte, wie er noch nie in seinem Leben geschwitzt hatte.

»Aber es wäre schade um die schönen Frauen, die dann ohne Schutz wären.«

»Evet.«

»Bist du ein frommer Mann?«

Ali nickte heftig: »Evet.«

Der Sultan schwieg und überlegte einen Moment. Dann stand er auf und ging auf seinen Gast zu und flüsterte ihm zu: »Der Prophet sagt: Frömmigkeit besteht nicht darin, dass ihr euch beim Gebet nach Osten oder Westen wendet. Sie besteht vielmehr darin, dass man an Gott, den Jüngsten Tag, die Engel, die Schrift und die Propheten glaubt und sein Geld – mag es einem noch so lieb sein – für die Verwandten, die Waisen und für den Freikauf von Sklaven hergibt.« Der Kalif sah den vor ihm stehenden Mann an, und bevor der Sultan seinen Satz zu Ende bringen konnte, sagte der: »Evet.«

Der Sultan nickte ihm und dann seinem Sekretär zu. Die Audienz war beendet.

Der Sekretär griff ihn am Arm und sagte: »Er kann gehen.«

Ali sagte noch: »Tham wrapsow«, was in seiner Muttersprache so viel wie »Gott gebe dir ein langes Leben« bedeutete, aber das hörte der Sultan schon nicht mehr.

Hinter ihm wurde die Tür geschlossen. Der Sekretär erteilte ihm im förmlichen Stil einen Befehl. Ali möge – »Allah sei dir gnädig« – mit seinen Jungfrauen im Palast erscheinen, er sagte genau, wo und bei wem, damit geprüft werden könne, welche von ihnen in den Dienst des Serails aufgenommen werden könnten. Dann wurde er hinausgeleitet.

Vor der Tür, auf den Stufen des Ausgangs, schlug ihm die Hitze des Sommers wie ein heißer Lappen ins Gesicht. Er setzte sich auf den Stufen nieder. Sein Rock war durchgeschwitzt. Ohne auf die Blicke anderer zu achten, zog er die Stiefel von seinen Füßen. Sie waren nass, und als er die Stiefel umstülpte, lief ihm das Wasser aus den Schuhen.

Das Osmanische Reich versuchte auf der einen Seite, seine Größe und Identität zu bewahren, und auf der anderen Seite, nicht den Anschluss an Europa zu verlieren. Sultan Abdul Hamid II. war, wie alle osmanischen Herrscher vor ihm, gleichzeitig Kalif, das heißt oberster Führer der Muslime. Er war mit 34 Jahren im Jahre 1876 überraschend auf den Thron gelangt, nachdem sich sein Onkel Sultan Abul Aziz nach seiner Absetzung im Juni das Leben genommen hatte und sein Halbbruder Murad V. nach 91 Tagen wegen Anzeichen von Wahnsinn abgesetzt werden musste.

Sultan Abdul Hamid II. galt als despotisch und unberechenbar. Aber westliche Diplomaten lobten sein politisches Geschick und seine Geschmeidigkeit. Er musste sich mit der liberalen Bewegung der Jungtürken auseinander setzen, die verfassungsmäßige Rechte einforderten, er gab einigen fortschrittlichen Bestrebungen nach, gründete über 10 000 staatliche Schulen und verbot doch gleichzeitig in den Zeitungen die Verwendung solcher Begriffe wie »Verfassung«, »Attentat«, »Dynamit« und »Fortsetzung folgt«, weil er hinter solch subversiven Begriffen den Aufruf zur Revolte vermutete. Sein Reich drohte zu zerfallen, Ägypten stand bereits unter dem Protektorat Großbritanniens, und ein Teil Bulgariens spielte mit der Unabhängigkeit. Und da lebten im Reich die wohlhabenden und arrivierten Armenier, in seinen Augen Verräter, die sich mit den Russen verbündet hatten und an denen das Volk – oder war es doch sein Geheimdienst, die »Schergen des Yildiz«? – noch im selben Jahr, als mein Urgroßvater in Istanbul ankam, das erste Mal fürchterlich Rache nahm.

Abdul Hamid II. traute seinem Volk nicht und verließ seinen Palast nur unter strenger Bewachung zum Freitagsgebet. Alles Geld, das er auftreiben konnte, steckte er in die Verschönerung und in den Ausbau seines Serails, eines kleineren Teils seines Harems. Er misstraute allen, mit Ausnahme der Tscherkessen und vielleicht der Deutschen. Auf die Loyalität dieser Krieger und der mit den Engländern konkurrierenden Deutschen konnte er sich verlassen, und wo immer es ging, verpflichtete er in seinem Beamtenapparat Männer aus diesem Volk. Die Tscherkessen schickte er als Gouverneure und Wehrbauern in die Provinzen und dünn besiedelten Gebiete. Sie waren es, die mit den Armeniern fertig werden konnten, auf sie setzte er. Und außerdem hatten sie die schönsten Frauen der Welt.

Zum Palast gehörte, wie in jedem muslimischen Haus, der *Se-*

ramlik, der öffentliche Teil, und der *Haremlik*, der verbotene Teil. Ali konnte den Serail zufrieden stellen. Seine Ware gefiel, und binnen kurzem hatte er die meisten seiner Jungfrauen verkauft. Er war jetzt ja so etwas wie ein »Hoflieferant«. Kaum angekommen, war er schon ein reicher Mann. Ihm gefiel es in der Türkei, er beherrschte neben seiner Muttersprache Kabardanisch, Arabisch und Türkisch in Wort und Schrift – die beste Voraussetzung, um erfolgreich als Kaufmann zu arbeiten.

Er beschloss, ins »Weite Tal« in die Nähe von Caesaria, später Kayseri, zu ziehen, wo schon andere Mitglieder seines Stammes sich angesiedelt hatten. Es hatte gewisse Ähnlichkeiten mit der Heimat des Kaukasus, auch wenn die Berge hier nicht so hoch und die Schluchten nicht so tief waren wie zu Hause. In der Gegend von Pinarbashe, einem Dorf in Uzun Yayla, dem »Weiten Tal« in Anatolien, erwarb er ein großes Stück Land und in der Stadt drei große Häuser im osmanischen Stil. Pinarbashe heißt Quellwasser, und damit war die Stadt reich beschenkt. Alle Straßen und Häuser waren an die kleinen und großen Bäche gebaut, die das Wasser mit reißender Geschwindigkeit durch den Ort jagten. Ich kann mich noch gut daran erinnern, wie ich als Kind zu Besuch bei meiner Großmutter zu gern auf die Toilette ging, die auf Pfählen über einen kleinen Fluss gebaut war. Im Boden des kleinen Häuschens war ein Loch, aus dem alles, was hineinfiel, auf Nimmerwiedersehen weggespült wurde.

Pinarbashe war eine alte Stadt und die Gegend seit Menschengedenken von Hethitern, Armeniern und Avscharen besiedelt. Wichtige Verkehrswege führten von dort nach Persien und Ägypten, Bagdad und Trabzon, dem ehemaligen Königreich Trapezunt am Schwarzen Meer. Der Boden war fruchtbar, das Klima günstig – im Sommer, vom milden Mai bis zum September, wegen der Höhenlage von fast 2000 Metern zwischen 30 und 35 Grad, im Winter mit bis zu minus 30 Grad allerdings sehr kalt.

Ali begann mit Landwirtschaft und der Kabardiner-Zucht, einer Pferderasse, die für die Berge und für unwegsames Gelände besonders gut geeignet ist. Pinarbashe war darüber hinaus ein idealer Standort für den Kaufmann, der sofort zwischen Kairo, Istanbul und dem Kaukasus hin- und herzureisen begann, Möbel, Teppiche und Bücher einkaufte und mit verschiedenen Waren handelte. Auch in Ägypten gab es Tscherkessen, einer von ihnen – der ehemalige Sklave Berkuk – hatte im 14. Jahrhundert die tscherkessische Dynastie begründet und war König von Ägypten geworden. Seitdem gab es auch zu dem dortigen Königshaus und zu den Sklavenmärkten beste Verbindungen.

Ali war wohlhabend geworden und ließ eine Moschee bauen und eine Bibliothek einrichten, die erste und einzige in dieser Gegend Zentralanatoliens. Nach fünf Jahren reiste er in den Kaukasus, um zu heiraten. Er wollte sein Mädchen, dem er vor seiner Auswanderung die Ehe versprochen hatte, nach Anatolien holen. Den Eltern der Frau war das Warten allerdings zu lang geworden, sie hatten ihre Tochter in der Zwischenzeit mit einem älteren Mann verheiratet, mit dem sie einen Sohn hatte. Aber als Ali in sein Heimatdorf kam, war sie bereits Witwe und ihr Sohn vier Jahre alt. Ali war erschrocken, aber er zögerte nicht, hielt um ihre Hand an und nahm Frau und Kind mit in die neue Heimat. Dort bekamen sie noch zwei Töchter, von denen die eine meine Großmutter Azize wurde. Ali, der reiche Händler, der jede schöne Frau des Kaukasus hätte haben können, entschied sich ganz romantisch für seine Jugendliebe. Azizes Halbbruder, der adoptierte Sohn aus dem Kaukasus, wurde erst auf das Gymnasium geschickt, das der Vater eingerichtet hatte, und ging später zum Militär, wo er es bis zum Offizier brachte. Im Leben meiner Großeltern sollte er während des Bürgerkrieges noch eine entscheidende Rolle spielen.

Schönheit und Sklaverei

Es mag einen wundern, dass mein Urgroßvater mit Menschen handelte, schließlich war er ein Muslim, und wenn man dem Koran Glauben schenken darf, sind einem Muslim der Besitz und Handel mit Sklaven nicht erlaubt. Er selbst empfand sich nicht als Sklavenhändler, der sich wie die Korsaren seine Beute zusammenraubte und in Ketten auf den Markt trieb. Als er beschloss, seine Heimat zu verlassen, hatte er seinen Hof und sein Vieh verkauft und sein Geld in Silber und Arbeitskräften angelegt. Etliche Familien kamen und baten ihn, ihre Töchter mitzunehmen. Es war die größte Hoffnung der Eltern, ihre Töchter in einen Harem zu bringen, dort waren sie beschützt und hatten vielleicht eine Zukunft. Wenn sie Glück hatten und am Hof des Sultans oder im Harem eines Wesirs aufgenommen wurden, bekamen sie nicht nur einen neuen Namen, sondern auch Kleidung, Nahrung und eine Ausbildung. Sie lernten, sich zu benehmen, vielleicht lesen und schreiben und tanzen. Und sie bekamen ein Gehalt. Und wenn sie dann auch noch dem Sultan gefielen, dann war alles möglich. Mein Urgroßvater war der Meinung, dass er das Beste für die jungen Mädchen getan hatte. Schließlich waren alle Mütter von Sultanen in den letzten Jahrhunderten zunächst tscherkessische Sklavinnen gewesen. Außerdem sind Muslime von jeher der Meinung, alles, was in ihrem Leben passiert, geschehe mit Billigung Allahs. Einen freien Willen, eine eigene Entscheidung gibt es ohnehin nicht.

Mohammed hatte sich für die »Gleichheit aller Gläubigen« ausgesprochen, selbst Sklavinnen freigekauft, Jowariya bint al-Harith und die Jüdin Safiya, beide Kriegsbeute, die er dann heiratete. Der Koran erlaubt den Beischlaf mit allem, »was ihr (an Sklavinnen) besitzt«. Das wurde zum religiösen Alibi einer entfesselten Erotomanie. Kalifen, Statthalter und Wesire wetteiferten darin, ihren Harem mit schönen Sklavinnen und Konkubinen zu füllen. Je größer die Zahl der Liebesdienerinnen, desto mächtiger der Herrscher, desto gigantischer seine Potenz – galt es doch, der Sunna des Propheten nachzueifern, dem nachgesagt wurde, die Potenz von vierzig Männern besessen zu haben.

Entgegen der Behauptung einiger Islamisten, der Islam habe alles dafür getan, die Sklaverei der vorislamischen Zeit abzuschaffen, waren die Muslime die größten Sklavenhalter und -händler. Sie versorgten nicht nur den Osmanischen Hof mit Sklaven, sie waren es auch, die den europäischen Händlern an der Westküste Afrikas Menschen für den Export in die Neue Welt lieferten. Erst unter dem Druck der Kolonialmächte wurde dem ein Ende bereitet. Die marokkanische Religionswissenschaftlerin Fatima Mernissi gibt uns eine schlüssige Erklärung dieses Widerspruchs: »Will man die Einstellung gegenüber den Frauen, an der sich bis heute nichts geändert hat, verstehen, ist es wichtig, die Geschichte der Sklavenhaltung im Islam nachzuvollziehen. Wie war es möglich, dass die Sklavenhaltung trotz des Verbots durch den Islam weiterexistieren konnte? Aufgrund sprachlicher und juristischer Spitzfindigkeiten. Man veränderte einfach die Identität des Sklaven. Der Islam verbietet die Versklavung eines Muslims. Dies war jedoch kein Hinderungsgrund. Es gab genügend Andersgläubige, die versklavt werden konnten. Man nutzte die große Zeit der Eroberungen, um die Besiegten zu Sklaven zu machen. Das Fortbestehen des Islam war durch den ständigen Nachschub aus den Randgebieten oder von außerhalb gesichert.«

So waren es vor allem Christen, auf die die muslimischen Korsaren im Mittelmeer Jagd machten. Zwischen dem 15. und dem 18. Jahrhundert versetzten sie die Menschen an den Mittelmeerküsten in Angst und Schrecken. Das Mittelmeer war eine »See der Angst«, und selbst am Atlantik und bis hinauf nach Island trieben die Menschenjäger ihr Unwesen. So wurden 1627 über

400 Isländer von muslimischen Piraten verschleppt und auf die Märkte Nordafrikas gebracht. Robert Davis, ein amerikanischer Historiker, hat die Quellen gesichtet und die Opfer der Verschleppung ermittelt: Zwischen 1530 und 1780 landeten »fast sicher eine Million und wahrscheinlich bis zu 1,25 Millionen« weiße christliche Gefangene auf den Sklavenmärkten Nordafrikas, schreibt er in seiner Untersuchung »Christian Slaves, Muslim Masters«.

Bis ins 17. Jahrhundert funktionierte diese vom Osmanischen Reich geförderte Beschaffung von Menschenmaterial. Nach der Eroberung Konstantinopels blühten die Sklavenmärkte. Als sich später die Christen besser zur Wehr setzen konnten und ihre Küsten vor Piraten schützten, wichen die Sklavenhändler nach Afrika und in den Kaukasus aus. Im 18. Jahrhundert wurden den Kaufleuten von Istanbul hauptsächlich über den Markt von Ebu Tig in der Nähe von Kairo männliche schwarze Sklaven von arabischen Händlern angeboten, die dann – nachdem man sie kastriert hatte – als *Haremagas*, Eunuchen, in die Harems des Sultanats verkauft wurden. Die meisten Frauen hingegen kamen aus dem Kaukasus.

Die Geschichte der Tscherkessen ist auch die Geschichte ihrer schönen Töchter. Schon früh fanden die osmanischen Sultane und der Machtapparat der »Hohen Pforte« Gefallen an den Mädchen aus dem Kaukasus. Mit ihrer weißen Haut, dem schönen Gesicht, den hellen blauen oder grünen Augen, der schlanken Taille entsprachen sie dem herrschenden Schönheitsideal.

Vor allem westliche Reisende und Künstler haben die Phantasien der Männer mit Bildern von tscherkessischen Schönen beflügelt. Die im 18. und 19. Jahrhundert entstandenen Bilder von den Schönen des Harems von Paul Louis Bouchard, Antonis van Dijk und August-Dominique Ingres zeigten Tscherkessinnen. Anders als die türkischen Mädchen wurden sie von Anfang an von ihren Eltern wie Prinzessinnen erzogen. Jede Familie träumte davon, dass ihre Tochter in den Palast aufgenommen wurde, und bereitete sie entsprechend vor. Diese Töchter waren höflich zu den Älteren, treu und sittsam zu den Männern und loyal bis zur Selbstaufgabe.

Wenn mir heute Asuman, eine »Importbraut« aus einer tscherkessischen Familie in Anatolien, von ihrer Jugend erzählt und – von der Richtigkeit seiner Worte völlig überzeugt – ihren Vater zitiert: »Seid respektvoll zu eurem Mann und folgt seinen Worten ... Vergesst nicht, ihr gehört ihm ...«, dann spricht daraus genau jene Selbstverleugnung, die die tscherkessischen Mädchen neben ihrer Schönheit für den Harem so geeignet sein ließ.

1809, kurz nach dem Amtsantritt von Mahmud II., kam es zu einem der osmanisch-russischen Kriege, in dessen Verlauf eine erste große Welle von Flüchtlingen aus dem Süden Russlands nach Istanbul schwappte. In ihrer Not verkauften viele der Flüchtlingsfamilien auf den Märkten ihren Besitz. Und das waren ihre Kinder. Das war schon zu Mohammeds Zeiten nicht anders, und das ist auch noch heute so. Kinder gelten im Islam als Besitz der Eltern, haben keine eigenen Rechte und schon gar keinen eigenen Willen zu haben. Vor allem die jungen Mädchen waren wertvolle Güter. Schöne Mädchen erzielten den dreifachen Preis von gleichaltrigen Jungen.

Auf einem dieser Märkte kaufte der Händler Beyram Effendi für 1500 Kurus ein zehnjähriges tscherkessisches Mädchen. Sie war bildschön und bekam von ihm den Namen Hasna. Er wollte sie zu seiner Konkubine, *Cariye*, machen. Seine Hauptfrau war eifersüchtig auf die junge Konkurrentin und schleppte sie in seiner Abwesenheit auf den Sklavenmarkt von Tophane, um sie so schnell wie möglich zu verkaufen. Ein Händler erkannte die Schönheit des Mädchens und machte ein Schnäppchen. Als Beyram Effendi von der Reise zurückkam und sein Mädchen nicht mehr vorfand, wurde er so zornig, dass er seine Frau und seine beiden Kinder aus dem Haus jagte. Er suchte Hasna, aber der Händler hatte sie bereits für ein Vielfaches an den Palast verkauft.

Hasna gelang es, die Aufmerksamkeit des Sultans auf sich zu ziehen. Sie erhielt eine Ausbildung und wieder einen neuen Namen, sie hieß jetzt Pertevniyal, wurde seine Konkubine und gebar ihm einen Sohn, den späteren Sultan Abdul Mecid I. Sie wurde Valide Sultan, die Sultansmutter und mächtigste Frau im Reich. Die wichtigsten Posten in Regierung und Verwaltung wurden mit ihren Landsleuten besetzt. Es wurde das »goldene Zeitalter« der Tscherkessen in der Türkei. Bis zum Ende des Osmanischen Reiches waren alle Mütter der Sultane Tscherkessinnen.

Die Macht der Mütter

Die berühmteste Sklavin, die zu Macht und Einfluss kam, war Hürrem Sultan (etwa zwischen 1500 und 1558), in Europa bekannt als »Roxelane«. Ursprünglich hieß sie Aleksandra Lisowska und war die Tochter eines christlichen Geistlichen aus Rogahin am Dnjestr. Hürrem Sultan war die erste Sklavin, die vom Sultan in die Freiheit entlassen und dann von ihm geheiratet wurde. Sie gebar Süleyman I., »dem Prächtigen«, sechs Kinder, von denen sie ihren Sohn Selim II. mit Mord und Intrigen auf den Thron brachte und damit selbst Valide Sultan wurde. Mit ihr begann, was in der osmanischen Geschichte despektierlich als »Weiberherrschaft« oder die »Herrschaft der Sultansmütter« bezeichnet wird. An ihrem Sohn, dem Sultan Selim II., hatten sie und das Osmanische Reich allerdings wenig Freude, er ging als Trunkenbold in die Geschichte ein.

Selim II. hatte mehrere Frauen und mehrere Söhne, sechs davon kamen für die Thronfolge infrage. Alle lebten unter der Obhut ihrer Mütter. Eine dieser *Cariyes* war eine ehemalige Sklavin jüdischer Herkunft, Nurbanu genannt. Die Mutter versuchte von Beginn an, ihren jungen Murat vor dem Einfluss des Harems zu beschützen. Sie wohnte mit dem Prinzen außerhalb des Palastes.

Es war die Zeit, als die Korsaren die Adria unsicher machten. Dort ging den Piraten die Tochter des venezianischen Statthalters von Korfu ins Netz. Sie schenkten die dreizehnjährige Baffom dem zukünftigen Sultan, um sich seiner Gunst zu versichern. Murat war begeistert über das schöne Mädchen. Sie kam in den Harem von Nurbanu und wurde im Haus der *Haseki*, der Prinzenmutter, erzogen, lernte den Koran lesen und erhielt den muslimischen Namen Safiye. Als Murat III. Sultan wurde, schaffte seine Mutter, jetzt Valide Sultan, als Erstes die anderen fünf Söhne Selims aus dem Weg. Sie »ertranken« mit Hilfe von Häschern, die sie des Nachts packten, in Säcke einnähten und in den Bosporus warfen.

Murat III. erbte nicht nur das Reich, er erbte auch den Harem seines Vaters. Aber er hing weiter an seiner Geliebten Safiye. Das gefiel der neuen Sultansmutter gar nicht. Unter Selim war es ihr gelungen, die Herrschaft über das Reich mit Hilfe der Wesire an sich zu ziehen, jetzt drohte ihr der Machtverlust, weil Safiye klug war und großen Einfluss auf Murat hatte. Während Safiye alles daran setzte, dem allmächtigen Großwesir Mehmet Sokullu Paroli zu bieten (er wurde 1578 ermordet), setzte die Valide Sultan Sex als Waffe ein.

Rechtzeitig hatte sie ihre beiden Töchter mit Paschas der Serail-Verwaltung verheiratet. Murat III. hatte kein Interesse an der Politik, er war dem Opium und den Frauen verfallen, und seine Mutter versorgte ihn mit allem, was er begehrte. Um ihn von Safiye fern zu halten, schenkte sie ihrem Sohn in jeder Nacht eine neue Jungfrau. Die Schwestern waren noch großzügiger, sie legten ihm in einer Nacht gleich zwei Frauen ins Bett.

Irgendwie muss dann die Kraft seiner Lenden versiegt sein. Mutter und Tochter streuten im Palast das Gerücht, Murat sei verhext, Safiye habe einen schlechten Einfluss auf ihn. Murat III. hinterließ ein paar Gedichte, 130 Kinder von 40 Frauen und ein Reich in Anarchie und Chaos.

In den Phantasien der Europäer haben allerdings Scheherazade und die Geschichten aus Tausendundeiner Nacht die Vorstellungen vom Harem am stärksten geprägt. Die Geschichte ist bekannt: Der von seiner Ehefrau gehörnte Sultan Shazahan tötete seine Frau und den mit ihr in flagranti erwischten Sklaven. In seiner Trauer ließ er jeden Tag im Morgengrauen unschuldige Jungfrauen enthaupten, die er jeweils in der Nacht vorher geheiratet hatte. Als die Reihe an Scheherazade und ihre jüngere Schwester kommen sollte, plante deren Vater die Flucht. Aber Scheherazade bestand darauf, dem Sultan vorgeführt zu werden: »Ich möchte, dass du mich mit dem König vermählst, damit ich entweder die Menschen retten kann oder mit den anderen untergehe.« Sie hatte einen Plan – sie wollte eine Geschichte für die erste Nacht erfinden, die den König so fesseln sollte, dass er in der nächsten Nacht mehr hören wollte. Nur mit ihren Geschichten gelang es ihr, ihn davon abzuhalten, sie zu töten. Ja, sie schaffte es, in weniger als tausendundeiner Nacht sein Denken zu verändern, denn nach einigen Monaten bekannte er: »Oh Scheherazade, du hast mich an meiner königlichen Macht zweifeln lassen, und du hast mich dazu bewegt, meine frühere Gewalt gegen Frauen und den Mord an den jungen Mädchen zu bereuen.«

So sind die Geschichten aus Tausendundeiner Nacht nicht nur der große Schatz der orientalischen Erzählkunst, sondern auch der Beweis, dass die Frauen im Harem in der Lage waren, intelligent auf die Geschichte einzuwirken.

Gelesen werden die Geschichten aus Tausendundeiner Nacht als Berichte aus dem lasziven, erotisierten Orient. Alle muslimischen Männer wollten, wenn man den vielen Berichten aus der »goldenen Zeit« des Islams Glauben schenken darf, offenbar dem Propheten nacheifern, allen voran die osmanischen Sultane und Kalifen, denn die körperliche Liebe gehört zu den »geheiligten Werken« und damit zu den Säulen der Religion: »Und mit jedem Akt der Fleischeslust (die ihr einander bereitet) gebt ihr ein Almosen.«

Nach islamischer Auffassung sind es nicht die Männer, die ständig an »das Eine« denken, sondern es liegt in der Natur der Frauen, ständig »zu wollen«. Deshalb müssen die Männer die Frauen vor sich selbst und anderen beschützen. So glaubten auch ägyptische Islamisten noch vor einigen Jahren, die Welt vor der erotischen Wirkung des Märchenbuches »Tausendundeiner Nacht« beschützen zu müssen, und forderten die Gläubigen auf, diese »Schande für den Islam und die Muslime« zu verbrennen. Die Sinnenfreude schürt die Angst der muslimischen Männer vor der *Fitna* – dem Chaos, das durch das sexuelle Verlangen der Frauen verursacht wird – und brachte und bringt die muslimischen Familien dazu, ihre Töchter so früh wie möglich zu verheiraten.

Auch hier waren die Sultane führend. Der Sultan Ibrahim (1640–1680), den man den »Verrückten« nannte, verheiratete seine Tochter Fatma Sultan mit zweieinhalb Jahren an seinen zweiten Wesir Yusuf Pascha, den er aber bald darauf ermorden ließ. Die Tochter wurde mit vier Jahren Witwe und dann in einer prunkvollen Hochzeit mit ihres Mannes Nachfolger verheiratet, aber auch der war des Todes, noch bevor seine Frau 13 Jahre alt wurde. Er litt an Neurasthenie und Depressionen, und er liebte dicke Frauen, die er im ganzen Reich suchen ließ. Er wurde ermordet, als man nicht länger mit ansehen mochte, wie er das Reich ruinierte. Die Politik überließ er im Wesentlichen seiner Mutter, Kösem Sultan, die aber schließlich doch den Machtkampf mit der Schwiegertochter verlor und ebenfalls ermordet wurde – eine von vielen Geschichten aus dem Harem der Osmanen.

Warum ich das erzähle? Wer begreifen will, warum junge türkisch-muslimische Männer und Frauen es selbst heute noch zulassen, dass sie von ihren Familien, namentlich ihren Müttern, verheiratet werden, ohne Einfluss auf deren Entscheidungen zu nehmen, muss den kulturhistorischen Hintergrund solcher Strukturen kennen. Die Ehe ist etwas anderes, als Christen darunter verstehen, die Stellung der Frau ist anders, selbst unter Begriffen wie Ehre und Schande, Respekt und Sünde verstehen die Menschen dieses Kulturkreises etwas anderes. Und auch der Harem ist etwas anderes, als uns die – westliche – Phantasie weismachen will. Der Sultansharem war das Institut, um Herrscher zu erzeugen. Es war wichtig, dass der Prinz aus dem eigenen Haus kam, wem er gehörte und wer ihn kontrollierte. Und es war wichtig, dass es viele Prinzen gab, denn die Säuglingssterblichkeit war hoch – und das lag nicht nur an den mangelhaften medizinischen Kenntnissen, sondern vor allem an der Konkurrenz. Nur wer eine starke Mutter hatte, konnte das Gift und die seidene Schnur des Harems überleben.

Harem bedeutet sowohl verboten wie auch heilig. Die Kaaba in Mekka ist wie die heiligen Stätten in Medina *harem*. Der Harem bezeichnete auch den inneren Machtbezirk, in dem der Sultan mit anderen Männern zusammenwohnte. Wer in der Nähe des Sultans war, hatte Macht, konnte ihn beeinflussen oder an wichtige Informationen gelangen. Das Besondere am osmanischen Hof im 15. Jahrhundert war, dass keine »vollständigen« Männer, außer dem Sultan selbst, dem inneren Bezirk angehören durften. Die erwachsenen Diener und Hofbeamten waren Kastraten, Eunuchen. Selbst die Söhne des Sultans durften nur bis zur Pubertät dort wohnen. Erst unter Süleyman wurde die Frauenwohnstätte mit der des Sultans vereinigt, die Favoritinnen wie Hürrem Sultan zogen in den Topkapi-Serail, während die anderen im Alt-Serail blieben. Der Umzug vom Alt-Serail in den Topkapi-Serail war dann später jeweils auch ein Triumphzug für die neue Sultansmutter.

Die *Valide Sultan*, die Sultansmutter, stand in der Hierarchie des Harems an der Spitze. Ihr folgten die *Haseki-Sultan*, die bis zu sieben Hauptfrauen, dann die Söhne und Töchter, gefolgt von der Amme des Sultans sowie der *Kethüda Hatun*, der Verwalterin des Harems. Die mittlere Hierarchie bildeten die Ausbilderinnen und Aufseherinnen, und die unterste Stufe war die der *Cariyes*, der Konkubinen. Die Valide Sultan und die *Haseki*-Sultan hatten je nach Stellung Anspruch auf eine bestimmte Zahl von Dienerinnen, einige bis zu zwanzig. Die Sultansmutter wählte die schönsten, intelligentesten und am besten ausgebildeten Sklavinnen für ihre privaten Dienste aus, um sie in das Hofzeremoniell, die Etikette und die weiblichen Künste des Tanzens, Singen, Musizierens einzuweisen. Erst wenn sie die Ausbildung zur Konkubine erfolgreich absolviert hatten, wurden sie dem Sultan vorgeführt. Die Frau, die er aus diesem Kreis wählte, durfte mit ihren Dienerinnen dann für eine bestimmte Zeit in seiner Nähe verweilen. Zeitgenössische Berichte sprechen von bis zu zwei Monaten. Sobald sie schwanger wurde, musste sie den Topkapi-Serail verlassen und wurde in das Alt-Serail zur Entbindung und Kindererziehung gebracht. Nach dem Prinzip nur »ein Sohn pro Konkubine« durfte die Mutter eines Mädchens, aber nicht die eines Jungen weitere sexuelle Beziehung mit dem Sultan haben.

Alle Frauen des Harems, und das konnten bis zu 500 sein, erhielten Lohn. Das Einkommen der Sultansmutter war enorm, sie bezog ein Mehrfaches des Gehalts eines Wesirs, wie die Minister genannt wurden, außerdem hatte sie Grundbesitz. Manch eine wurde so reich, dass ihre Söhne sie anpumpten, wenn sie Geld für ihre Armee brauchten.

Allein die Kosten für die Unterhaltung des Harems müssen gigantisch gewesen sein. Wenn der Herrscher sich nur hätte vergnügen wollen, hätte er es sicher billiger haben können. Das Einkommen der *Hasekis* und der *Cariyes* war nach Gunst und Stellung in der Hierarchie gestaffelt. Sie bekamen, auch nach dem Tod des Sultans, eine Art Rente oder wurden, wenn der Sultan das Interesse an ihnen verlor, mit anderen Bediensteten verheiratet, um sich auch weiterhin ihrer Loyalität zu versichern. Denn nichts war, selbst für einen Sultan, gefährlicher als eine Verschwörung der Damen des Hauses.

Die offiziellen Ehen, die die Sultane mit den benachbarten Herrscherhäusern auf dem Balkan und in Anatolien eingingen, waren diplomatische Aktionen, um sich die Treue der Vasallen zu sichern. Diese Ehen blieben kinderlos. Der Sultan schlief nicht mit seinen Frauen. Man wollte jegliche Verflechtung mit fremden Häusern vermeiden und machte damit deutlich: Das Haus Osman regeneriert sich aus eigener Kraft. Da man die Nachkommen im eigenen Haus erzeugte, hatte man entsprechenden Einfluss auf die Erziehung der Prinzen, die bis zu ihrem Machtantritt in der Obhut ihrer Mütter blieben. Wenn ihre Söhne an die Macht kamen, wurden die Mütter Herrscherinnen. Da es viele Prinzen gab, war es an den Müttern, ihre Söhne zu beschützen.

Nur durch die Mutterrolle – und nicht durch die der Gattin – eröffnete sich für die Frau die Möglichkeit, an Status und Macht zu gewinnen. Nur durch die Geburt eines Sohnes kann die türkisch-muslimische Frau in der Hierarchie der Familie aufsteigen, so wie die Sklavin im Osmanischen Harem nicht als Ehefrau, sondern nur als Mutter etwas erreichen konnte. An diesem Prinzip hat sich bis heute in der muslimischen Familie nicht viel geändert. Noch immer, das wird in meinen Gesprächen mit den Importbräuten in Deutschland deutlich, sucht die Mutter ihrem Sohn die Ehefrau aus, sie bestimmt, mit wem er sexuelle Beziehungen eingeht. Wie im Osmanischen Reich die ältere Generation in Gestalt der Sultansmutter das Sexualleben der jüngeren kontrolliert, bestimmt heute die *Kaynana*, die Schwiegermutter, wie der Sohn und seine angeheiratete Frau zu leben haben. Diese Sklavenhaltermentalität der Schwiegermütter und die Sklavenmentalität der Kinder in den türkisch-muslimischen Familien, Willkür wie Fatalismus gegenüber dem eigenen Schicksal, sind in der islamischen Kultur durch jahrhundertelange Übung tief verwurzelt.

Auch die Besonderheit, die Ehepartner innerhalb der Familie, innerhalb des eigenen Dorfes auszusuchen, kommt mir vor wie die schlechte Kopie der Geschichte des Hauses Osman. Es hat sich da seit dem Mittelalter wenig geändert, oder noch bitterer: Seitdem eine verstärkte Islamisierung der türkischen Gesellschaft auch unter den Migranten in Deutschland zu beobachten ist, kommen die alten Traditionen und Bräuche, von denen man glaubte, sie seien durch Atatürks Reformen und durch die Moderne überwunden, wieder zur Anwendung. Die Tradition frisst die Moderne.

Bei den Tscherkessen gibt es einen kleinen Unterschied. Auch wenn bei ihnen die Loyalität gegenüber den Älteren besonders ausgeprägt ist, heiratet dort niemand eine Cousine oder jemanden aus dem eigenen Dorf. Die Frau oder der Mann müssen mindestens fünf Dörfer weiter entfernt geboren sein, so schreibt es die Tradition vor.

Atatürks Reformen zu Beginn des 20. Jahrhunderts versuchten, diese Verhältnisse zu ändern. Sie waren eine Revolution. Aber die weiten Täler Zentralanatoliens, in denen meine Familie zu Hause war, sollten sie lange nicht erreichen. Meine Großmutter Azize lebte in dieser Zeit, die so viel Hoffnung brachte, aber auch viel Blut und viele Tränen kostete.

Die Braut im Schrank

oder

Die türkische Republik

Wie meine Großmutter Azize geraubt wurde und damit Schande über ihre Familie brachte und Atatürk mit einem alten Araberscheich abrechnete

»Ich muss nach Hause«, sagte meine Mutter eines Morgens. Die Familie saß am Frühstückstisch, mein Vater wollte zur Arbeit, meine älteren Geschwister zur Schule, und ich freute mich darauf, mit unserem Kater im Hof zu spielen. Mein Vater schwieg. Meine Mutter war aufgeregt und wiederholte: »Ich muss nach Hause. Ich muss zu meinem Vater.« Das war merkwürdig, denn weder hatte jemand angerufen noch war Post gekommen. Wir sahen unsere Mutter an. Sie sagte: »Ich habe von meinem Vater geträumt. Im Traum hat er auf mich gewartet. Er lag krank im Bett und sah aus dem Fenster.« Meine große Schwester fing sofort an zu weinen, mein großer Bruder schmierte sich noch eine Scheibe Brot, und mein Vater zündete sich eine Zigarette an.

Es war das Jahr 1962, ich war fünf Jahre alt und kannte meine Großeltern und Anatolien nur aus den Erzählungen der Erwachsenen. Meine Welt war Istanbul, der Stadtteil Kadiköy und dort die Straße Hürriyet den Berg hinauf bis zu den neuen Appartementhäusern und zur Hauptstraße bis zum Brunnen und der kleinen Schule. Und jetzt schien es, als gäbe es noch eine andere Welt.

Mein Vater seufzte, sagte, dann müssen wir wohl fahren, und meine Mutter weinte aus Sorge um ihren Vater und vor Freude, nach Hause zu kommen. Sie war, seitdem sie mit ihrem Mann nach Istanbul gezogen war, in über fünfzehn Jahren nur einmal in ihrem Heimatdorf gewesen. Sie hatte sich nie beklagt und hätte nie gewagt, den Wunsch zu äußern, ihre Eltern besuchen zu wollen. Das machte eine Tscherkessin nicht. Jetzt aber sagte sie bestimmt: »Ich muss nach Hause«, sodass mein Vater wortlos zustimmte.

Nun war es zu damaliger Zeit nicht so einfach zu reisen. Man machte das nicht zum Vergnügen. Die Fahrt war beschwerlich. Mein kleiner Bruder und ich wurden neu eingekleidet, meine älteren Geschwister bei Nachbarn untergebracht, ich vergoss Tränen, weil ich meinen Kater allein lassen musste, und die ganze Nachbarschaft brachte uns zum Busbahnhof.

Wir fuhren mehrere Tage mit dem Bus über Land, übernachteten in Ankara und Kayseri, bevor wir endlich in Pinarbashe ankamen. Wir waren erledigt, denn sowohl meine Mutter wie auch ich vertrugen keine Busfahrten und erbrachen jede Mahlzeit in die Tüten vor uns. Meinem Vater war das sehr peinlich, und er setzte sich mit meinem kleinen Bruder vor uns, um das Elend seiner Frauen nicht immer mit ansehen zu müssen. Auch ihm ging es nicht gut, er kam das erste Mal nach seiner überstürzten »Flucht« aus dem Elternhaus vor 15 Jahren zurück in seine Heimatstadt. Der Sohn fürchtete sich vor seiner Mutter, der Emmana.

Meine erste Begegnung mit der Mutter meines Vaters war kurz und hat unser ganzes Verhältnis bestimmt. Ich kam nach der langen Reise in den Innenhof des großen, mehrstöckigen, im osmanischen Stil erbauten Holzhauses. Vom Hof aus gingen unendlich viele dunkle steile Treppen hinauf auf Galerien, von denen die Zimmer abgingen. Ein dunkles Traumschloss. Ich war ein kleines Mädchen, ganz im neuesten Istanbuler Chic gekleidet, mit Schleifen an den Zöpfen, einem kurzen Wintermantel und – mein besonderer Stolz – lackierten Fingernägeln. Ich wollte die Treppe hinauf, als ich meine Großmutter oben auf dem

Treppenansatz stehen sah. Zuerst bemerkte ich das riesige Schlüsselbund, das an ihrer Hüfte hing. Sie trug mehrere Schichten verschiedenfarbiger Röcke, Jacken und Kleider übereinander und ein zum Turban gebundenes Tuch auf dem Kopf. Ihr Gesicht war dunkel und von den Spuren des Lebens gegerbt. In der rechten Hand hielt sie eine kurze Peitsche. Ich blieb auf der untersten Stufe, mit einer Hand auf dem Geländer, stehen, und sie kam mir entgegen. Sie sah meine roten Fingernägel, nahm die Peitsche, schlug damit auf meine Hand und sagte: »Allah wird sie dir einzeln ausreißen, wenn du gestorben bist.«

Ich war empört und antwortete mit Tränen in den Augen: »Stimmt gar nicht! Allah liebt Kinder.«

Sie schob mich zur Seite, raunzte eine der Küchenhilfen an: »Schaff mir den kleinen Teufel aus den Augen!«, und ging hinaus, um ihren Sohn und die Schwiegertochter zu begrüßen.

Meine Mutter wollte nicht bleiben, sondern gleich weiter zu ihrem Vater. Ihr Heimatdorf Kilicmehmet lag etwa eine Stunde Fußweg entfernt. Mein Vater besorgte einen Jeep im Ort, und wir fuhren weiter. Ich sah zum ersten Mal das »Weite Tal«, von dem meine Mutter immer gesprochen hatte. Es lag Schnee, und man konnte unendlich weit blicken. Auf einer der vielen Bergkuppen am Horizont sah man das Dorf.

Das Elternhaus meiner Mutter war aus Lehm und direkt an den Hang gebaut. Mein Großvater hatte uns kommen sehen. Man hatte ihm sein Bett auf einem Podest hergerichtet, damit er ins Tal sehen konnte, denn auch er hatte immer wieder gesagt: »Leman wird kommen.« Das ganze Dorf war da, um uns zu begrüßen. Meine Großmutter Azize stand an der Haustür und weinte. Immer wenn man kam, weinte sie vor Freude, wenn man ging, vor Schmerz. Jetzt weinte sie wegen des unglaublichen Ereignisses, dass ihre Tochter gekommen war. Es herrschte große Aufregung im Haus und im ganzen Dorf.

Meinen Großvater hatten die Ärzte aus dem Krankenhaus

entlassen und zum Sterben zurück in sein Dorf geschickt. Und jetzt ging alles sehr schnell. Die Familie musste einzeln zu ihm in seine Kammer. Erst seine Tochter, dann mein Vater, dann ich. Ich kam in diesen Raum, an dessen Wänden Kelims hingen, und auf einem Podest am Fenster in einem blütenweißen Hemd saß mein Großvater. Ich sah nur seinen vollen Schopf weißer Haare und darunter türkisblaue Augen. Mich faszinierten diese Augen, ich war verunsichert und traurig zugleich. Nach einer Weile sagte er: »Du bist ja ein richtiges Istanbuler Mädchen.« Ich nickte. Er reichte mir seine Hand, damit ich sie küssen sollte, strich mir über den Kopf und hielt kurz meine Zöpfe fest. Dann schickte er mich hinaus, um meinen kleinen Bruder zu holen. Meine Mutter stand vor dem Haus und weinte mit ihrer Mutter.

Eine Cousine, die zwei Häuser weiter wohnte, nahm mich mit, um mir eine kleine Ziege zu zeigen. Als wir später vom Dach aus ins Tal hinuntersahen, öffnete sich plötzlich wieder die Tür vom Haus meiner Großeltern, und mein Großvater wurde herausgetragen. »Großvater Kazim ist tot«, sagte meine Cousine, als der in ein grünes Tuch gewickelte Leichnam unterhalb von uns von meinem Vater und den Männern des Dorfes vorbeigetragen wurde. So endete die Ehe von Kazim und Azize, die etwa dreißig Jahre früher begonnen hatte.

Die Entführung

Kazim war der Jüngste von sieben Brüdern gewesen. Fünf seiner Brüder waren im Ersten Weltkrieg und im Bürgerkrieg gefallen. Einige von ihnen hatten in der »grünen Armee« des Pschevu Ethem Bey gekämpft, eines Tscherkessenführers, der an der Seite von Atatürk in der Gegend von Konya gegen die Griechen und die Engländer in den Krieg gezogen war. Er war ein Meister der alten Taktik des Partisanenkampfes gewesen, wie die Tscherkessen ihn seit Jahrhunderten gegen die Russen führten. Sie waren erfolgreich und gefürchtet, eine schwer zu disziplinierende Truppe mit eigenen Vorstellungen davon, wie die zukünftige Türkei auszusehen habe. Ethem suchte zwischen den Fronten nach Verbündeten, um für die Unabhängigkeit seines Volkes zu kämpfen, und dafür ließ er sich sowohl mit den Griechen ein wie mit dem Sultan, der ihm Versprechungen machte.

Atatürk verweigerte allen Volksgruppen die Autonomie. Solche Sonderinteressen hatten in der neuen Türkei keinen Platz. Er wollte die Freischärler in seine Armee integrieren, als das aber misslang, schickte er 1921 seinen Freund Ismet, um Ethem zu vernichten. Die Tscherkessen waren von Atatürk enttäuscht, hatten sie doch auf ein autonomes tscherkessisches Gebiet in der neuen Republik gehofft. Nun kam es noch viel schlimmer. Nicht nur, dass ihnen keine Eigenständigkeit gewährt wurde, sondern es wurde eine Bodenreform durchgeführt, bei der die Tscherkessen Land abgeben mussten. Und die Sklaverei wurde abgeschafft. Das traf die Tscherkessen hart, hatten sie ihre großen Ländereien und Viehherden doch bisher mit Sklaven und Leibeigenen bewirtschaftet.

Aber anders als die Kurden waren die Tscherkessen lange schon in die türkische Gesellschaft eingebunden und Teil des Herrschaftsapparates. Während sich die Kurden räumlich, durch die Sprache und das persische und irakische Hinterland abgrenzten und den Aufstand übten, blieb die Revolte bei den Tscherkessen begrenzt.

Großvater Kazim hatte im Bürgerkrieg nicht nur seine Brüder, sondern auch Land und Leute verloren. Er war jung und rebellisch wie viele seiner Generation. Die jungen Männer, die sich mit den neuen Verhältnissen nicht abfinden mochten, gingen damals in die Berge und machten weiter, was sie von Tscherkess Ethem gelernt hatten: Sie forderten die neue Herrschaft durch Partisanenkampf heraus. Von ihren Landsleuten wurden sie heimlich gefeiert und unterstützt. Die Dörfer des weiten Tals waren tscherkessisch und die Honoratioren und Machthaber Tscherkessen, auch wenn sie die Uniform Atatürks trugen. Auf Hochzeitsfeiern waren die Partisanen beliebte Gäste und machten mit ihren Säbeltänzen großen Eindruck. Auch mein Großvater soll ein hervorragender Tänzer gewesen sein.

In einer Nacht kam Kazim mit seinen Genossen nach Pinarbashe, um an einer Hochzeit teilzunehmen, und machte wieder mal den Mädchen schöne Augen. Sie drangen in das Haus meines Urgroßvaters ein, der vor kurzem gestorben war. Sein Sohn, das wussten Kazim und seine Genossen, war Militärrichter der Region und hatte Dienst. Als sie in die Küche kamen, wo sie sich mit Lebensmitteln versorgen wollten, hörte Kazim Geräusche aus einem Schrank. Er riss die Tür auf. Im Schrank saß verängstigt Azize, die schöne 17-jährige Tochter des Hauses. Sie hatte lange blonde Haare und hellblaue Augen. Kazim war überrascht und entzückt und zögerte kurz, aber im nächsten Moment stand sein Entschluss fest. Er zog sie an den Haaren aus dem Schrank, hob sie auf sein Pferd und ritt mit ihr davon. Sie schrie um ihr Leben, wehrte sich, aber die Kraft und der Wille des Mannes waren zu groß, die Nachbarn zu überrascht und verängstigt. Kazim floh mit seiner Beute in die Berge.

Als der Bruder die *Kiz kacirma*, die Entführung seiner Schwester, entdeckte, ließ er das Militär in Pinarbashe aufmarschieren und begann, die Dörfer des »Weiten Tals« systematisch nach seiner Schwester zu durchsuchen. Die Frau ist die »Ehre des Mannes«, und der *Abi*, der große Bruder, hat für die Ehre seiner Schwester einzustehen. Würde er seine Schwester nicht wiederfinden und zurückbringen, wäre sein Ruf und der seiner Familie ruiniert. Es blieb ihm also gar nichts anderes übrig, als diese Strafexpedition zu unternehmen.

Aber auch die Schwester hatte mit der Entführung ihre Ehre verloren. Das war auch der Sinn einer Entführung: Das Mädchen konnte nicht mehr zurück in ihre Familie, sie war unrein geworden, niemand hätte sie mehr geheiratet. In manchen Gegenden der Türkei werden heute noch vergewaltigte Frauen gesteinigt oder gezwungen, Selbstmord zu begehen, weil sie Schande über die Familie gebracht haben. Kazim wegen der Entführung zur Rechenschaft zu ziehen, wäre niemandem in den Sinn gekommen. Nach den neuen Gesetzen wäre das zwar möglich gewesen, doch niemand hätte es verstanden, und kein Richter hätte sich dafür hergegeben.

Das Militär machte ungeheuren Druck in den Dörfern, und die Leute bekamen Angst. Azizes Bruder ließ verbreiten, dass die Rebellen straffrei ausgehen würden, wenn sie seine Schwester freiließen und in die Dörfer zurückkehrten. Andernfalls würde er alle Männer des »Weiten Tals« verhaften oder erschießen lassen.

Eines Morgens tauchte Azize wieder auf. Sie wurde zu ihrem Bruder gebracht. Der schloss die weinende junge Frau in seine Arme. Es war auch zum Weinen. Sagte sie die Wahrheit, dass Kazim sie entführt hatte, würde ihr Bruder gezwungen sein, loszuziehen und Rache zu üben. Er müsste Kazim und seine Kumpane umbringen – und das wäre das Ende seiner Karriere gewesen, denn nach den neuen Gesetzen der Republik wäre er dafür ins Gefängnis gekommen. Doch Azize sah ihren Bruder an und sagte: »Ich bin mit ihm gegangen.« Das änderte die Situation. Jetzt war die Ehre der Familie nicht mehr in Gefahr. Das Mädchen hatte der Familie zwar Schande bereitet, aber dafür war nicht der Bruder, sondern die neue Familie verantwortlich. Er hätte seine Schwester niemals freiwillig dem armen Bauern gegeben. Aber nun blieb ihm nichts anderes übrig.

Azize packte ihre Sachen und ging in das Dorf ihres zukünftigen Mannes. Dort hatte die Familie des Bräutigams die frohe Nachricht bereits vernommen. Sie hatten eine Braut bekommen, die hübsch war und eine Aussteuer hatte. So wurde bald die Hochzeit gefeiert. Ohne die Braut. Wie es üblich war. Azizes

Bruder war großzügig, er überließ ihr einen großen Teil des Silberschmucks der Familie. Aber gegen die Rebellen ließ er seinem Zorn freien Lauf, machte Jagd auf sie, und wer sich nicht ergab, wurde früher oder später Opfer der Razzien, die er so lange veranstaltete, bis auch der letzte Rebell tot war oder aufgegeben hatte. Nur Kazim wurde verschont, er gehörte ja jetzt zur Familie. Azize verließ ihr Elternhaus und kehrte nie wieder zurück. Auch ihren geliebten Bruder sah sie nie wieder. Sie schämte sich für die Schande, die sie ihm bereitet hatte.

Azize war Kazims Rettung. Er lebte auch von der Arbeit seiner Frau und ihrer Aussteuer, die nach und nach »versilbert« wurde. Azize bekam sechs Kinder, von denen meine Mutter die Älteste war. Als Kazim starb, war Azizes Aussteuer längst ausgegeben. Doch mit der Zeit und den vielen Kindern, die er zeugte, hatte er sich eine ansehnliche Stellung im Dorf erworben und war zwanzig Jahre lang Dorfvorsteher. Als er starb, waren seine drei Söhne beim Militär, und mein Vater kam wie gerufen. Es fehlte der Mann im Haus. Mein Vater sorgte dafür, dass sein Schwiegervater ehrenvoll beerdigt wurde.

Meine Großmutter weinte, als ihr Mann starb. Das Einzige, was ihr blieb, war der Blick aus dem Fenster über das weite Tal nach Pinarbashe, wo ihr Leben einst so hoffnungsvoll begonnen hatte.

Atatürk und der Blick nach Westen

Wer das Schicksal meiner Großmutter mit den Geschichten türkischer Frauen vergleicht, die ich in Deutschland erfuhr, wird feststellen, dass für sie immer noch die Stammesgesetze gelten – die Ehre der Familie ist ein höheres Recht als die Selbstbestimmung des Einzelnen. Atatürks Reformen sind bis heute bei diesen Frauen nicht angekommen.

Atatürk muss gewusst haben, wie schwer es werden würde, diesen harten Kern der türkisch-muslimischen Kultur zu verändern, und wie hartnäckig der Widerstand dagegen sein würde. Nur vorsichtig und behutsam führte er Rechte für die Frauen ein. Er selbst ging mit gutem Beispiel voran: Seine Frau Latife und seine Schwester Makbule traten auf politischen Veranstaltungen auf. Auch die Beamten seines Staates, darauf legte er großen Wert, sollten sich bei öffentlichen Anlässen mit ihren Frauen zeigen.

Mit dem Islam rechnete Atatürk radikal ab: »Seit mehr als 500 Jahren haben die Regeln und Theorien eines alten Araberscheichs [damit meinte er Mohammed] und die abstrusen Auslegungen von Generationen von schmutzigen und unwissenden Pfaffen in der Türkei sämtliche Zivil- und Strafgesetze festgelegt. Sie haben die Form der Verfassung, selbst die kleinsten Handlungen und Gesten eines Bürgers festgelegt, seine Nahrung, die Stunden für Wachen und Schlafen, den Schnitt der Kleider, den Lehrstoff in der Schule, Sitten und Gewohnheiten und selbst die intimsten Gedanken. Der Islam, diese absurde Gotteslehre eines unmoralischen Beduinen, ist ein verwesender Kadaver, der unser Leben vergiftet.«

Starke Worte, und Atatürk ließ ihnen Taten folgen. Sein Ziel, in der Türkei eine moderne Demokratie einzuführen, setzte er konsequent um: »Religion und Staat müssen voneinander getrennt werden. Wir müssen uns der östlichen Zivilisation entziehen und der westlichen zuwenden. Wir müssen die Unterschiede zwischen Mann und Frau aufheben ... Wir müssen die Schrift, die uns hindert, an der westlichen Zivilisation teilzunehmen, abschaffen, wir müssen ein Alphabet, das auf der lateinischen Schrift beruht, finden, und wir müssen uns in jeder Beziehung, bis hin zu unserer Kleidung, auf den Westen ausrichten.«

1924 wurde das Kalifat abgeschafft, kurz darauf das Tragen klerikaler Gewänder verboten – die Tracht mit den weiten Pluderhosen, Mantel und Turban. Nur wer ein staatlich anerkanntes religiöses Amt bekleidete, dem war diese Kleidung erlaubt. Alle Beamten mussten westliche Kleidung tragen und einen Hut statt des *Fes*. Die Gesellschaft wurde radikal verändert. Die arabische Schrift wurde durch die lateinische ersetzt, und die allgemeine Schulpflicht sollte den Analphabetismus bekämpfen. Die Scharia, das islamische Recht, wurde durch ein Zivil- und Strafrecht nach dem Vorbild des Schweizer Zivilgesetzbuches ersetzt. Die Religionsfreiheit wurde eingeführt und die Polygamie verboten.

Das »Türkische Bürgerliche Gesetzbuch« von 1926 sah innerhalb der Familie gleiche Rechte von Mann und Frau vor. Allerdings waren sich die neuen Gesetzgeber unsicher, wie stark der Bruch mit der Tradition sein durfte. Ein erster Gesetzentwurf für ein neues Ehe- und Familienrecht *empfahl* die Einehe nur, die Polygamie sollte durch richterlichen Beschluss weiter möglich sein. Das Mindestalter, in dem Frauen heiraten durften, wurde auf neun Jahre festgelegt, das der Männer auf zehn Jahre.

Aber Istanbuls Frauen protestierten, und auch das Parlament lehnte den Gesetzentwurf ab. Auf Vorschlag einer Kommission wurde die Ehemündigkeit von Männern auf 18 Jahre und für Frauen auf 17 Jahre festgelegt. In Ausnahmefällen sollte eine Ehe schon ab 15 möglich sein. Aber vor allem auf dem Lande konnte sich dieses Gesetz nie richtig durchsetzen. Da wurden und werden die Paare bereits in jungen Jahren per Imam-Ehe verheiratet, das heißt vor Gott und vor Zeugen wird von den Eltern des Paares die Ehe geschlossen. In der Familie gelten sie damit als verheiratet. Mit Erreichen der Altersgrenze geht das Paar dann zum Amt und lässt die Ehe legalisieren.

Völlig gleichberechtigt waren die Eheleute auch nach dem neuen Gesetz nicht. Der Mann galt weiterhin als Oberhaupt der Familie, und in Erziehungsfragen war der Wille des Vaters entscheidend. Dem Mann war es vorbehalten, Frau und Kinder in der Öffentlichkeit zu vertreten.

In Istanbul und in Ankara hatten diese Reformen durchschlagende Wirkung. Es entstand eine neue Form des aufgeklärten Bürgertums, das noch heute die großstädtische, weltoffene Atmosphäre der Metropolen prägt. Die Frauen nahmen den Schleier ab und orientierten sich mehr und mehr am Modell des Westens. Aber auch wenn die Männer im Dorf, nachdem Turban und *Fes* geächtet waren, Hüte aufsetzten – ihr Leben orientierte sich auch weiterhin an anderen Normen.

Fortschritte wurden nur in den Städten sichtbar. Der gesellschaftliche Wandel ging einher mit einer nationalen Industrialisierung und der Transformation einer feudalen Landwirtschaft. Die Industrie konzentrierte sich vor allem in der Großregion Istanbul. Die Stadt machte eine rasante Entwicklung durch, die bis heute anhält, und löste damit eine Binnenimmigration aus. Massenhaft zog die Landbevölkerung dorthin, wo es Arbeit gab. Istanbul zog auch jene an, die die neue Zeit arm gemacht hatte, die Bauern und Hirten. Ihre Produkte waren der Konkurrenz der billigeren industriellen Massenwaren nicht mehr gewachsen. Für ihren Käse, ihre Wolle, ihr Fleisch erhielten sie nur noch so wenige Lira, dass sie davon nicht mehr ihren Lebensunterhalt bestreiten konnten. Es blieb ihnen gar nichts anderes übrig, als das Land zu verlassen und in der Stadt ihr Glück zu suchen.

Und auch alle, die ein »modernes« Leben führen wollten, strebten in die Metropole. Das war 1946 so und das ist auch heute noch so. Innerhalb von sechs Jahrzehnten wurde aus einer Stadt mit etwa 150 000 Einwohnern ein Moloch, in dem inzwischen fast 20 Millionen Menschen leben. Zurück blieb das weite Land mit einer zunehmend verarmenden Bevölkerung, denn die bisherigen Strukturen der regionalen landwirtschaftlichen Produktion mit lokalen Märkten lösten sich zugunsten eines nationalen Warentransfers auf. Die Modernisierung der Landwirtschaft kam zuallererst den Großgrundbesitzern und Großbauern zugute. Die Folge war wiederum eine Landflucht.

Gesellschaftlich hatte das fatale Auswirkungen. Hier die Metropolen, die immer weiter wuchsen und in denen das westliche Leben Einzug hielt, dort das immer dünner besiedelte Anatolien, in dem von den Errungenschaften der Republik kaum etwas ankam. Nach wie vor galt und gilt hier die Herrschaft der *Ulema*, der Rechtsgelehrten, das traditionelle Recht der Scharia und des Islam.

Meine Eltern wurden in diese Zeit des Umbruchs hineingeboren. Es ist ihre persönliche Geschichte, aber sie ist, wie so viele individuelle Geschichten, die Geschichte einer ganzen Generation: die der türkischen Migranten.

Zwei Ochsen für Leman

oder

Das Versprechen der Moderne

Von der Daseinsschuld der Kinder, dem despotischen Selbstbe-
wusstsein der Emmana, einem stattlichen Brautpreis und wie
meine Eltern verheiratet wurden, ohne dass sie sich kannten

Als meine Großmutter Emmana nach mehreren Fehlgeburten
meinen Vater zur Welt brachte, gab sie ihm den Namen Duran,
der Bleibende. Es muss das Jahr 1920 gewesen sein. Geburtsur-
kunden gab es zu der Zeit nicht, und Familienregister, wie wir
sie heute kennen, wurden in der Türkei erst 1932 eingeführt.
Aber damals – und heute ist das kaum anders – wurden solche
Register eher nach Gutdünken erstellt, und so konnte mein Vater später, als er einen Pass brauchte, 1929 als sein Geburtsjahr
eintragen lassen. Um eine Arbeitserlaubnis in Deutschland zu
bekommen, musste er sich jünger machen, als er tatsächlich war,
denn älter als vierzig durfte man nicht sein, wenn man in den
Norden wollte.

Der *Memur*, der Standesbeamte, kam ohnehin nur einmal im
Jahr ins Dorf, um die Geburts- und Sterbefälle zu notieren. Als
Datum wurde dann oft der Erste des Monats oder des Jahres
festgehalten. Auch ich habe offiziell am 1. Januar Geburtstag,
obwohl ich an Silvester in Istanbul geboren wurde. Mein Onkel,
der in unserem Dorf das Familienregister führte, fand den ersten
Tag des neuen Jahres passender für mich. Aber mein Geburtsjahr ließ er stehen. Und so war ich, bevor ich meinen ersten
Schrei getan hatte, bereits ein Jahr alt.

Nach Duran, dem Erstgeborenen, bekam meine Großmutter

noch vier Kinder – zwei Söhne und zwei Töchter. Mein Vater aber blieb das Lieblingskind seiner Mutter. Sie tat alles für ihn. Duran war nicht besonders hübsch, aber er war eine stattliche Erscheinung, kerzengerade gewachsen, stolz und ein leidenschaftlicher Reiter. Mit 14 wurde er aufs Gymnasium in Pinarbashe geschickt.

Duran war der Prinz der Familie und für seine Geschwister der *Abi*, der große Bruder, der auch über ihr Leben zu bestimmen hatte und für den sie zu arbeiten hatten. Schon in jungen Jahren wurde er von seiner Mutter mit einer Frau verheiratet, die eine üppige Mitgift ins Haus brachte. Als sie, deren Namen in der Familie niemand mehr kennen will, nach einem Jahr noch kein Kind bekommen hatte, wurde sie verstoßen – das war damals üblich und möglich. Sie sei keine Jungfrau gewesen, behauptete man in solchen Fällen, und obendrein sei sie unfruchtbar. Sie wurde in ihr Dorf zurückgeschickt und später von den blamierten Eltern in die Fremde verkauft. Allerdings kam auch meine Großmutter bei diesem Vorfall nicht besonders gut weg. Man erzählte sich im Ort, dass sie die Aussteuer behalten habe, obwohl die doch ureigenster Besitz der Braut war.

1942 starb mein Großvater väterlicherseits. Nach dem Tod ihres Mannes bewirtschaftete Emmana den Hof, die Ländereien und das Vieh allein mit ihren Bediensteten. Obwohl die kemalistische Revolution die Frau dem Mann gleichgestellt hatte, hatte sich im Alltag auf dem Lande und den Provinzen nichts geändert. Die Frau gehörte ins Haus. Doch Emmana war eine Ausnahmeerscheinung: eine Frau, die es wagte, hoch zu Pferde durch die Stadt zu reiten, zu rauchen und die Peitsche zu schwingen. Sie war die einzige Frau, die bei den Männern der Stadt in hohem Ansehen stand. Ihre Strenge war gefürchtet. Aber sie war auch eine Autorität. Dies verdankte sie der hohen Stellung ihres verstorbenen Mannes, der mit seinen drei Brüdern zu großem Wohlstand gelangt war. Er war Hufschmied, und es wird erzählt, dass er täglich mit einem Beutel Gold nach Hause kam, den er seiner Frau überreichte. Sie hatte einen unbeugsamen Charakter und ein geradezu despotisches Selbstbewusstsein, das sie dazu befähigte, sich über die Tradition hinwegzusetzen.

Zwar hatte die kemalistische Regierung 1932 das aktive und passive Wahlrecht für Frauen nach heftigen Auseinandersetzungen in der Verfassung verankert, doch Anspruch und Wirklichkeit klafften schon damals weit auseinander. Was in Istanbul oder Ankara möglich war, galt nicht für Anatolien. Frauen hatten in der Öffentlichkeit nichts zu suchen, der Mann vertrat die Familie in der Gesellschaft. Dass eine Frau sich eine solche Stellung anmaßte und auch ausfüllte, muss die Paschas mit tiefem Misstrauen erfüllt haben. Vielleicht rührte daher Emmanas schlechter Ruf. Erst später wurde sie zu einer regionalen Legende, als die fast Hundertjährige immer noch die Schlüsselgewalt über Haus und Hof ausübte und rauchend und mit der Peitsche in der Hand die Geschicke ihres Clans lenkte.

Bis heute erzählt man sich von einer Begebenheit aus ihrer Jugend. Als ihr Mann sich bald nach ihrer Vermählung eine zweite Frau oder zumindest eine Konkubine ins Haus holen wollte, weil Emmana ihm immer noch keinen Sohn geboren hatte, kam es zum Konflikt. Emmana trieb eines Morgens das Vieh aus den Stallungen und zog mit Pferden, Kühen, Schafen, Ziegen und Hühnern durch die Stadt hinauf in die Berge. Ihrem Mann ließ sie ausrichten, dass sie mit den Tieren das Haus verlassen hätte und nicht mehr zurückkommen werde, er könne sich ruhig eine andere Frau nehmen. Vielleicht aus Liebe zu seiner Frau, bestimmt aber um seinen Ruf und seine Ehre fürchtend, folgte mein Großvater ihr und bat sie auf Knien, zurück nach Hause zu kommen. Er hätte als verlassener Mann sein Ansehen verloren – eine Trennung zu vollziehen stand nur dem Mann zu, nicht der Frau. Ein Mann, der sein Gesicht nicht verlieren will, muss dafür sorgen, dass der Ruf seiner Frau unbefleckt bleibt, und beweisen, dass sie ihm gehorcht. Seit diesem Vorfall nannte man sie Emmana, die große Emine. Und seitdem waren auch die Verhältnisse im Hause Kelek und im Ort geregelt.

Nach dem Zweiten Weltkrieg drangen die Nachrichten aus der neuen Welt nach und nach auch in die Täler Kapadokiens. Mein Vater las viel, vor allem die neuen Zeitungen, die jetzt auch in Pinarbashe auftauchten, allen voran die »Hürriyet«. Ihn faszinierte die neue Zeit, und er sympathisierte mit den Kemalisten, verschlang die Berichte von all den Errungenschaften der Moderne, die in Istanbul das Leben so lebenswert zu machen schienen. Das moderne Leben in der Stadt, Straßenbahnen, mit denen man auf Schienen durch die Stadt fahren konnte, Sommergemüse, das man in Dosen verpackt im Winter essen konnte, Musik, die auf schwarzen Scheiben konserviert wurde, und Autos aus Amerika, so bunt wie Bonbons und bequem wie ein Diwan. In seinem Nest gab es nichts davon, und so beschäftigte er sich mit seinen Träumen und seinen Pferden. Einmal im Jahr fand in Pinarbashe ein großes Reiterfest mit Musik und Tanz statt, auf dem sämtliche Familien der Umgebung stolz ihre Pferde vorführten – und die Mädchen im heiratsfähigen Alter sich zeigten.

Meine Mutter Leman war vierzehn oder fünfzehn, als sie zum ersten Mal an diesem Fest teilnehmen durfte. Bis dahin hatte sie ihr Dorf kaum verlassen, hatte als Einzige eine Schulbildung und mit zehn Jahren begonnen, den Koran zu lesen. Sie wurde nach den Sitten und Gebräuchen der Tscherkessen erzogen, sie musste nicht auf dem Feld arbeiten, sie war der Stolz ihrer Eltern. Ihre Mutter Azize hatte ihr für diesen Anlass ein sehr schönes und auffälliges Kostüm aus lindgrünem Stoff genäht. In diesem Kleid kam Leman aus Kilicmehmet, ihrem Heimatort, der in den Bergen und etwa eine Stunde Fußmarsch von Pinarbashe entfernt lag, in Begleitung einer Tante in die Kreisstadt.

Auf einem großen Festplatz wurden die Reiterspiele vorgeführt, bei denen die Burschen aus der Gegend im wilden Galopp über das Feld stürmten, die tollkühnsten Kunststücke vorführten und mit ihren Pferden vor den Schönen des Dorfes paradierten. Duran Kelek war ein glänzender Reiter, und er besaß eines der edelsten Pferde. Und Leman Kocan war ein schönes Mädchen, nicht zu übersehen in ihrem ganz nach der neuesten Mode geschneiderten Kostüm.

Duran sah sie in der Menge, ritt auf sie zu, hielt inne und betrachtete sie einen Moment lang. Dann ließ er seinen Hengst steigen und preschte davon. Leman ahnte nicht, dass dieser Augenblick ihr Leben verändern sollte. Sie ahnte nicht, dass sie auf diesem Fest zum ersten und zum letzten Mal eine junge Frau war, die sich unbekümmert für ihre Schönheit bewundern lassen durfte – wie eine Rose, die nur für einen Tag blüht. Zum Glück wusste sie noch nichts von den Folgen dieser schicksalhaften Begegnung – sie war einfach nur ein aufgeregtes junges Mädchen, das zum ersten Mal in der Kleinstadt Kuchen aß, den sie nicht selbst gebacken hatte, und Limonade trank, die man an einem eigens dafür eingerichteten Stand kaufen konnte. Aber auch für Duran war dies ein besonderer Tag. Als er abends nach Hause kam, sprach er mit seiner Mutter: »Ich habe heute auf dem Fest ein wunderschönes Mädchen gesehen. Sie hatte ein grünes Kleid an. Die will ich heiraten.«

Emmana, die sich nach der verunglückten ersten Ehe ihres Sohnes schon sorgte, wie sie zu einem Enkel kommen sollte, war erleichtert. »Weißt du, wer sie ist?« Duran wusste es nicht, es wäre auch zu auffällig gewesen, wenn er sich schon auf dem Fest nach dem Mädchen erkundigt hätte. Geradezu unmöglich wäre es gewesen, wenn er sie angesprochen hätte. Womöglich hätte er dabei Ärger mit ihren Brüdern bekommen, und auf solchen Festen, das weiß man, sitzen die Fäuste und Messer locker. Auch wenn er gewusst hätte, dass Lemans Brüder erst zehn und zwölf Jahre alt waren, er hätte es trotzdem nicht gewagt, denn es gehörte sich nicht. So schickte Emmana ihre Kundschafter aus, um herauszufinden, wer dieses Mädchen in Grün war und woher sie kam. Das war nicht besonders schwer, denn meine Mutter wohnte die Festtage über bei Verwandten, die zu den angesehenen Familien der kleinen Stadt gehörten.

So erfuhr meine Mutter, dass ein Mann an ihr Interesse hatte. Der Mann auf dem Pferd, der mit dem Schnurrbart, erzählte man ihr. Für ein Mädchen in ihrem Alter war das eine aufregende Angelegenheit. Von einem Moment auf den anderen wird aus einem Kind, das unauffällig im Haushalt der Mutter dient, eine Frau, die begehrt und damit wertvoll wird für die Familie. Und da alle Kinder in der türkisch-muslimischen Kultur so erzogen werden, dass sie zuerst an das Wohlergehen der Eltern denken, empfand auch das junge Mädchen es als große Ehre für die Familie und nicht für sich, dass ein Mann sie heiraten wollte. Die Vorstellung zu heiraten bereitete ihr schlaflose Nächte – allerdings: Mit romantischen Gefühlen hatte das nichts zu tun.

Kinder haben eine Daseinsschuld gegenüber ihren Eltern. Die Eltern haben ihnen das Leben geschenkt, ihnen müssen sie dienen, ihnen zu Gefallen tun sie alles. Kinder sind der Stolz der Familie, einen eigenen Willen haben sie nicht zu haben. In einer türkisch-muslimischen Familie wird ein Kind nicht dazu erzogen, ein freier, unabhängiger Mensch zu werden, sondern dazu angehalten, ein nützliches Mitglied der Familie zu sein. Das gilt vor allem für die Mädchen.

Die Brautwerbung

Leman fand es aufregend, dass sich ein Mann nach ihr erkundigte. Ihr erster Gedanke dabei galt ihrem Vater. Was würde er dazu sagen? Lemans Vater war ein stolzer Tscherkesse und sehr stur, wenn es darum ging, seinen Willen durchzusetzen. Er hatte strahlend türkisblaue Augen wie der Himmel über den Sommerweiden auf der Hochebene, er war schlank und hoch gewachsen wie eine Zypresse und mit seinen Füßen beim Tanzen so schnell, dass er auf der Glut des Erciyes Dagi, Anatoliens größtem Vulkan, hätte tanzen können.

Die Keleks schickten wenige Tage später Brautwerber in das Heimatdorf meiner Mutter, um bei ihren Eltern vorzusprechen. Sie brachten eine große Schachtel Süßigkeiten mit, wurden in die Stube gebeten, Leman kochte Mocca und servierte ihn den Brautwerbern, und die unterbreiteten – nachdem man über das Fest, das Wetter und die bevorstehende Ernte gesprochen hatte – dem Vater, dass Duran Kelek, der Erbe des Hofes der Keleks aus Pinarbashe, seine Tochter Leman zu heiraten begehrte. Die Eltern meiner Mutter waren arm, und sie wussten, dass die Keleks eine reiche und wichtige Familie waren, aber sie lehnten ab. Die Keleks seien wegen des Großvaters, einem Türken aus Erzurum, keine richtigen Tscherkessen. Nein, sagte mein Großvater, nie – und das sagte er gleich mehrmals – würde er seine Tochter in ein Haus geben, von dem man sich erzählte, dass dort die Frauen ihre Ehre verlören. Meine Mutter servierte mit gesenktem Blick den Mocca, wurde wieder hinausgeschickt und hörte im Nebenraum mit Bangen den Verhandlungen zu. Als die Gesandten der Keleks gegangen waren, rief Kazim sie zu sich, nahm sie das erste Mal in ihrem Leben in die Arme und sagte: »Allah beschütze dich.«

So mussten die Werber zunächst unverrichteter Dinge von dannen ziehen. Aber einige Tage später standen sie wieder vor der Tür. Wieder brachten sie kleine Geschenke mit und wurden hereingebeten. Diesmal nannten sie den Brautpreis. 500 türkische Lira und zwei Ochsen sollte die Familie für Leman bekommen. Mit zwei Ochsen und der Arbeitskraft der beiden Söhne – zwölf und zehn Jahre alt – konnten, so war Lemans Vater schnell klar, die Felder bestellt werden. Darüber hinaus sollte die

Braut Gold und Geld bekommen. Ein wenig Wohlstand würde ins Haus einziehen.

Die Eltern meiner Mutter besaßen zwar ein Haus, aber kein Lastvieh. Und in dem kleinen bescheidenen Dorf war es nicht möglich, wirklich wohlhabend zu werden. Die Winter in Anatolien sind kalt, und das Heimatdorf meiner Mutter liegt mehr als 2000 Meter hoch. Während es im Sommer unerträglich heiß werden kann und das Gras auf den Bergweiden verdorrt, liegt dort im Winter oft meterhoch Schnee. Und wer nicht vorsorgt und das Wenige zu hüten weiß, was die Erde hergibt, dem geht es im Winter schlecht. Oft kann man monatelang kaum das Haus verlassen. Man knüpft in dieser Jahreszeit Teppiche aus der Wolle der Schafe und verkauft sie später. Seine Situation überdenkend, willigte mein Großvater ein, alle Vorbehalte waren vergessen. Die Heirat wurde besiegelt.

Am Tag der Vermählung wurden die beiden Ochsen ins Dorf getrieben und vor dem Haus angebunden. Dann kamen die Gesandten des Bräutigams und brachten Leman die roten Hochzeitskleider und den Ehering. Sie zog die Kleider an und setzte den Ring auf. Niemand hatte sie gefragt, ob sie einverstanden war mit der Wahl des Bräutigams. Es wäre auch niemandem in den Sinn gekommen. Ihren künftigen Mann hatte Leman nur ein einziges Mal flüchtig auf dem Fest gesehen, nie hatte sie bisher mit ihm gesprochen. Sie kannte nur seinen Namen.

Die Gesandten des Bräutigams gingen mit den Eltern ins Haus. Verwandte waren eingeladen worden, um die Vermählung zu bezeugen. Es wurde feierlich verabredet, dass die Tochter des Kazim den Sohn von Battal ehelicht. Meine Mutter saß im Nebenzimmer und wartete, als plötzlich ein Weinen und Klagen begannen. Mit der Besiegelung der Imam-Ehe durch die Zeugen hat die Familie ihre Tochter verloren. Es wird geklagt, als wäre ein naher Verwandter gestorben, und im ganzen Haus herrscht Trauer.

Die Braut wurde tränenreich verabschiedet und allein in die mitgebrachte Pferdekutsche gesetzt. Sie kam erst drei Monate später wieder bei ihren Eltern zu Besuch, um ihre Aussteuer abzuholen und den Eltern zum Dank für ihr Leben die Hände zu küssen. Im Haus des Bräutigams dagegen war alles für ein großes Fest vorbereitet. Eine Kapelle spielte, eine große Tafel für das Festessen war aufgebaut, und Verwandte, Nachbarn und Freunde feierten und tanzten. Irgendwann wurde von den ältesten Verwandten die Braut ins Haus geführt. Man hatte ihr ein großes rotes Tuch über den Kopf gezogen, sodass niemand ihr Gesicht sehen konnte. Nur die Kinder versuchten, den Schleier zu lüften, um herauszubekommen, ob die Braut auch schön war und weinte. Man erwartete, dass sie vor Trauer über den Verlust ihrer Familie weinte. Freude wäre eine Ungehörigkeit gewesen, ein Ausdruck von *Fitna*, sexueller Unruhe.

Leman hatte Angst. Vor allem vor ihrem Mann, den sie nicht kannte. Ein Mann mit Schnurrbart, der schon eine Frau verstoßen hatte und der ihr Schmerzen zufügen würde. Das wusste sie. Das hatte man ihr gesagt. Aber sie war zu neugierig, um zu weinen. An der Hochzeitsfeier nahmen weder sie noch irgendjemand von ihrer Familie teil. Das Fest war ein Fest der Familie des Bräutigams.

Die Hochzeitsnacht und ein Fluch

Leman wurde in das gemeinsame Zimmer gebracht, in dem sie künftig mit ihrem Mann leben sollte. Vor der Tür standen die *Sadic*, Frauen, die auf das Laken warteten, mit dem sie ihre Unschuld beweisen musste. Sie nahm den Schleier ab, trat in den Raum, der holzgetäfelt war wie alles im Haus. Sie sah ein großes Bett, mit vielen Sitzkissen und schönen Teppichen. Man ließ sie allein in dem Raum und sagte ihr, sie solle sich »vorbereiten«.

Sie wusste nicht, worauf, und verspürte nur Furcht, denn über das, was in der Hochzeitsnacht geschehen würde, hatte sie die schrecklichsten Dinge flüstern gehört. Immer war dabei von Schmerzen die Rede gewesen. Leg dich hin und bete, hatte man ihr geraten, und sie damit zu trösten versucht, dass jede Nacht einmal vorüberginge.

Auf einem Tisch am Fenster stand eine Obstschale. Vor lauter Aufregung hatte sie seit Tagen nichts Richtiges gegessen, und nun war sie hungrig. Sie nahm sich einen Apfel und beobachtete durch das Fenster, das auf den Hof hinausging, wie unten getanzt wurde. So bemerkte sie nicht, dass Duran ins Zimmer trat. Als er sie am Fenster in ihrem Brautkleid stehen sah, den angebissenen Apfel in der Hand, ging er auf sie zu, holte aus und schlug ihr mit der flachen Hand ins Gesicht. »Wage es nie wieder, ohne zu fragen irgendetwas in diesem Hause zu nehmen!« Der Apfel fiel auf den Boden. Leman war starr vor Schreck und Entsetzen. Buchstäblich mit einem Schlag endete die Zeit der Unbeschwertheit. Sie war allein mit diesem fremden Mann in einem fremden Haus. Ihre Wange schmerzte. War es das, was die Freundinnen gemeint hatten, als sie von Schmerzen sprachen? Sie wusste es nicht. Sie sah ihm ins Gesicht. Er trat schweigend auf sie zu, riss ihr das Kleid vom Körper und drängte sie zum Bett. Es würde schon seine Richtigkeit haben, sagte sie sich, das ist mein *Kismet*. Ihr Mann begann mit der »Arbeit«, wie sie mir später sagte. Und Leman schrie das erste Mal um ihr Leben.

Sie empfand nichts als Schmerz, einen lebenslangen Schmerz, der nur auszuhalten war, indem sie diesen Mann verfluchte. Dreißig Jahre lang hat sie ein Stoßgebet zum Himmel geschickt, auch noch in Deutschland. Wenn sie meinem Vater morgens die Schuhe band, bevor er aus dem Haus ging, murmelte sie vor sich hin: »Möge Allah mir deine Leiche bringen.«

Ich fragte sie, was geschehen wäre, wenn sie den *Sadic* kein blutiges Laken hätte zeigen können. »Man hätte mich noch in der Nacht vor die Tür gesetzt, und ich hätte allein zu Fuß in mein Dorf zurückgemusst. Das wäre die größte Schande für meine Familie gewesen. Ich wäre also nicht nach Hause, sondern in den Fluss gegangen. Mir wäre gar nichts anderes übrig geblieben.« Sie sagte das ohne besondere Erregung. So etwas sei früher oft vorgekommen und noch heute vielerorts üblich.

Mein Vater war der Sohn und blieb der Sohn, der sich amüsierte. Seine Mutter hatte ihm ein Hotel und eine Bäckerei überschrieben, doch er kümmerte sich nur um seine Pferde. Aber er stand unter Emmanas Aufsicht, und die duldete seine Faulheit nicht. Ein halbes Jahr nach der Hochzeit vertraute er sich seiner Frau an: »Wir werden nach Istanbul gehen.« Ihm wurde sein Elternhaus zu eng. Er wollte nicht bleiben, er wollte in die Welt. Und meine Mutter hatte ihrem Mann zu folgen.

Flucht nach Istanbul

Heimlich schafften sie Geld und Kleidung für ihre Flucht beiseite. Duran ging zum Bürgermeister, der ein Onkel von ihm war, und ließ die Ehe standesamtlich eintragen. Ohne Heiratsurkunde hätten sie in Istanbul keine Wohnung mieten können. Und Duran wollte nach Istanbul, in die große Stadt, wo alles moderner, freier war. Dort war die Zukunft. Er wusste, seine Mutter würde ihn niemals ziehen lassen. Er hatte großen Respekt vor ihr, aber noch größer war seine Sehnsucht nach einem neuen Leben. Er hatte davon in der Zeitung gelesen, die mit Stolz und Pathos von Atatürks Republik berichtete. Atatürk, der sich so elegant gekleidet und die Türkei zur Nation geformt hatte, der den *Fes* abgeschafft und Wahlen eingeführt hatte. Atatürk war sein Idol und seine große Hoffnung. Eines Nachts packten Duran und Leman ihre Koffer und schlichen zu dem Bus, der sie erst nach Kayseri, dann nach Ankara und schließlich nach Istanbul bringen sollte. Duran, der Bleibende, machte sich auf den Weg. Nicht zum letzten Mal. Und meine Mutter ging mit ihm.

Bald nachdem sie nach Istanbul gezogen waren, wurde mein großer Bruder geboren. Meine Familie wohnte auf der asiatischen Seite der Stadt, in Kadiköy, einem in osmanischer Zeit errichteten Viertel, das auf einer kleinen Anhöhe lag. Unser Haus war aus Holz gebaut und stand in einer mit Pinien bewachsenen Straße. Es war ein bescheidenes bürgerliches Viertel. Mein Vater arbeitete als Kaufmann, meine Mutter versorgte den Haushalt und bekam die Kinder: erst meinen großen Bruder, den *Abi*, dann Abla, meine große Schwester, und 1957 wurde ich geboren. Ein Jahr später kam mein kleiner Bruder zur Welt.

Das Leben in Istanbul veränderte die Ehe meiner Eltern. Mein Vater genoss das kulturelle Leben der Stadt, er und meine Mutter gingen jede Woche in ein Konzert, alle zusammen besuchten wir das Freilichtkino. Meine Mutter begann, Illustrierte zu studieren, und ließ sich die Haare nach der Mode amerikanischer Filmstars frisieren. Schon als Mädchen hatte sie ein Händchen für Nadel und Faden gehabt, und nun kopierte sie mit leichter Hand die Kleider, die sie in den Journalen sah, und stattete auch ihre Freundinnen mit der neuesten Mode aus. Mein großer Bruder hat dieses Talent von ihr geerbt; als er aus der Schule kam, ging er bei einem Schneider in die Lehre, und heute ist er Textilfabrikant.

Meine Eltern waren nie streng gläubige Muslime gewesen, und in Istanbul »verwestlichte« ihr Lebensstil noch mehr. Meine Mutter hat nie Kopftuch getragen, es wäre ihr auch im Traum nicht eingefallen und damals ohnehin in Istanbul unmöglich gewesen. Keine Frau, die auf sich hielt, hätte ein Kopftuch umgebunden. Man feierte den Monat Ramadan und fand es auch gut zu fasten. Man feierte Bayram und das Opferfest, so wie man auch in Deutschland die christlichen Feste feiert, weil sie ein Teil der gesellschaftlichen Kultur sind.

So wie meine Eltern dachten damals viele. Der Weg in den Westen schien unaufhaltsam, man begann, die alten Holzhäuser abzureißen und durch Appartementblöcke zu ersetzen, man fuhr amerikanische Autos und liebte alles, was »modern« schien.

Hüzün

oder

Der Blues der Muslime

Warum man in Istanbul so glücklich traurig sein kann, wie meine Karriere als Schauspielerin auf dem Bosporus endete und wir wie die Kennedys lebten

Man hat mir Istanbul gestohlen. Ich blicke aus der Vogelperspektive des Flugzeugs auf die Stadt, die ich vor 33 Jahren verlassen musste. Ich entdecke von oben das Goldene Horn, die Hagia Sofia, die große Brücke. Dort, wo einst mein Istanbul war, sehe ich jetzt nur ein Meer aus Stein, das sich bis zum Horizont erstreckt. Ein Dunstschleier liegt über der Stadt, als sei gerade ein Brand gelöscht worden. Aber es sind nur die Ausdünstungen des riesigen Molochs. Wo ist die grüne Stadt meiner Kindheit geblieben, wo sind die Bäume, die Parks? Nichts als Häuser und Straßen, in allen Schattierungen von Grau. Ich schließe die Augen, aber ich weine nicht. Keine Träne mehr.

Als ich wieder hinabschaue, ist es mir, als habe das Meer mich erkannt, der Bosporus blinzelt plötzlich silbern wie ein Blaubarsch in der Sonne zu mir herauf. Das Flugzeug schwebt über dem Bogaz, unten blinken die Boote und Fähren, und mir kommt ein Lied in den Sinn, das jeden Istanbuler – ganz gleich wo und wann – zu Tränen rührt: »Aksam oldu hüzünlendim ben yine / hasret kaldim / gözlerinin rengine / gel mehtabim / gel sevdigim / gel yine / hasret kaldim / gözlerinin rengine.« Ein Text von Semahat Özdenses, der frei übersetzt so viel heißt wie: »Es ist Abend geworden, und ich bin wieder traurig / ich sehne mich nach der Farbe deiner Augen / Komm mein Stern / komm

83

meine Liebste / komm wieder / ich sehne mich nach der Farbe deiner Augen.«

In diesem Lied kommt ein Wort vor, das für Muslime eine ganz besondere Bedeutung hat. Das Wort heißt »hüzün«, es bedeutet im alltäglichen Sprachgebrauch »Melancholie« oder »Trauer«. Aber in der muslimischen Dichtung und Philosophie hat es einen anderen Sinn. Bei Orhan Pamuk, dem großartigen Autor, der in seinen Büchern die tragische Geschichte der Türkei vom Osmanischen Reich bis in die Moderne anhand seiner Familie erzählt, ist »hüzün« das Gefühl, das die innere Welt des Einzelnen beschreibt. Es ist der sich vor Kummer krümmende Mensch, der seinem Schicksal machtlos ausgeliefert ist. Auf Istanbul bezogen, ist »hüzün« der Schmerz über den Zerfall und die Zerstörung, über das Verlorene und über die Armut, die Einzug in die Stadt gehalten hat.

»Hüzün« wird in vielen Liedern und Gedichten besungen, es ist der Blues der Muslime und hat, wie könnte es anders sein, im Koran seinen Ursprung. Im Arabischen ist »Senetül hüzn« das Trauerjahr, in dem Mohammed seine Frau Haditsche und seinen Onkel Ebu Talip zu Grabe trug. Im Koran steht geschrieben: »Wenn du dich nicht so sehr den vergänglichen, irdischen Schönheiten des Lebens gewidmet hättest, dann würdest du jetzt nicht so trauern.« Und: »Ich habe es nicht geschafft, mich wirklich Allah zu widmen, weil die irdischen Dinge mich mehr gefesselt haben.« Man kann die Grundstimmung der muslimischen Lebenseinstellung kaum besser wiedergeben als mit diesen Worten – das Leben ist das Äußerliche, das Uneigentliche, für dessen Geschehnisse man nicht verantwortlich ist, und alles ist vergänglich und *Kismet*, Schicksal, in das man sich zu ergeben hat, wie sich ein Muslim Gott unterwirft. »Hüzün« bezeichnet dieses fatalistische Gefühl des Ausgeliefertseins, im Fluss des Lebens.

Ich habe viele Jahre gebraucht, um dieses »Hüzün«-Gefühl zu überwinden. Ich habe nicht nur wie Orhan Pamuk das Istanbul meiner Kindheit verloren, sondern als Migrantin auch meine Heimat. Jahrelang hat es mein Leben in Deutschland bestimmt und mich nicht ankommen lassen. Ich musste einen langen Weg zurücklegen, bis ich meine Koffer nehmen und aufbrechen konnte, um endlich mein eigenes Leben zu leben. Und wenn ich die Orte meiner Kindheit besuche, fürchte ich mich immer noch ein wenig davor, dass »hüzün« mich wieder einholt. Bisher überfiel mich noch jedes Mal, wenn ich auf der Fähre nach Kadiköy saß, die Trauer über mein Schicksal. Ich habe Istanbul immer geliebt. Was mich in diesen Momenten so unendlich »hüzün« macht, ist der Verlust der Heimat. Heimat ist nicht nur ein geographischer Ort, sondern das Land der Kindheit, in dem ich in meinen ersten neun Lebensjahren gewohnt habe. Sie haben mich geprägt. Da liegen meine Wurzeln. Heimat, hat Uwe Johnson geschrieben, ist »der Ort, wo die Erinnerung wohnt«.

Istanbul brennt

Wer in Istanbul lebt, ist in ständigem Kontakt mit dem Bosporus. Der Wert einer Wohnung bemisst sich danach, wie weit sie vom Wasser entfernt ist. Das war immer schon so und ist auch heute noch so. Die Entfernungen in der Stadt sind groß, und glücklich kann sich schätzen, wer auf dem Weg zur Arbeit die Fähre nehmen kann. Bevor die große Brücke über den Bosporus gebaut wurde, musste alles mit der Fähre vom europäischen zum asiatischen Teil bzw. in Gegenrichtung transportiert werden. Inzwischen ist der Pendelverkehr auf Passagiere beschränkt, was die Überfahrt sehr angenehm macht. Die Fähren sind immer rappelvoll, und das Gedränge nach den wenigen Plätzen an Deck oder direkt an der Reling ist groß. Aber kaum hat man auf den mehrere hundert Menschen fassenden Schiffen einen Sitz ergattert, kehrt große Gelassenheit ein. Man guckt aufs Wasser, liest Zeitung oder hält mit dem Nachbarn ein Schwätzchen. Cay-Verkäufer laufen herum und warten nur auf einen Fingerzeig, um ein Gläschen Tee oder Saft zu servieren.

Ich habe auf der Fähre von Eminönu nach Haydarpasa Platz genommen und will mich in Kadiköy auf die Suche nach den Spuren meiner Kindheit machen. Auf der Bank mir gegenüber sitzen Männer unterschiedlicher Herkunft. Mein Blick wandert nach unten zu ihren Schuhen. Ich sehe braune und schwarze Halbschuhe. Einer trägt blaue Slipper und der junge Mann ganz rechts Turnschuhe. Er knackt Sonnenblumenkerne, deren Schalen auf den Boden fallen – ein Bild, das mich wie in einem Flash wieder Ayseclk sein lässt, die kleine Ayse, der Kinderstar des türkischen Kinos.

In den sechziger Jahren boomte auch in Istanbul das Kino, ganz besonders die Freilichtkinos, von denen es in jedem Stadtteil mindestens eins gab. Sie wurden Anfang Mai eröffnet, und die Vorstellungen liefen bis Ende September. Meist wurden türkische Schwarz-Weiß-Filme gezeigt. Die amerikanischen Filme liefen eher im Winter im »Süraya Palast«. In unserer Nachbarschaft ging man mindestens einmal in der Woche ins Kino, wir Kinder voran, eine Strickjacke über dem Arm. Die war wichtig. Sie diente im Kino zuerst als Kissen auf den harten Stühlen, dann als Decke, um darauf zu schlafen, und wenn der Film zu Ende war, um auf den Armen unserer Eltern zugedeckt nach Hause getragen zu werden.

Jeder von uns bekam am Kinoeingang 25 Kurus (Cent) für eine Tüte Sonnenblumenkerne, deren knisterndes »cit-cit«-Geräusch uns den ganzen Film hindurch begleitete. Die Filme waren fast ausschließlich in Istanbul gedreht und erzählten vom Leben in dieser Stadt, wir kannten alle Stars und identifizierten uns mit ihnen.

Für mich war es das Schönste, die Filme am nächsten Tag bei uns im Hof nachzuspielen. Meine Mutter hatte ein großes Tuch genäht, das als Kinovorhang diente, und mein kleiner Bruder baute eine Kasse auf den drei großen Stufen vor unserer Haustür auf. Dann wurde laut zum Filmbeginn aufgerufen, und die Kinder aus der Nachbarschaft strömten herbei. Sie zahlten einen Kurus, und der Vorhang ging auf. Ich spielte alle Rollen ganz allein, zuweilen gelang mir das so theatralisch, dass einige Kinder in Tränen ausbrachen.

Ein Freund meines Vaters überredete meine Eltern, mich am Theater vorsprechen zu lassen, das Kinder für ein Märchenstück suchte. Meine Mutter musste erst harte Überzeugungsarbeit bei meinem Vater leisten, aber schließlich stimmte er zu. Ich übte eine ganze Woche lang Texte und Gedichte ein, die meine Schwester mir besorgt hatte. Als es so weit war, wurde ich wie eine Prinzessin ausstaffiert, mit einem türkisfarbenen Tüllkleid und einer großen Schleife im Haar. Ich war stolz und ängstlich zugleich.

An der Hand meines Vaters, der wie üblich kein Wort mit mir sprach, ging es zum Vorstellungstermin. Das Theater lag auf der europäischen Seite, und damals gab es noch keine Brücke. Das Wetter war schlecht an diesem Tag, und die Boote verkehrten nur unregelmäßig. Statt eine der großen Fähren mussten wir eine kleine Barkasse für die Überfahrt nehmen, die schon am Pier bedenklich schaukelte. Ich hielt, voll der ängstlichen Erwartung, den Blick gesenkt und starrte, nachdem wir Platz genommen hatten, ständig auf eine Reihe gelackter Herrenschuhe, weiße, braune, schwarze, deren Farben sich vor meinen Augen verschwommen mit den Wellen auf und ab bewegten. Kaum hatte das Boot abgelegt und die schützende Mole umrundet, wurde mir schlecht, und ich musste mich übergeben, natürlich mitten auf alle diese Schuhe. Die Männer sprangen auf und schimpften. Meinem Vater war das Ganze sehr peinlich, ununterbrochen entschuldigte er sich und schnauzte mich an, ich solle gefälligst auf der Stelle damit aufhören. Leider half das gar nicht. Die

Überfahrt dauerte ewig, und meine Fähigkeit, mich zu übergeben, schien dem nicht nachzustehen.

In Karaköy angekommen, putzte mein Vater mit seinem frisch gebügelten Taschentuch mein Prinzessinnenkleid. Aber es war ruiniert und ich auch. Ich wollte nirgendwo mehr hin. Mein Vater sagte keinen Ton, und dann saßen wir auf einer Bank und warteten auf besseres Wetter. Er kaufte mir ein *Simit*, eine Sesam-Brezel, und mit dem nächsten großen Schiff fuhren wir zurück. Zu Hause gab er mich mit spitzen Fingern bei meiner Mutter ab und sagte: »Wer nicht einmal ein schaukelndes Boot verträgt, der wird auch keine Schauspielerin werden.« Damit war meine Karriere als Kinderstar beendet, noch bevor sie begonnen hatte.

Istanbul brennt vor Leben. Die Fähre hält in Haydarpasa, dem großen, von deutschen Architekten vor über hundert Jahren gebauten Kopfbahnhof direkt am Wasser. Von hier aus fährt die Bagdad-Bahn quer durch ganz Anatolien. Ich steige aber erst in Kadiköy aus und fahre vom Busbahnhof mit einem *Dolmus*, einem Sammeltaxi, in die Straße, in der wir bis 1963 gewohnt haben. Sie hat sich völlig verändert, ich erkenne kaum etwas wieder. Große moderne, inzwischen auch schon zwanzig Jahre alte Neubauten haben die Proportionen und das Aussehen des Stadtteils verschoben. Meine ehemalige Grundschule mit ihrer riesigen Eingangstür ist ein altes heruntergekommenes Haus zwischen zwei breiten Straßen. Der Brunnen, in dem wir als Kinder immer gespielt haben, ist ausgetrocknet und eine Sammelstelle für allerlei Abfall geworden. Dort, wo einst unser Haus stand, an der Ecke der Straße mit dem Namen »Hürriyet«, Freiheit, befindet sich heute ein Abstellplatz für Gebrauchtwagen. Unser Haus ist verschwunden. Aber in meiner Erinnerung sehe ich es noch.

Es war ein altes Holzhaus aus der osmanischen Zeit. Heute

gibt es solche Häuser kaum noch. Istanbul in der Moderne ist nicht durch Erdbeben oder Krieg zerstört worden, sondern durch Brandstifter. Bis in die fünfziger Jahre des 20. Jahrhunderts bestimmten diese zwei- bis dreistöckigen, fast quadratischen und mit weit überstehenden Dachfirsten augestatteten Häuser, in denen meist eine Großfamilie lebte, neben den großen Bauten das Stadtbild. Aber in der Mitte des 20. Jahrhunderts zogen mehr und mehr Menschen in die Metropole. Die Häuser wurden zu eng und die Bauplätze knapp. Viele waren wie meine Eltern vor der Rückständigkeit des Landes und den engen Familienverhältnissen geflohen und den Verlockungen der Moderne nach Istanbul gefolgt. Alle diese Menschen mussten irgendwo unterkommen, und das war die große Stunde der Spekulanten und Brandsanierer.

Holzhäuser brennen leicht, und auf dem Grundstück, auf dem ein Einfamilienhaus steht, kann man ebenso gut ein Appartementhaus mit Wohnungen für sechs oder acht Familien bauen. Und so wurden in den fünfziger und sechziger Jahren nacheinander ganze Stadtteile abgefackelt, immer nach dem gleichen Muster: Die Besitzer der alten osmanischen Holzhäuser fuhren in Urlaub oder zu Verwandten, das Haus brannte ab, und auf dem Grundstück wurde von einem Bauunternehmer ein Mehrfamilienhaus gebaut. Die Besitzer des Holzhauses erhielten ein oder zwei Etagen des Neubaus, der Bauunternehmer den Rest. So kamen viele quasi über Nacht zu einem modernen Appartement, mit fließend Wasser, Bädern und Zentralheizung. Und Istanbul wuchs, von 1,5 Millionen Einwohnern Anfang der fünfziger Jahre bis heute auf 15 oder 18 Millionen. Erst vor kurzem hat man mit Hilfe der Europäischen Union begonnen, die wenigen noch verbliebenen Holzhäuser zu restaurieren.

Im Land der Kindheit

Unser Haus hatte nach vorn eine kleine Terrasse und nach hinten einen *Avlu*, einen Hinterhofgarten, in dem wir Kinder ungestört spielen konnten. Mein Lieblingsspiel war *Sek sek*, Hüpf hüpf. Acht große Quadrate wurden mit Kreide auf den Boden gezeichnet und durchnummeriert, und man musste, auf einem Bein hüpfend, einen kleinen Stein von Kästchen zu Kästchen schubsen. Seilspringen gehörte zu unser aller Lieblingsspielen. Alle Kinder der Nachbarschaft beteiligten sich daran. Ein langes Seil wurde von zwei Kindern gedreht, je ein Kind von einer Mannschaft musste in das kreisende Seil springen und so lange geschickt darüber hüpfen, bis es sich irgendwann unausweichlich verheddert und ausschied. Die Mannschaft mit den meisten fehlerlosen Sprüngen gewann. Manchmal wurden wir dabei sogar von den Erwachsenen angefeuert. Da dieses Spiel nur in den Abendstunden gespielt werden konnte, wenn die Sonne nicht mehr so brannte, blieben sogar die von der Arbeit heimkehrenden Väter stehen und vergnügten sich mit uns. Zum Abschluss bekamen wir zur Belohnung selbst gemachte Limonade aus Zitronensaft und Zucker, die in einem der Hintergärten unter Bäumen ausgeschenkt wurde.

Dass unsere Spielwelt etwas Besonderes war, begriff ich erst viel später. Wir kannten weder Koranunterricht noch trug irgendeines der Mädchen ein Kopftuch, um seine Keuschheit und Reinheit unter Beweis zu stellen. Uns wurde gestattet, Kind zu sein. Dass schwimmen, turnen, schaukeln, hüpfen oder gar Fahrrad fahren für Mädchen verboten sein könnte, darauf wäre damals niemand von uns gekommen. Jungen und Mädchen spielten gemeinsam, und auch meine ältere Schwester und mein älterer Bruder lebten lange Zeit unbeschwert und ohne größere Aufsicht, Maßregelungen und Verbote. Zwar rief aus der Ferne der Muezzin zum Gebet, aber die einzige Moschee im ganzen Viertel wurde von älteren Männern besucht, und zum Fest gingen auch unsere Väter.

Wenn wir abends ins Bett mussten, wollte ich immer schnell einschlafen, damit es endlich wieder Morgen wurde und ein neuer Tag begann. Ich wachte in der Regel früh auf und ging in meinem langen Nachthemd, mit meinem *Besch-tasch*, dem Beutel, in der Hand, in den *Avlu*, um die ersten warmen Sonnenstrahlen und die Frische der Straße zu genießen, die frühmorgens abgespritzt und gefegt wurde. Aus einem der Nachbarhäuser hörte man oft klassische türkische Musik aus dem Radio, und ich konnte den ersten Morgentee riechen, den die Frauen ihren Männern bereiteten, bevor diese zur Arbeit aufbrachen. So wie Onkel Ismet von gegenüber, der Kapitän auf einer der Bosporus-Fähren war. Wenn er an mir vorbeiging, nahm er seinen Strohhut ab, verbeugte sich tief und sagte: »Guten Morgen, meine schöne Tochter.« Dann wusste ich, es war Zeit, wieder ins Haus zu gehen, denn jetzt stand auch unser Vater auf.

Die Sommer in Istanbul waren lang. Sie begannen im März mit den ersten warmen Sonnenstrahlen und endeten im Oktober mit den ersten Regenschauern. Wenn der Sommer anfing, wurde der Ofen im Haus abgebaut, meine Mutter ließ die Zimmer neu streichen, meistens Weiß mit einem Hauch Grün, Blau oder Gelb. Die Möbel wurden in den Hof getragen, die Sitzgarnituren und die Teppiche aus Kayseri ausgeklopft, die Lampen poliert, und die Wohnung erstrahlte wie neu. »Der Winter wird verabschiedet«, sagte meine Mutter, und von da an nahmen wir die Mahlzeiten auf der Terrasse ein.

Wenn mein Vater morgens zur Arbeit ging, trat die ganze Familie an, um ihn zu verabschieden: meine Mutter, mein großer 16-jähriger Bruder, meine ältere Schwester, die 13 war, mein kleiner fünfjähriger Bruder und ich, die Sechsjährige. Wir wünschten Vater einen guten Tag, meine Mutter band ihm – kniend – seine Schuhe zu, und er drückte ihr Haushaltsgeld in die Hand; nie genug, wie meine Mutter meinte. Er nahm seinen Hut und ging. Wenn er die Tür schloss, hörten wir den Fluch, den meine Mutter ihm nachschickte.

Sie liebte es, sich Lockenwickler ins Haar zu drehen, frischen Tee aus dem Samowar zu holen und dann auf der Terrasse die erste Zigarette zu rauchen. In der Hochzeitsnacht hatte mein Vater ihr »nach getaner Arbeit« eine Zigarette angeboten. Auf die Zigaretten kann sie bis heute nicht verzichten.

Dann wurde das Radio eingeschaltet. Es war groß wie ein Koffer und stand auf einer kleinen Vitrine mit Scheiben aus geschliffenem Glas. Unser »Koffer-Radio« gehörte zur Familie und spielte den ganzen Tag bis zur Rückkehr meines Vaters bei Sonnenuntergang. Im Wohnzimmer stand eine Sitzgarnitur in Dunkelblau mit hohen geschnitzten Lehnen und verschnörkelten Füßen. Wir hatten verschiedene Beistelltische mit einer Glasplatte im geflochtenen Rahmen. »Italienischer Stil«, sagte mein Vater, der sehr stolz auf seinen guten Geschmack war. Auf dem Fußboden lag ein riesiger blauer Kayseri-Teppich, der ganze Stolz der Familie. Ich liebte dieses blaue Wohnzimmer vor allem, weil das Radio dort stand und wir von der Terrasse aus Musik hören konnten. Zur Frühstückszeit um halb zehn gab es die Sendung »arkasi yarin«, Fortsetzung folgt, in der Texte der Weltliteratur vorgelesen wurden. Ich lernte Tolstoi, Dostojewski, Flauberts »Madame Bovary« und John Steinbecks »Von Mäusen und Menschen« kennen, aber auch die gesellschaftskritische türkische Literatur. Unvergessen ist Orhan Kemals Buch »El Kizi«, fremde Tochter, in dem er die grauenhafte Geschichte einer Schwiegermutter erzählte, die über ihren Sohn herrschte und ihre Schwiegertochter quälte. Für uns Geschwister war das so exotisch wie eine der Geschichten aus Tausendundeiner Nacht und sehr weit weg. Alle Familien, die wir kannten, lebten ohne Schwiegermutter. Meine Mutter erzählte uns von ihrer schrecklichen Schwiegermutter, der Emmana aus Pinarbashe, die ihr, wäre sie in Pinarbashe geblieben, wohl ein ähnliches Schicksal bereitet hätte, wie es die Braut in Kemals Roman erleiden muss-te. Nachdem meine Eltern nach Istanbul geflohen waren, traf es die kleine schüchterne Gelin, die als Frau meines Onkels, des zweiten Sohnes der Emmana, ins Haus gekommen war. Sie bekam die ganze Wut der Mutter über ihren verlorenen Erstgeborenen zu spüren.

So erfuhr ich etwas über unsere Verwandtschaft in Zentralanatolien, die ich als Fünfjährige nur bei einem kurzen Besuch erlebt, aber längst wieder vergessen hatte. Wir hatten keine Verwandten in Istanbul, und auch die anderen Familien pflegten mehr nachbarschaftliche Beziehungen als familiäre Verbindungen. Wir hatten die Sitten und Gebräuche des Landes hinter uns gelassen wie auch seine Religion. Zur Begrüßung des neuen Jahres stellten wir sogar einen Silvesterbaum aus Plastik mit elektrischen Lichtern auf, den mein Vater auf dem Großen Bazar aufgetrieben und eines Tages mit nach Hause gebracht hatte. Überall in der Welt sei es Tradition, zum Jahreswechsel einen Silvesterbaum aufzustellen, sagte er, wir würden es fortan auch so halten, schließlich seien wir eine moderne weltoffene Familie. Dass es sich hierbei um den christlichen Weihnachtsbaum handelte, wusste er nicht und erfuhr ich erst Jahre später. Für uns war und blieb es der Silvesterbaum.

Kennedy ist tot

Wir waren Istanbuler und träumten höchstens von noch mehr Moderne, die wir in einem anderen Land zu finden hofften. Die Türkei war mit uns auf dem Weg nach Amerika. Und wenn wir nicht nach Amerika konnten, dann lebten wir eben den »American way of life« in Istanbul. Das Traumbild von Amerika wurde nur kurz getrübt, als im Radio »Onkel Toms Hütte« vorgelesen wurde. Die ganze Familie litt und weinte über das Schicksal einer amerikanischen Sklavenfamilie. Das sollte in einem gelobten Land wie Amerika möglich sein?

Es war das Frühjahr 1963. Der junge amerikanische Präsident John F. Kennedy und seine Frau Jacqueline hatten nicht nur die Herzen Amerikas erobert, sondern auch die meiner Eltern. Es war schick, amerikanisch zu sein und den Lebensstil der Amerikaner zu kopieren, amerikanische Autos zu fahren und sich wie Jackie zu kleiden.

Als eines Morgens im November 1963 die Sendung im Radio plötzlich unterbrochen wurde, saßen wir gerade gemeinsam am Frühstückstisch. Die Nachrichtensprecherin berichtete mit stockender Stimme vom tödlichen Attentat auf John F. Kennedy. Wir waren fassungslos. Meiner Mutter liefen die Tränen über die Wangen. Ein Traum war gestorben. Das ganze Land trauerte, als hätte es seinen eigenen Präsidenten verloren. Drei Tage wurde im Radio nur klassische europäische Trauermusik gespielt. Ich war sechs, verstand gar nichts und musste trotzdem, wie alle, weinen.

Wenn Celal Abi, ein Nachbar, mit seinem weißen Buick um die Ecke bog, war es, als käme da einer direkt aus Hollywood zu uns. Sobald wir ihn sahen, blockierten wir Kinder die Straße, bettelten so lange, bis wir alle einsteigen und uns auf die rosa Ledersitze quetschen durften. Celal Abi rollte dann langsam die Straße hoch, wir sangen ein Lied dazu und klatschten uns, dem Auto und dem Leben Beifall. Am Ende der Straße, die uns damals endlos lang vorkam, in Wahrheit aber höchstens zweihundert Meter bergauf ging, hielt er an, und unser amerikanischer Traum war wieder mal vorbei.

Mein älterer Bruder war wie viele andere Jugendliche ein Elvis-Presley-Fan. Er war 17, trug schicke enge Jeans, ein weißes T-Shirt und die Haare nach der neuesten Mode mit Brillantine nach hinten gekämmt. Er verdrehte vielen Mädchen den Kopf, die dann oft bei uns zum Tee saßen und hofften, sie könnten als Braut bei uns einziehen. Meine Mutter machte seine ungebremste Lebenslust wahnsinnig. Und doch war er der Liebling der Familie, und ich hing abgöttisch an ihm. Wenn er von einer Party kam, saßen wir alle um ihn herum und hörten ihm stundenlang beim Frühstück zu, was er wieder Neues aus der »echten« Istanbuler Szene zu berichten hatte.

»*Anne*, Mutter«, sagte er einmal, als sie ihn wieder wegen seiner vielen Freundinnen zurechtwies. »Weißt du denn nicht, dass Mohammed viele Frauen hatte?«

»Ach, woher willst du das denn wissen?«, fragte sie.

»Das hat der Religionslehrer erzählt.«

»Woher will der das denn wissen?«

»Aus dem Koran. Da steht auch drin, wie Mohammed Zainab kennen lernte.«

»So, und was soll daran interessant sein?«, wollte sie ahnungslos wissen.

Nun begann er genüsslich zu erzählen: »Der Prophet hatte von der Schönheit seiner Cousine gehört und ging zu ihr. Ohne anzuklopfen betrat er ihr Haus und sah sie halb nackt auf ihrem Bett. Er fand sie so erregend, dass er einen *Schechvet*, eine Erektion, bekam.«

Meine Mutter schrie ihn an, er solle sofort aufhören mit diesen gotteslästerlichen Reden. Wir Kleineren saßen mit roten Ohren da und hörten zu: »Und dann hat Allah ihm die Ehe mit der Frau seines Adoptivsohns erlaubt.« Meine Mutter flehte zu Allah, ihrem missratenen Sohn zu verzeihen, verfluchte Atatürk, der es zugelassen hatte, dass die Kinder solche Sachen in der Schule zu hören bekamen, und schickte uns nach draußen.

Nachdem die staatlichen Koranschulen per Gesetz geschlossen worden waren und es die allgemeine Schulpflicht gab, wurde in der Schule ein staatlich kontrollierter Religionsunterricht erteilt. Die Kinder wurden nicht von Imamen unterrichtet und zum Glauben angehalten, sondern von staatlich ausgebildeten Lehrern in Religionsgeschichte unterwiesen. Eine gewisse weltliche Aufgeschlossenheit bei der Jugend war die Folge.

Der Abend begann, wenn die Sonne unterging. Alle Kinder verschwanden dann von der Straße oder aus den Gärten in die Häuser. Die Frauen kamen vom *Günden*, dem Tag mit ihren Freundinnen und Nachbarinnen, zurück. Jede Frau hatte abwechselnd einen »Tag«, an dem sie ihre Freundinnen zu Tee und Gebäck einlud. Diese Frauentreffen fanden am Nachmittag ohne Männer und Kinder statt. Die Frauen kleideten sich dazu wie die Stars aus dem Kino. Meine Mutter zog sich gern wie Claudia Cardinale an, mit Sonnenbrille und kleinen Handschühchen, raffinierten weit schwingenden Sommerkleidern und Schuhen mit Pfennigabsätzen. Während wir Kinder im Hof spielten, zogen unsere Mütter los, um pünktlich, bevor die Männer nach Hause kamen, heimzukehren.

Wenn mein Vater das Haus betrat, herrschte disziplinierte Ruhe. Wir gingen ihm auf Zehenspitzen entgegen, küssten seine Hand zur Begrüßung und folgten von Stund an seinen Befehlen.

Am Wochenende gingen wir oft ins Freilichttheater am Hafen zu einem Sommerkonzert. Die ganze Woche über freuten wir uns schon auf irgendeinen Sänger, den wir aus der Zeitung oder dem Radio kannten. Wir konnten fast jedes Lied mitsingen, oft so laut, dass die Sänger nicht mehr zu hören waren. Singen war ein ganz besonderes Vergnügen für uns alle, ob beim Abendessen oder bei Familienausflügen.

Mit mehreren Kisten *Camlica*, einer Zitronenbrause, ging es nach dem Konzert im Autokonvoi mit der ganzen Nachbarschaft zu einer mit Pinienwäldern dicht bewachsenen Höhe am Bosporus, die Camlica hieß, ebenso wie das Getränk. Zu dieser Zeit war der gesamte Bosporus von Pinienwäldern umsäumt. Es gab dort den berühmten Camlica-Joghurt und Brause dazu.

Aber viel wichtiger waren die Lieder, die alle anstimmten und mit denen sie Istanbul feierten.

Sonntage am Bogaz

Das Meer, der Bogaz, war kristallklar und schimmerte türkisblau. Alle liebten diese Farbe. Der Bogaz ist Istanbul, und Istanbul ist Bogaz. Leider hatten wir nicht das Glück, direkt am Bogaz zu wohnen. Wir wohnten drei Stationen mit der Tram entfernt. Wenn uns die Sehnsucht überfiel, sagte meine Mutter zu meiner Schwester: »Zieh die Kinder an, wir gehen Tee trinken zum Hafen nach Kadiköy.« Dann machten wir uns fein, als gingen wir auf eine Hochzeit, spazierten am Wasser entlang und atmeten diese besondere Luft des Bosporus. Auf dem Rückweg gab es frische, gegrillte Makrele in einem Stück Weißbrot von einem der Boote, die noch heute dort am Pier liegen. Dann gingen wir die Straße »Alti Yol« hoch zur besten »Pastane«, Schokolaterie, wo es an guten Tagen noch einen *Profitorol*, einen Spritzkuchen mit Vanillefüllung und Schokoladensoße, und Limonade gab.

Das Schwimmen haben wir alle im Bogaz gelernt, wo denn sonst. In den heißen Monaten Juli und August ging es jeden Sonntag nach Fenerbahce zum Picknicken an den Strand. Die Mütter bereiteten schon den ganzen Sonnabend lang dieses Picknick vor. In großen *Tepsis*, das sind runde türkische Backbleche, wurden *Böreks* in den gemeinsamen Backhäusern gebacken, in den Häusern gab es noch keine Backöfen. Aber auch gefüllte Paprika, *Köftes*, zum Grillen sowie ein großer *Karpuz*, eine Wassermelone, durften nicht fehlen. Am Sonntagmorgen versammelte sich die ganze Nachbarschaft immer an der gleichen Stelle am Strand. Unter riesigen großen Pinienbäumen wurde das Mitgebrachte aufgetischt. Mein Vater band für uns

Kinder eine Schaukel in den Baum. Für europäische Ohren mag das wie selbstverständlich klingen, Mädchen auf Schaukeln, aber heute sieht man kaum noch ein Mädchen aus einer muslimischen Familie schaukeln, weder in Bursa noch in Berlin. Die Frauen heizten den Samowar an, und bald darauf wurde auch schon Tee gereicht. Bis zum Sonnenuntergang verbrachten wir den Sonntag dort.

Istanbul war zu der Zeit frei von »Mullahs«, wie wir die Fundamentalisten nannten, und es gab in Istanbul kaum Moscheen. Selbst die Ayasofya, die Hagia Sofia, die größte und schönste Moschee, war 1935 von der Regierung säkularisiert und zum Museum gemacht worden. Heute schreibt ein neues Gesetz vor, dass ein Mindestabstand von einem Kilometer zwischen den Moscheen einzuhalten ist. Es gibt inzwischen Stadtteile in Istanbul, wo am Ende jeder Straße eine Moschee aufragt, Koranschulen entstehen und man in bestimmten Stadtteilen als Frau scheel angesehen wird, wenn man keinen Schleier trägt.

Die Vorbereitungen auf den Winter begannen bereits im Sommer. Marmelade wurde gekocht, Gemüse eingelegt, Tomatenmark zubereitet, Makkaroni geschnitten. Wir hatten eine dunkle, kühle Speisekammer eigens für den Winter, die bis zum Rand mit Lebensmitteln gefüllt wurde. Auch Mäntel wurden genäht, Winterschuhe gekauft, die Zimmer umgebaut und der Ofen aufgestellt. Ein Fuder Holz und ein Berg Kohle wurden vor dem Haus abgeladen und im Hof gestapelt und gelagert.

Der Ofen wurde in diesen Monaten der Mittelpunkt der Wohnung. Auch das Radio wurde in diesen Raum gestellt, denn zwei Räume wurden gar nicht beheizt, weil es zu teuer war.

Auf dem Ofen wurde Knabberzeug geröstet, Popkorn oder Toastbrot, und meist summte dort ein Teekessel. Meine beiden älteren Geschwister gingen zur Schule, und wir Jüngeren saßen an den Nachmittagen mit ihnen um den Ofen und lernten für die Schule gleich mit.

1963 fiel der Fastenmonat Ramadan in diese Zeit. Meine Mutter fastete, seit sie fünf Jahre alt war, mein Vater vermied es. Aber sie überredete ihn oft, dann standen sie noch vor Sonnenaufgang auf, meine Mutter heizte den Ofen an, es gab *Hoschaf,* eine süße Suppe aus getrockneten Früchten, dazu Reis und etwas *Börek* vom Vorabend. Die Zähne wurden geputzt, ein letztes Gebet wurde gesprochen und bis zum Abend nichts mehr gegessen.

Meine Mutter bereitete dann während des Tages *Iftar,* das Fastenbrechen, vor. Meistens lud man Freunde und Nachbarn zum Essen ein, denn jetzt war die Zeit, wo sich die Familien gegenseitig besuchten. In meiner Erinnerung gab es während des Ramadan immer phantastisches Essen, und alle waren in Feststimmung. Nach dem Essen zogen sich die Erwachsenen in eines der kalten Zimmer zurück und beteten. Höhepunkt war das Zuckerfest am Ende des Ramadan. Wir bekamen neue Kleider, und an dem Morgen des Festes standen alle sehr früh auf. Mein Vater ging an diesem Tag ausnahmsweise in die Moschee, und wenn er zurückkam, standen wir Kinder aufgereiht vor ihm, er hielt jedem von uns seine Hand hin, die wir zu küssen hatten, und dann bekamen wir alle etwas Geld. Mein kleiner Bruder sparte bereits damals alles, was er in die Finger bekam, während mir das Geld durch die Finger rann. Meist überlebte meine Lira den Tag nicht. Wir gingen an diesem Tag auf die Festwiese, dort konnten wir Karussell fahren und Lose ziehen.

Ali und Oya

Auch in diesem Jahr zogen wieder zwei Familien aus unserer Straße weg in eins der neuen Appartements, die jetzt überall entstanden. Auch meine Mutter träumte von einer Wohnung mit fließend warmem Wasser und Balkon. Es war ein Dauerthema bei uns am Tisch. Meine Mutter wollte unbedingt wie ihre Freundinnen in ein Appartement. Mein Vater wollte nicht. Es ging ihm geschäftlich nicht gut, er hatte in Istanbul nicht wirklich Fuß fassen können. Wir wussten nicht, was er tagsüber tat. Er redete nicht darüber. Seine alte Haltung, lieber andere arbeiten zu lassen als selbst Hand anzulegen, rächte sich hier in der Stadt. Er gab mehr Geld aus, als er einnahm. Bald fehlte es an allen Ecken und Enden. Meine Mutter hatte sich bei jedem Händler verschuldet. Es war üblich, dass in den Läden angeschrieben wurde, um dann am Monatsende die Schulden zu begleichen. Aber bei uns wurden die Monate immer länger und die Händler immer ärgerlicher.

Am Ende des folgenden Sommers beschlossen meine Eltern, das Glück im Ausland zu suchen. Mein Vater hatte gehört, dass in Deutschland und Österreich Arbeitskräfte gesucht wurden. Eines Morgens küssten wir wie immer zum Abschied seine Hand, und er ging für ein Jahr nach Wien.

Es war das Jahr 1964, das Jahr, in dem ich eingeschult wurde. Ich musste, um die Schuluniform anpassen zu lassen, ein schwarzes Kittelkleid mit weißem Kragen, mehrmals zur Schneiderin. Ich konnte es kaum erwarten, eine Schülerin zu werden.

Bereits mit vier Jahren hatte ich lesen gelernt. Meine Mutter bezog diverse Zeitschriften und Zeitungen, und Fotoromane, die damals groß in Mode waren, hatten es mir besonders angetan. So fing ich früh an zu lesen. Meine Eltern waren stolz darauf und führten mich gern staunenden Besuchern vor. Dann wurde ich mit einer Zeitung, die größer war als ich selbst, auf den Tisch gestellt und las die Schlagzeilen vor. Von da an wollte ich Schauspielerin werden und ergänzte meine Vorträge künftig zum Vergnügen der Erwachsenen mit Liedern und kleinen Theatereinlagen.

Das erste Schuljahr ging vorbei. Dass mein Vater nicht da war, fiel uns Kindern nicht wirklich auf. Das Leben ging weiter, und wir waren auch ohne ihn glücklich. Er schickte monatlich Geld, das meine Mutter jedes Mal, nachdem sie den Umschlag geöffnet hatte, mit einem Fluch bedachte, weil es ihr immer zu wenig war. Irgendwann in dieser Zeit begann mein großer Bruder, neben der Schule in der Schneiderei eines Freundes meines Vaters zu arbeiten, um die finanzielle Lage der Familie aufzubessern.

Ich ging wahnsinnig gern zur Schule. Meine Lehrerin war groß und trug statt des üblichen Lehrer-Kittels sehr hübsche Kostüme. Ihr Name war Fahrünüsa. Sie schrieb Kinderbücher und entwickelte bei uns in der Klasse die Erstlese-Fibel »Ali und Oya«, mit der noch heute, soviel ich weiß, türkische Kinder lesen und schreiben lernen. Jeden Tag erzählte sie uns von Ali, was er wieder angestellt hatte und was er von uns hielt. Wir gaben alle unser Bestes, um es Ali recht zu machen. Da ich schon lesen und schreiben konnte, wurde ich schnell ihr Liebling und ihre »Assistentin«. Das war nicht immer ein Vergnügen. Einmal sollten wir alle geimpft werden, und ich sollte demonstrieren, dass niemand davor Angst zu haben brauchte. Die Lehrerin nahm mich auf den Arm und flüsterte mir zu: »Wenn du bei der Spritze lachst, bringe ich morgen von Ali ein Bonbon mit.« Und ich lachte tapfer trotz der Riesenspritze, deren schmerzhaften Stoß ich heute noch zu spüren meine. Aber die Bonbons schmeckten allen.

Morgens mussten wir auf dem Schulhof antreten und die Nationalhymne singen. Dabei wurde die Fahne aufgezogen. Ich befand mich jeden Morgen in einem Gewissenskonflikt und bewegte meist tonlos meine Lippen. Meine Mutter hatte mir abverlangt, niemals Atatürk zu feiern, denn er habe, so sagte sie, die Tscherkessen verraten. Dann wurde in der Klasse gefrühstückt, jedes Kind erhielt ein Glas Milch und *Börek*.

Ganz wichtig war Sport. Atatürk hatte den Kindern und der Jugend eigens einen Feiertag geschenkt, für diesen Tag lernten wir Turnübungen, um sie unseren Eltern vorzuführen.

Religionsunterricht gab es in der Grundschule nicht. Dafür gab es Basteln, Formen und Gestalten, Malen und viel Musik. Wir durften uns ein Musikinstrument aussuchen und im Tanzunterricht Volkstänze lernen, die wir an den Nationalfeiertagen in den großen Sportstadien vorführten.

Ich liebte meine Schule so sehr, dass ich abends mit meiner Schultasche einschlief und den Morgen kaum erwarten konnte, um wieder in die Schule zu gehen. Drei Jahre lang genoss ich dieses Glück.

Blüh im Glanze dieses Glückes
oder
Unser Weg in die Migration

Wie Emmana mit strenger Hand regierte, ein Grundig TK 27 uns faszinierte, warum ich mir die Zöpfe abschnitt und meine einzige Freundin verlor

Als die Schulferien begannen, kündigte mein Vater seine Heimkehr an. Alle Nachbarn wussten plötzlich irgendetwas über Deutschland und Österreich zu berichten, was man dort aß und trank und dass dort im Winter meterhoher Schnee lag. Schon bauten wir Kinder in unserer Phantasie den ersten Schneemann.

Eine Nachbarin hatte von einer Verwandten, die in Deutschland arbeitete, eine wunderschöne blonde Puppe als Geschenk für die Tochter mitgebracht. Als dann mein Vater seinen Urlaub anmeldete, hatte jeder von uns seinen eigenen Traum davon, was er in seinem Koffer haben könnte. Eine Puppe war leider nicht dabei, aber mein kleiner Bruder bekam ein Polizeiauto.

Aber alles wurde in den Schatten gestellt durch das mitgebrachte Tonbandgerät »TK 27« von Grundig. Die ganze Nachbarschaft wollte das Wundergerät sehen. Mein Vater, der ohne unser Wissen bereits unsere Stimmen aufgenommen hatte, ließ plötzlich das Gerät laufen, und wir hörten unsere eigenen Stimmen. Spontan wurde Beifall geklatscht. »Diese Werke der Ungläubigen«, murmelte einer der Nachbarn. Wir wurden bewundert und beglückwünscht. Ich streichelte heimlich das Gerät und versuchte, es anzustellen. Es gelang mir nicht. Mein kleiner Bruder hingegen, der sich genau gemerkt hatte, wie Vater es machte, konnte ohne Probleme vor- und zurückspulen.

Meinem Vater hatte Wien nicht gefallen, es war ihm dort zu kalt. Jetzt wollte er es in Deutschland versuchen. Meine Eltern diskutierten, und schließlich fuhr er allein nach Hannover. Dort arbeitete bereits ein Cousin. Wir sollten so bald wie möglich nachkommen. Nach zwei Jahren war er wieder in Istanbul. Unser Leben ging vorerst weiter wie bisher. Wir erzählten jedem, wir würden bald nach Deutschland gehen. Irgendwann aber legte sich die mögliche Abreise wie Mehltau über unser Leben. Überall wurden wir gefragt, wann fahrt ihr, wohin geht ihr, warum und wie lange bleibt ihr weg. Und wir konnten keine Auskunft geben, denn nichts lief, wie mein Vater es geplant hatte. Als es dann endlich so weit war, wollten wir nicht mehr. Mein Vater versuchte, uns mit phantastischen Erzählungen für Hannover zu begeistern. Dort gäbe es Treppen, die sich elektrisch bewegten, Fenster, die sich drehten, und Apparate, mit denen wir Kino gucken könnten, ohne das Haus zu verlassen, außerdem Berge von Schokolade und eine ganz tolle Nationalhymne. »Wenn ihr die könnt«, sagte er, »dann seid ihr drin in Deutschland«, und er studierte sie mit uns ein. Aber er sagte uns nicht, dass wir gar nicht mit nach Deutschland kommen sollten. Weil wieder einmal alles nicht so klappte, wie er es sich vorgestellt hatte, sollten nur meine Mutter und mein älterer Bruder mit nach Deutschland kommen. Wir drei Kleinen sollten »kurz« bei Verwandten in dem Heimatort meines Vaters in Zentralanatolien warten, bis wir geholt würden.

Dann fuhr er wieder ab, und meine Mutter begann, unsere Auswanderung vorzubereiten. Es verging kein Tag mehr, an dem nicht ein Möbelhändler auftauchte, um eine Kommode oder einen Sessel abzuholen. Wir wurden neu eingekleidet, wir Jüngsten für den langen Winter in Pinarbashe und meine Mutter und mein großer Bruder für den unendlich langen Winter in Deutschland. Stundenlanges Anprobieren bei der Schneiderin für die Kleinen und nicht enden wollende Einkäufe für die anderen beiden waren die Folge. Die neuen Welten bestimmten von nun an unseren Alltag.

Das anfängliche Glücksgefühl wich schon nach ein paar Tagen der Trauer. Mit jedem verschwundenen Möbelstück wurden unsere Mienen finsterer, und als auch der Rest des Hausrats an Nachbarn und Bekannte verschenkt worden war, begann für alle das Heulen und Zähneklappern.

Im Hause der Emmana

Unsere Migration begann mit der Fahrt nach Anatolien. Eines Morgens saßen wir im Bus Richtung Pinarbashe. Wir nahmen Abschied von der Straße »Hürriyet«, von der Schule, den Freunden, den Nachbarn, von Bahariye Cad, von Kadiköy, Camlica und Profitör. Erst 25 Jahre später sollte ich wiederkommen. Am schwersten fiel mir der Abschied vom Bogaz, unserem Bosporus.

Ankara war eine Überraschung. Nicht ein einziges Holzhaus gab es in der Stadt. Atatürk hatte Ankara eigens als Hauptstadt erwählt, weil der Ort mitten in der Türkei lag, weit weg von Istanbul und den Osmanen. Hier war die Republik ausgerufen worden, es gab ein demokratisch gewähltes Parlament, das allerdings immer mal wieder vom Militär recht rüde auf die Republik verpflichtet wurde. Das türkische Experiment der Demokratie – außenpolitische Annäherung an die USA bei großer innenpolitischer Instabilität – wurde in diesen Jahren zwischen radikalen Utopien, dem Erstarken der Islamisten und der harten Hand des Militärs fast zerrieben.

Ankara zählte 1964 knapp eine halbe Million Einwohner, eine Stadt mit Museen und Universitäten und einer Bevölkerung, die fast nur aus Beamten bestand. Bis heute hat sich dort kaum Industrie angesiedelt, und die Bevölkerung ist schon von Berufs wegen kemalistisch.

Wir übernachteten dort bei einer Tante, der jüngsten Schwester meiner Mutter, die mit einem Angestellten im Museum, Onkel Enischte, verheiratet worden war. Wir kamen in ein vornehmes Appartement mit einem Salon für Gäste. Bedienstete brachten uns Tee. Ich saß kerzengrade und konnte kaum mein *Lokum*, eine türkische Süßigkeit, essen, so beeindruckt war ich. Dabei hatte ich gedacht, wir hätten in Istanbul vornehm gelebt. Nein, wirklich vornehm war man in Ankara. Dort spielte man nicht auf der Straße und machte sich nicht schmutzig. Auch die Sprache war ganz anders, man versuchte, einen sehr gebildeten Eindruck zu machen. Das ist noch heute so, die höheren Töchter des Bürgertums sprechen mit möglichst hoher Stimme. Meine Tante sah toll aus, und die Familie war sehr stolz, so eine junge, schöne, blonde Tscherkessin für ihren Sohn bekommen zu haben. Wie in den Herrschaftshäusern mit Harem üblich, hatten sie ihr einen anderen Namen gegeben. Die Frau verlor damit nicht nur ihren Nachnamen, sondern auch ihren Vornamen.

Einige Tage später fuhren wir mit dem Bus weiter. Ein unendliches Panorama mit vielen Hügeln und kleinen Bergketten erstreckte sich vor uns. Bei klarem Wetter konnte man fast fünfzig Kilometer weit sehen. Hinter Kayseri wird die Erde rot, und es stockt einem der Atem, weil man den Eindruck hat, die Erdkrümmung sehen zu können. Ich dachte, hier ist das Ende der Welt. Als wir in Pinarbashe ankamen, stand meine Großmutter Emmana schon im Hof und erwartete uns.

Mit einer großen Selbstverständlichkeit waren wir zum Bruder meines Vaters geschickt worden. Der große Bruder Duran hatte einen Brief geschrieben, dass der kleine Bruder für ein Jahr auf seine drei Kinder aufpassen sollte. Das war's. Mehr war nicht nötig. Der kleine Bruder machte das, denn der *Abi*, auch wenn er viertausend Kilometer entfernt ist, hat das Sagen.

Der große Empfangsraum im Haus war altosmanisch eingerichtet. An den Fenstern entlang gab es eine Empore, auf der große bequeme Kelim-Kissen lagen, in der Mitte ein *Mangal*, ein Kohlebecken aus Silber, das bereits geheizt war. An den Wänden hingen lauter Gewehre, alte Gewänder und alte Säbel aus dem Kaukasus. Emmana ging voraus, setzte sich auf die Empore, und wir nahmen auf den Kissen Platz, die im Kreis auf dem Boden lagen. Ein großes Kupfertablett stand in der Mitte, Zinnbecher waren zu unserer Begrüßung mit *Ayran* bereitgestellt. Emmana erkundigte sich nach dem Vater, trank von ihrem Joghurtgetränk und schwieg dann.

Am nächsten Tag wurden mein Bruder und ich in der Schule angemeldet. Die Grundschule lag direkt neben dem Bürgermeisteramt. Mein Onkel war Beamter im Rathaus, und wenn er morgens von seinem Fahrer abgeholt wurde, nahm er uns mit und setzte uns vor der Schule ab. Das war natürlich ein Ereignis für alle in der Schule. Als ich am ersten Tag die Klasse betrat, erhoben sich Lehrerin und Schüler von den Plätzen. Die Klassenkameraden fühlten sich geehrt. Sonst gingen die Kinder immer weg, jetzt war jemand aus Istanbul zu ihnen gekommen. Das war natürlich die perfekte Bühne für mich. Hier konnte ich alles noch einmal aufführen, was ich aus Istanbul kannte. Nach dem Unterricht trafen wir uns in der neuen Turnhalle, und ich spielte ihnen die letzten Kinorenner aus Istanbul als Theaterstück vor.

Auch in Pinarbashe begann sich langsam ein bürgerliches Leben zu etablieren. Gouverneure, Richter und Lehrer kamen aus der Großstadt mit republikanischen Ideen und veränderten das Leben in der kleinen Stadt. Und die Keleks waren mittendrin. Außer einigen älteren Frauen und den Marktfrauen aus den Dörfern trug niemand Kopftuch oder einen Tschador. Die Frauenzeitschrift »Hayat« wurde gelesen, und italienische Liebesdramen als Fotoromane waren die Frühstückslektüre der Frauen, die mitreden wollten.

Im Hause Emmanas herrschte ein strenges Regiment. Obwohl sie mit ihren fast siebzig Jahren nicht mehr so gut zu Pferde

saß, behielt sie doch die Peitsche und das riesengroße Schlüsselbund in der Hand. Alle Vorratskammern, Kleider und wertvolle
Gegenstände waren nur unter ihrer Aufsicht zugänglich. Von
morgens vier Uhr an war sie auf den Beinen und kontrollierte,
was in Haus und Hof geschah. Erst ging sie in den Stall, dann in
die Gemüsegärten und auf die Felder. Sie überwachte, wie die
Milch gemolken wurde, sammelte die Eier ein und sorgte dafür,
dass täglich im Backhaus für mehr als zwanzig Leute Brot gebacken wurde.

Wir drei bekamen ein gemeinsames Zimmer. In dem Zimmer
waren die Schränke in die Wand eingebaut, und diese Schränke
waren auch die Bettenlager. Tagsüber verschwanden sie in den
Schränken, und abends wurden sie zum Schlafen auf dem Boden
ausgerollt. Auf den Kelims konnten wir uns auf dicke Kissen setzen und am Bodentisch, der in die Mitte gestellt wurde, unsere
Schulaufgaben machen. Mir gefiel dieses Leben.

Morgens bevor wir aufstanden, brachte ein nettes Mädchen
uns ein Tablett mit frischer heißer Honigmilch. Das Frühstück
wurde, zusammen mit den Bediensteten, in der großen Küche
auf dem Boden vor dem offenen Kamin eingenommen – Butter,
selbst gemachte Sahne, Eier und all die Köstlichkeiten aus dem
Backhaus.

Nur die Emmana und ihr Sohn frühstückten allein in dem Salon. Im Leben meines Onkels spielte seine Frau keine Rolle, außer vielleicht nachts im Bett. Sonst war sie wie die Bediensteten
von morgens bis zum späten Abend auf den Beinen und arbeitete unermüdlich. Sie hatte *Schalvar* an, Pluderhosen, und ihre
Haare streng nach hinten zum Knoten gebunden. Nur zum
Abendessen zog sie ein Kleid an.

Wir wurden schnell der Mittelpunkt der Stadt. Als die Tochter des Gouverneurs Geburtstag hatte, wurde ich als Ehrengast
eingeladen. Ich brachte ihr eine Geburtstagstorte und überraschte die Gesellschaft mit Tänzen und Liedern aus Istanbul.

Ein ganz besonderes Ereignis war auch hier in Pinarbashe das Kino, das sich in einer verlassenen armenischen Kirche einquartiert hatte. Ihre Wände und die Orgel zierten noch Einschusslöcher aus der Zeit des Ersten Weltkriegs, und wir sahen in dieser Bürgerkriegskulisse »Zorro« und alte amerikanische Stummfilme. Ständig riss die Filmspule, und unter einem Pfeifkonzert und wüsten Beschimpfungen musste sie erst einmal wieder geklebt werden. Hierhin kamen nachmittags sogar Frauen mit ihren Kindern und Babys, denn es gab auch eine Frauenmatinee. Sonst zeigten sich die Frauen selten im Zentrum der Stadt. Auf der einzigen Geschäftsstraße sah man nur Männer.

Wir sollten von September 1965 bis Mai 1966 in Pinarbashe bleiben. Dann wollte meine Mutter uns abholen. Im November begann Schnee zu fallen, tagelang und meterhoch, als wollte es nie mehr aufhören. Jeden Morgen hörten wir das Geräusch der Schneeschieber. Die Bäche froren nicht zu, sondern rauschten kristallklar durch die Stadt. Die Bergkette war schneebedeckt, aber niemand wäre auf die Idee gekommen, Ski zu fahren, auch wenn die Gegend dafür ideal war. Sich sportlich zu bewegen, persönlich Freude dabei zu empfinden, scheint nicht zu den Lebensgefühlen der hier lebenden Menschen zu gehören. Die Mädchen trieben ohnehin keinen Sport, weil sie Angst hatten, dabei ihre körperlichen Reize zur Schau zu stellen.

Diese Kleinstadt wurde in den siebziger Jahren für uns, lange nach der Migration nach Deutschland, das Urlaubsziel. Viele Jahre verbrachte ich dort meine Ferien. Mädchen wie Jungen vergnügten sich auf der Straße. Wir spielten Karten, Domino, Federball und tranken Tee. Und wir flirteten bis spät in die Nacht, wenn auch nur mit den Augen. Das alles gibt es nicht mehr, und irgendwann war ich als »Deutschländerin« nicht mehr gern dort gesehen.

Mit dem Aufblühen der Scharia in den siebziger Jahren durch

die Türkesh-Partei und mit dem Aufstieg der Islamisten Erba-
kans sind die Geschlechter allmählich wieder getrennt worden
und die Mädchen wieder in den Hinterhöfen verschwunden, wo
sie gesittet mit Kopftuch und langem Mantel im Schatten der
Bäume ihre Aussteuer anfertigen.

Pinarbashe – Hannover

Als ich im Mai 1966 das Schuljahr beendet hatte, kam unsere
Mutter. Sie war schön wie immer, nahm auf dem Podest neben
der Emmana Platz und freute sich sehr, uns wiederzusehen. Wir
hingegen waren reserviert, so richtig vermisst hatten wir unsere Eltern nicht. Meine Schwester hatte sich wie immer um uns
gekümmert, und wir waren noch mehr zusammengewachsen.
Deutschland war während des aufregend schönen Jahres auf
dem Hofe meiner Großmutter kein Thema gewesen.

Die Koffer wurden wieder gepackt, und wir fuhren zurück
nach Istanbul, diesmal zu meinem Onkel, einem Bruder meiner
Mutter. Der hatte es inzwischen mit seinen beiden Kindern nach
Istanbul geschafft. Er lebte in einem *Gecekondu*, einem über
Nacht entstandenen Slumviertel am Rande der Stadt. In dem
Jahr unserer Abwesenheit waren neue Stadtteile entstanden. Die
Bewohner kamen alle aus Anatolien. Zu acht Personen in einer
Zwei-Zimmer-Wohnung warteten wir auf die Ausreisepapiere.
Meine Mutter ging jeden Tag zum Konsulat und stand stunden-
lang für die nötigen Formulare an, bis ihr mitgeteilt wurde, dass
nur wir Kinder ein Visum bekommen würden. Bei einer Gesund-
heitskontrolle hatte man bei ihr hohe Blutdruckwerte festge-
stellt, und sie musste auf Besserung hoffen und warten, bis man
ihr die Einreise erlaubte.

So wurde meine inzwischen 16-jährige Schwester beauftragt,
mit uns, ihren beiden acht- und neunjährigen Geschwistern, die

Reise nach Deutschland anzutreten. Damals fuhr man mit dem Zug vom Bahnhof Sirkeci ab, ganz in der Nähe des Topkapi-Palastes. Mit einem kleinen Koffer in der Hand und einem riesigen Fresskorb wurden wir von unseren Verwandten zum Bahnhof gebracht, der in dieser Zeit einem riesigen Ameisenhaufen glich. Überall drängten sich Menschen mit ihren Koffern, Taschen und Kisten zu den Zügen. Alles weinte, schluchzte, schrie, stopfte Koffer durch die Fenster und umarmte ein letztes Mal die Liebsten. Der Bosporus zog an uns vorbei wie ein breiter Strom von Tränen. Wir fuhren in die weite Welt, ohne zu wissen, was mit uns geschehen würde. Wir wussten nur, dass es das nicht war, wovon wir geträumt hatten. Deutschland schimmerte und leuchtete nicht wie Amerika. Die Nationalhymne in der Tasche, hielt ich die Hand meines Bruders ganz fest. Denn er war es, mit dem ich ein gemeinsames Schicksal trug, und nur gemeinsam konnten wir es schaffen.

Kaum hatten wir die Tränen getrocknet, fingen wir mit dem Essen an. Anfänglich schienen die Berge von *Böreks* und *Köftes*, von Obst und eingelegtem Gemüse bis in alle Ewigkeit zu reichen. Aber bereits nach einem Tag hatten wir unseren gesamten Proviant aufgegessen. Die nächsten beiden Tage verbrachten wir damit, im Gang am Fenster zu stehen und Autos oder Bäume zu zählen. Wir durchquerten Bulgarien, Jugoslawien, und bereits vor der Grenze zu Österreich fing die Welt an, grün zu werden. So viele grüne Wiesen, so grüne Wälder hatten wir noch nie gesehen. Und an den Bahnübergängen standen Autos und Fahrradfahrer, so dachten wir, die eigens gekommen waren, um den Zug aus Istanbul zu bestaunen.

Meine Schwester hatte die Adresse meines Vaters in der Hand, ansonsten wusste sie nur, dass wir zweimal umsteigen mussten. Von unserem Vater hatten wir seit zwei Jahren nichts gehört. Außerdem waren wir noch nie mit ihm alleine gewesen, genau genommen kannten wir ihn nicht, er war ein Fremder für uns. Die Angst vor einer Zukunft mit ihm war größer als die Angst, wir könnten uns in Deutschland verlieren.

In München mussten wir aussteigen und standen dort wie bestellt und nicht abgeholt auf dem Bahnsteig. Irgendwann erbarmte sich ein Bahnwärter unserer und setzte uns nach Begutachtung unserer Fahrkarten in den Zug nach Hannover. Mittlerweile hatten wir unerträglichen Hunger, aber unsere Mutter hatte uns kein Geld mitgegeben, und so konnten wir uns nichts kaufen. Mein Bruder fing an zu weinen. Der Schaffner schenkte ihm eine Tafel Schokolade, die erste in unserem Leben. Auch im Zug hatten wir uns nicht getraut, irgendjemanden anzusprechen. Meine Mutter hatte uns das strikt verboten, und meine Schwester achtete sehr darauf, dass wir nicht angesprochen wurden. Nur an offizielle Personen sollten wir uns wenden, niemals an andere. In Hannover gelang uns das Umsteigen wieder mit Hilfe eines Schaffners. Er erklärte mit Händen und Füßen, wo wir dann als Nächstes aussteigen müssten. Dort würde unser Vater auf uns warten. Der hatte mittlerweile einen ganzen Tag auf dem Bahnhof zugebracht, nicht wissend, mit welchem Zug wir ankommen würden. Irgendwann hatte er das Warten satt gehabt und war nach Hause gegangen, um ein paar Stunden zu schlafen.

Endlich waren wir da. Meine Schwester stieg aus, um unseren Vater zu suchen. Wir beiden Jüngeren waren noch dabei, unsere Koffer und Taschen zur Tür zu bugsieren, als der Schaffner schon wieder pfiff und der Zug sich bereits in Bewegung setzte. Meine Schwester mit einem Koffer auf dem Bahnsteig, wir mit dem Rest im Zug. Wir begannen zu schreien, zu weinen, meine Schwester konnte gerade noch wieder einsteigen, bevor der Zug losfuhr.

Jetzt war selbst meine Schwester verzweifelt. Der Schaffner blieb bei uns und telefonierte über das Zugtelefon. Als mein Vater wieder zum Bahnhof gekommen und wir immer noch nicht da waren, war er zur Polizei gegangen. Die fahndete auf allen umliegenden Bahnhöfen nach drei türkischen Kindern. Inzwischen waren wir im nächsten Ort ausgestiegen und wurden von der Bahnhofsmission mit Tee und Keksen versorgt. Meine Schwester flüsterte: »Jetzt kann uns nur noch unser Schicksal helfen.« Sie hielt uns fest an der Hand, starrte an die Decke und versuchte, ganz ruhig zu bleiben, um uns nicht in Panik zu versetzen, was uns eher noch mehr ängstigte. Wir Kleinen weinten leise, damit sie es nicht mitbekam. Wir müssen dort fast die ganze Nacht gesessen haben. Irgendwann gegen Morgen ging die Tür auf, und Vater stand mit zwei Polizeibeamten vor uns. Wir fielen ihm in die Arme.

Die Wohnung, die mein Vater gemietet hatte, war keine Wohnung, sondern ein Büro im Souterrain eines Einfamilienhauses. Die Räume waren dunkel, und die einzige Attraktion waren die Kipp-/Dreh-Fenster, von denen bereits in Istanbul die Rede gewesen war. Die Aussicht aus diesen fabelhaften Fenstern war allerdings bescheiden. Wir blickten auf die Brandmauer des Nachbarhauses. Es gab fünf Betten, einen Stuhl, keinen Tisch oder Schrank, es gab keine Küche und kein Bad. Die Toilette war im Flur.

Als wir erschöpft ankamen, setzten wir uns auf eines dieser Betten, meine Schwester in die Mitte. Sprachlos starrten wir unseren Vater an, der sich auf den einzigen Stuhl in die Mitte des Raumes gesetzt hatte. »Kinder«, sagte er, »ich weiß, das ist hier nicht so toll. Aber wenn Mutter kommt, suchen wir eine neue Wohnung.«

Seit der Geschichte auf dem Bahnhof, wo wir beinahe von unserer Schwester getrennt worden waren, hatte ich die Sprache verloren. Auch meine Geschwister schwiegen, meine Schwester nickte immer nur mit dem Kopf und versuchte, meinem Vater zu folgen, damit sie wusste, was sie zu tun hatte, wenn er nicht bei uns war. Am nächsten Morgen ging er aus dem Haus, und meine

Schwester begann zu weinen. Sie konnte gar nicht mehr aufhören damit. Mein kleiner Bruder und ich versuchten vergeblich, sie zu trösten und aufzumuntern. Als alles nichts nützte, nahmen wir sie an die Hand, und wir verließen das Haus, um die Gegend zu erkunden.

Mit meinen langen Haaren fiel ich sofort auf. Die Frauen auf der Straße blieben stehen und sagten: »So schöne Zöpfe!« Das waren die ersten deutschen Wörter, die ich lernte. Mein Vater hatte sich gut in dem kleinen Ort eingelebt. Er war mit dem Arzt und dem Rechtsanwalt der Stadt befreundet. Der Rechtsanwalt lud uns am ersten Sonntag zum Kaffeetrinken ein. Die Tochter des Hauses hatte lange blonde Haare, trug einen sehr kurzen Minirock, den sie mit einem breiten Gürtel um die Taille abrundete. Sie hätte wohl lieber anderes getan, als sich mit uns im Garten zu langweilen, und entsprechend übel gelaunt saß sie am Tisch und sprach kein Wort.

Die Mutter kam mir vor wie eine Erscheinung aus einer anderen Welt. Noch nie zuvor hatte ich eine Frau mit Brille gesehen. Und erst ihre Beine! Voller blauer Krampfadern. So etwas hatte ich noch nie gesehen, ich konnte meinen Blick nicht davon abwenden. Sie registrierte das und wollte mir erklären, woher die Krampfadern kämen. Dabei deutete sie fortwährend auf ihre Beine und sagte immerzu: »Krieg, Krieg« und »schlimm, schlimm«. Wir saßen stumm da und wussten nicht, was wir tun sollten. Von dem Gespräch meines Vaters mit dem Hausherrn konnten wir ohnehin nichts verstehen, da auch mein Vater sich auf Deutsch verständlich zu machen versuchte. Er hatte die für eine einfache Unterhaltung nötigen Sätze schnell gelernt. Wegen der schlimmen Kriegsbeine konnte keines von uns Kindern den ersten Apfelkuchen unseres Lebens richtig genießen. Ich nahm mir vor, nicht mehr mitzugehen, falls wir wieder eingeladen würden.

In den nächsten Wochen schleppte mein Vater nach und nach

gebrauchte Möbel, Tische und Stühle an, mit denen er die Wohnung ausstaffierte. Auch ein kleiner Herd wurde angeschafft. An den Samstagen besuchten wir das Stadtbad, wo wir schwimmen und hinterher in der Badekabine ein Schaumbad nehmen konnten. Sonntags aßen wir mittags Brathähnchen in einem Gasthaus. Wir trugen zu diesem Anlass unsere feinen Ausgehsachen und gingen wie die deutschen Familien nach dem Mittagessen im Wald oder im Schlosspark spazieren. Wir taten, was man uns sagte.

Mein Vater hatte sich inzwischen mit einigen deutschen Familien angefreundet, mit denen wir uns regelmäßig an den Wochenenden trafen. Elisabeth und Hans wohnten auf dem Land. Bei ihnen sah ich zum ersten Mal in meinem Leben ein Schwein. Ich konnte es nicht fassen, dass ein Tier keinen Hals und eine rosa Haut hatte. Anfassen mochte ich es aber nicht. Schweine sind schmutzig, das hatte ich schon gehört. Elisabeth und Hans waren sehr nett zu uns, sie tranken mit Vater viel Schnaps, und zum Abend aßen wir alle »Schnittchen«.

Es gab in dem Zehntausend-Einwohner-Städtchen noch ein Pärchen aus Istanbul. Der Mann arbeitete als Lebensmittelchemiker bei einer Molkerei. Er war jünger als seine Frau, und sie hatten keine Kinder, was für eine türkische Familie sehr ungewöhnlich war. Später erfuhren wir, dass dies der Grund war, weshalb sie ausgewandert waren. Sie hatten ihre Wohnung wie die Deutschen eingerichtet und tranken zum Abendbrot Tee aus großen Wassergläsern. Auf dem Weg zu ihnen sahen wir von der Straße aus durch eines der Fenster den ersten Fernseher unseres Lebens. Wir drückten uns die Nase an der Scheibe platt, um das Geschehen auf dem Bildschirm genau verfolgen zu können: Ein Mann mit einer Pistole lauerte hinter einem Vorhang, um im nächsten Moment eine ahnungslose Frau zu überfallen. Wenn wir doch nur einen Fernseher hätten, dachte ich, dann wäre unser Leben nur halb so schlimm.

Mein Vater war sehr stolz darauf, seine Kinder bei sich zu haben und sie allein versorgen zu können. Jeden Abend kam er fröhlich von der Arbeit, einen Bund Bananen im Arm und drei große Tafeln Milka Schokolade für uns – bis wir alle unter Verstopfung litten und ich mit einer Blinddarmentzündung ins Krankenhaus eingeliefert wurde. Aber da niemand uns aufklärte, ernährten wir uns auch weiterhin hauptsächlich von Bananen und Schokolade. Meine arme Schwester bekam eiternde Akne, ob von der einseitigen Ernährung, weiß ich nicht, aber jedenfalls reagiert sie bis heute auf Schokolade mit Hautausschlag. Sie weinte ständig und verfluchte unser Leben und sich selbst, war aber nicht auf die Idee verfallen, zum Arzt zu gehen.

Wir waren Obst und Gemüse gewöhnt, aber Paprika oder Auberginen, die wir von zu Hause kannten, gab es Mitte der sechziger Jahre in einem so kleinen Ort nicht. Der einzige Supermarkt, ein »Tengelmann«, bot so wenig Auswahl, dass wir meist mit Dosen-Gemüse und Dosen-Ananas, Bananen und Schokolade wieder abzogen, den Rest des Angebots hielten wir für ungenießbar.

Gummitwist

Als dann nach Monaten meine Mutter kam, wurde ein richtiger Herd gekauft, wir wurden wieder anständig bekocht und endlich eingeschult. Ich kam in die Grundschule, in eine Mädchenklasse. Meine Lehrerin Frau Wippermann empfing mich mit offenen Armen, ihre Augen strahlten, und ich durfte ganz vorn bei ihr am Tisch sitzen. Am Tag vorher hatte ich mit meinem Vater noch einmal die deutsche Nationalhymne geübt, die ich inzwischen auswendig kannte und auf dem Weg zur Schule vor mich hinsummte. Aber niemand stand, so wie ich es aus der Türkei kannte, auf dem Schulhof zum Appell. Jahrzehntelang wollte niemand von meinen Freunden das Lied hören. Nur mein kleiner Sohn ist begeistert, wenn die deutsche Fußballnational-mannschaft antritt und das Lied gespielt wird. Zur Europameis-terschaft musste ich es mit ihm üben, denn er will später auch Fußballer werden, und deshalb müsse er es kennen, sagt er.

Nach sechs Monaten ohne Schule war ich froh, endlich wie-der lernen zu dürfen. Meine Lehrerin entwickelte spontan ein Sprachlern-Spiel für mich. Jeden Tag brachte eines der Mädchen aus der Klasse einen Gegenstand mit, legte ihn vor mich hin und sagte mir, wie der Gegenstand heißt. Ich musste das Wort so oft wiederholen, bis ich es beherrschte. Dann übten wir gemeinsam Sätze, in denen dieser Gegenstand vorkam.

Die Mädchen freuten sich, wenn sie mir etwas zeigen konn-ten. In der Pause brachten sie mir »Gummitwist« bei, was fortan mein Lieblingsspiel wurde. Mit meterlangen Gummibändern in der Tasche ging ich von nun an zur Schule. Ich war der Mittel-punkt der Klasse und wurde zur Vorzeigeschülerin, die schnell begreift und schnell lernt. Innerhalb eines halben Jahres lernte ich Deutsch. Die Schule wurde mein Leben.

Ich liebte den Sport- und Schwimmunterricht, Gedichte und die Theatergruppe der Schule. Meiner langen schwarzen Haare wegen durfte ich »Rosenrot« in dem Stück »Schneeweißchen und Rosenrot« sein. Aber ich wollte meine langen Haare nicht mehr. Ich war elf und musste jeden Morgen früher aufstehen, um mir von meiner Mutter oder meiner Schwester die Zöpfe flechten oder die Haare hochstecken zu lassen. Offen trug ich sie nie, denn noch in Istanbul hatten mich die Jungs beim Fangen-spielen in der Pause daran so heftig gezogen und herumgeschleu-dert, dass ich nach Hause geflüchtet war. Meine Mutter war da-raufhin empört zum Rektor der Schule marschiert, der sich die Namen aller Jungen von mir nennen ließ, diese aus den Klassen holte und in einer Reihe antreten hieß, um ihnen vor meinen Au-gen mit dem Rohrstock eine Tracht Prügel zu verabreichen. Vor

Scham versteckte ich mich tagelang, und da auch Achmed dabei war, den ich heimlich verehrte, war das Ganze eine Katastrophe. Ich wollte die Haare endlich loswerden, die mich immer wieder daran erinnerten, aber meine Mutter war dagegen: »Das Schönste an dir sind deine Haare. Wenn du sie abschneidest, wird kein Kind mehr mit dir reden. Dann wirst du ein sehr hässliches Mädchen sein.«

Hässlich war ich, das hatte ich schon selbst bemerkt. Meine Nase wuchs, ich bekam dicke Wangen, nur meine Augen blieben klein und braun. Ständig hielt meine Mutter mir und meiner Schwester vor, nicht so hübsch wie richtige Tscherkessinnen zu sein. Wir würden bestimmt keinen Mann abbekommen, und im Harem wären wir wohl in der Küche statt auf dem Diwan des Sultans gelandet. An diesem Morgen hatte ich genug von ihren Klagen. Nachdem sie mir den ersten Zopf geflochten hatte, stand ich auf, ging ins Schlafzimmer meiner Eltern, griff mir die Schere von der Frisierkommode und schnitt mir das Haar direkt über dem Ohr ab. Den Zopf trug ich in die Küche und legte ihn meiner Mutter auf den Tisch. Dann schnitt ich mir die restlichen Haare ab. Meine Mutter schrie noch, als ich schon aus dem Haus war.

Mein Gummiband ganz fest in den Händen, ging ich zur Schule, stellte mich an die Wand und wartete. Meine beste Freundin Steffi kam und sagte: »Du siehst ja ganz anders aus. Wo sind deine Zöpfe?« »Weg«, sagte ich. Der Gummitwist konnte beginnen.

Mit Steffi war ich fast die ganze Grundschulzeit über zusammen. Wir spielten und lernten zusammen, wir waren unzertrennlich. Eines Tages kam sie in die Schule, beachtete mich gar nicht mehr und versuchte, mir aus dem Weg zu gehen. Ich stellte sie zur Rede.

»Meine Mutter sagt, ich soll nicht mehr mit dir reden.«

»Und warum?«, fragte ich.

»Weil ich wegen dir schlecht in Deutsch geworden bin.« Dann marschierte sie auf ihren Platz und sprach nie wieder mit mir.

Ich verstand das nicht. Ich hatte meine einzige Freundin verloren.

Schneewittchen, Scarlett und das Fahrrad

Wir zogen wieder um, diesmal in ein Dorf in der Nähe der Kleinstadt. Das Haus war sehr alt, eigentlich abbruchreif, aber billig, und das war entscheidend. Denn jeder Pfennig wurde gespart und unnötige Ausgaben vermieden, weil meine Eltern das Ziel vor Augen hatten, eines Tages in die Türkei zurückzukehren. Unnötig war alles, was man nicht mitnehmen konnte, eine Wohnung also oder Tapeten an den Zimmerwänden. Aber das Haus hatte einen großen Garten mit Obstbäumen, Wiesen, und ganz in der Nähe war ein Wald und in der Ferne kleine Berge. Wir fühlten uns fast wie in Anatolien. Meine Mutter begann, im Garten Zucchini, Spinat und Auberginen anzubauen, und mein Vater setzte einen Weinstock ans Haus. Alles sollte so werden wie in Istanbul.

Ich kam in eine neue Schule, in eine Klasse, in der Jungen und Mädchen gemeinsam unterrichtet wurden. Das gefiel meinen Eltern gar nicht. An die Mädchenschule hatten sie sich gewöhnt, und sie dachten, das würde weiterhin so bleiben. Ebenso wenig gefiel ihnen, dass die Lehrerin gesagt hatte, ich sollte aufs Gymnasium gehen. Was genau der Unterschied zu anderen Schulen war, hatten sie nicht verstanden. Noch weitere acht Jahre zur Schule zu gehen, fanden sie für ein Mädchen völlig überflüssig. Aber da es die Lehrerin, also der Staat, gesagt hatte, musste man sich wohl fügen.

Der Schulweg war weit, fast drei Kilometer, ich musste eine

halbe Stunde zu Fuß laufen. Für meinen kleinen Bruder, der den gleichen Schulweg hatte, wurde ein Fahrrad angeschafft, damit der Kleine nicht so weit laufen musste. Ich hingegen sollte selbstverständlich zu Fuß gehen. Als ich das nicht einsehen mochte, sagte meine Mutter: »Ach, Kind, wir Frauen müssen viele Opfer bringen, um unser Jungfernhäutchen zu hüten.« Sie hatte Angst, dass ich mit den unzüchtigen Bewegungen auf dem Fahrrad als Mädchen auffallen und – noch viel schlimmer – mich verletzen könnte.

Ich war dreizehn und frühreif. Das erfüllte meinen Vater mit Sorge. Als ich eines Morgens mit meinem Turnbeutel zur Schule gehen wollte, stellte er sich mir in den Weg und sagte zu meiner Mutter: »Ich glaube, es ist Zeit, dass wir sie vom Sportunterricht befreien lassen. Schwimmen ist für sie auch nicht mehr passend.« Er nahm mir meinen Turnbeutel ab und schickte mich zur Schule. Ich war sprachlos und wütend. Sport und Schwimmen waren meine Lieblingsfächer. Aber ich konnte doch meine Eltern nicht bloßstellen vor der Lehrerin. Sicher würden sie Ärger bekommen, wenn ich sagen würde, dass ich auch weiterhin gern an diesen Fächern teilnehmen wollte. Mit großem Herzklopfen ging ich in die Sportstunde, und als mich die Lehrerin fragte, warum ich mich nicht umzog, sagte ich ihr die Wahrheit. Da sah sie mich an, lächelte und sagte: »Da wollen wir deinen Vater mal nicht ärgern. Du kannst ja während der Zeit ein schönes Buch lesen.« Von da an saß ich auf der Bank und schaute untröstlich dem Völkerballspiel zu.

Der Platz auf der Ersatzbank entsprach so ganz meinem damaligen Lebensgefühl. Ich hatte große Probleme mit meinem Äußeren. Ich hatte lange Arme, dicke Hüften, und auch meine Oberweite war nicht zu übersehen. Ich versteckte meinen Körper unter weiten Pullis und in weiten Hosen und sah täglich scheußlicher aus. Außerdem war meine Nase gerade dabei, ihre endgültige Form zu finden. Wenn meine Mutter mein Entsetzen bei meinem Anblick im Spiegel sah, meinte sie dazu nur: »Das kommt davon, wenn man einen Mann mit großer Nase heiratet.«

Ich hatte inzwischen ein Alter erreicht, in dem ich nach Meinung meiner Landsleute in der Öffentlichkeit nichts mehr zu suchen hatte. Wenn meine Mutter mich zum Einkaufen mit in die Stadt nahm, wurden wir von den türkischen Männern im einzigen Café der Stadt mit vorwurfsvollen Blicken abgestraft. Meiner Mutter wurde das zunehmend peinlicher, und so erledigten wir die Einkäufe immer in großer Hast, damit meinem Vater möglichst keine einschlägigen Bemerkungen zu Ohren kamen.

Mein kleiner Bruder dagegen hatte alle Freiheiten der Welt. Er lief Rollschuh und Schlittschuh und traf sich jeden Tag mit seinen deutschen Freunden. Mir war das inzwischen verboten worden. Wenn mein Bruder vorführte, wie gut er Rollschuh fahren konnte, lobte mein Vater ihn: »Dass du so eine komplizierte Erfindung der Europäer beherrschst – toll!« Ich trug meinem Bruder im Winter die Schlittschuhe in den Park, wo er dann vor meinen Augen seine Runden drehte, während ich am Rande stand und nur davon träumte, auch so über das Eis zu gleiten.

In der Schule wurde ich immer schlechter. Die Lehrer auf dem Gymnasium kümmerte es nicht, dass ich an keiner Aktivität teilnahm und dass meine Eltern nie zum Elternabend erschienen. Mein Ausschluss vom Sport- und Schwimmunterricht wurde als individuelle Entscheidung akzeptiert. Nie hat mich jemand gefragt, was ich selbst denn wollte. Meine Eltern hatten mir untersagt, deutsche Freundinnen zu haben, sie zu besuchen oder zu uns einzuladen. So konnte ich auch nicht mehr, wie noch in der Grundschule, mit einer Schulkameradin gemeinsam Diktat üben oder Schulaufgaben machen. Ich war ein Fremdkörper und fühlte mich wie in einem fremden Körper.

Im Erdkundeunterricht war es dann so weit. Die Lehrerin erklärte das Wattenmeer. Sie malte Wellen an die Tafel, ich sah mich auf diesen Wellen auf und ab schweben. Die Tafel schwamm immer weiter weg, die Stimmen wurden leiser, und ich fiel vom Stuhl. Als ich wieder zu mir kam, schickte man mich nach Hause. Ich legte mich ins Bett und sagte: »Ich geh da nicht mehr hin. Die Schule macht mich krank.«

Meine Mutter freute sich, denn jetzt konnte ich ihr Gesellschaft leisten. »Das Leben geht auch ohne Schule weiter«, sagte sie. »Und einen Mann bekommst du auch ohne Abschluss.« Das passte gut zu ihrem Plan, nacheinander ihre Kinder zu verheiraten. Sie hatte bereits damit begonnen, in der Keramikwerkstatt, in der sie inzwischen arbeitete, Vasen und Aschenbecher für meine Aussteuer zu sammeln.

Ich schloss mich in mein Zimmer ein. Das war nicht mein Leben. Das war die herzlose Fremde. Meine Eltern hatten mich ins dunkle Deutschland verschleppt und mir Istanbul gestohlen. Plötzlich hatte ich unendliches Heimweh. Aber es gab keine Hoffnung. Monatelang lag ich in meinem Zimmer und schlief. Die anderen Familienmitglieder gingen aus dem Haus, meine Mutter und meine Schwester in die Fabrik, mein großer Bruder war beim Militär in der Türkei, mein Vater ging seinen Geschäften nach und mein kleiner Bruder zur Schule. Er hatte deutsche Freunde, die er aber nicht mit nach Hause bringen durfte, weil er eine Schwester hatte. Er trieb Sport und spielte Schach. Nach der Schule kam er nach Hause, aß zu Mittag und verschwand mit seinem Moped. Meine Eltern fragten nie, wo er war, was er tat. Es interessierte sie auch gar nicht. Er kannte weder Verbote, noch wurde ihm gesagt, was er tun sollte. Er verdiente sein Geld damit, die Zeitung auszutragen und zweimal in der Woche die Mülleimer zum Dorfeingang zu bringen und wieder abzuholen. Meiner Schwester, die mit meiner Mutter in der Töpferei arbeitete, nahm mein Vater, bis auf fünf Mark im Monat, den Lohn ab. Er sagte: »Ich spare für dich mit.« Mein Bruder musste gar nichts zu Hause abgeben. Auch den Lohn meiner Mutter kassierte mein Vater. Er ging persönlich an jedem Monatsende zum Lohnbüro und holte die Lohntüten seiner Frauen ab. Davon gab er ihnen jede Woche das von ihm bemessene Haushaltsgeld, damit die Frauen für die Familie einkaufen konnten.

Mein Schneewittchenschlaf wurde vor meinem Vater geheim gehalten. Er war inzwischen zu einem Fremden geworden. Er kam unregelmäßig nach Hause. Wir bemerkten es, wenn das kleine Wohnzimmer vom Scheinwerfer seines Wagens kurz aufleuchtete. Dann verschwanden wir alle in unseren Zimmern. Niemand wollte ihm begegnen. Nur meine Mutter begrüßte ihn an der Haustür. Nach einer Weile kam die oligatorische Frage: »Wo sind die Kinder?« Dann rief unsere Mutter: »Kinder, euer Vater ist da!« Wir setzten uns an den Abendbrottisch, er fragte uns, wie es uns gehe, und wir antworteten immer: »Danke, gut.«

Manchmal hörten wir ihn in der Nacht schreien: »Leman!« Dann rannte meine Mutter, aus tiefem Schlaf aufgeschreckt, in die Küche und bereitete ihm sein *Sherbet* zu, ein Glas mit lauwarmen Zuckerwasser. Ich hasste meinen Vater, weil er uns nach Deutschland gebracht hatte, ich hasste meine Mutter, weil sie sich das alles gefallen ließ. Ich wollte mit dieser Familie nichts mehr zu tun haben und flüchtete in meine eigene Welt.

Zum Glück gab es Bücher. Eine ganze Wand voll hatte mein großer Bruder aus der Türkei mitgebracht, darunter auch eine Sammlung klassischer Weltliteratur. Ich las fast alles, bis mein Blick eines Tages auf ein dickes Buch fiel, Margaret Mitchells »Vom Winde verweht«. Dieser Titel passt zu mir, dachte ich und ging zurück ins Bett. Und wie er passte: Scarlett war eine Frau, die illusionslos durchs Leben ging. Ich wurde Scarlett O'Hara. Ich verließ unser abbruchreifes Haus und zog nach Tara in die Südstaatenvilla und schwor mit ihr: »Ich will nie mehr hungern«, was für mich hieß, ich werde mir nichts mehr gefallen lassen. Ich lebte in diesen Geschichten, blieb im Bett, ging nicht mehr zur Schule und stand nur auf, um meinem Vater beim Abendbrot »Danke, gut« zu sagen.

Eines Tages tauchte meine Lieblingslehrerin aus der Grundschule, Frau Wippermann, auf und forderte meine Mutter auf, mich wieder zur Schule zu schicken. Ich hatte bereits ein halbes Jahr gefehlt. Die Mahnschreiben der Schule hatte meine Mutter in den Ofen gesteckt. Sie hatte andere Pläne mit mir. Auch ich sollte in der Keramikwerkstatt arbeiten. Sie nahm mich mit und stellte mich ihrem Chef vor, weil sie wusste, dass Arbeiterinnen gesucht wurden. Der war entsetzt und sagte: »Das Mädchen ist noch nicht mal 14 und gehört in die Schule.«

Es gab inzwischen drei türkische Familien in der Kleinstadt, die ihre 14-jährigen Kinder zum Arbeiten statt zur Schule schickten. Allen diesen Familien ging es darum, schnell Geld zu verdienen, um in die Türkei zurückzugehen. Eine Berufsausbildung für die Kinder kam in ihrem Plan nicht vor. Eine dieser Familien hatte eine kleine achtjährige Tochter. Weil die Mutter tagsüber arbeitete, musste das Mädchen auf das Neugeborene aufpassen und durfte nicht zur Schule gehen. Zehn Jahre lang blieb sie, wie eine Sklavin gehalten, zu Hause und versorgte Kind und Haushalt – ein Schicksal, auf das ich später bei meinen Gesprächen mit Frauen in der Moschee noch häufiger stoßen sollte. In der türkischen Gemeinde fand man das selbstverständlich.

Bald nachdem meine Mutter mich in der Werkstatt vorgestellt hatte, stürzte mein Vater eines Tages mit einem Brief aus der Schule in mein Zimmer. Es war Nachmittag, ich schlief wie üblich, und er war, ohne Ankündigung, nach Hause gekommen. Die Schulbehörde drohte ihm Strafe an, falls er mich nicht in die Schule schickte. Er stellte sich vor mein Bett und sagte: »Mit oder ohne Schulabschluss bist du unsere Tochter. Doch wenn du glaubst, dass du einen Mann finden wirst, der dich ernährt, irrst du dich. Dumme Mädchen bekommen dumme Männer. Du wirst ein Leben lang hart arbeiten müssen, und wenn du Glück hast, an der Kasse im Supermarkt.«

Scarlett an der Kasse, einen doofen Mann statt Rhett Butler, das war für mich unvorstellbar. Am nächsten Morgen ging ich zur Schule und meldete mich zurück.

Großer Bruder, kleine Mutter
oder
Die türkische Lektion

Wie mein lebenslustiger Abi erst zum Dichter, dann zum Schweiger und meine Abla in der Türkei verheiratet wurde

Mein älterer Bruder, der *Abi*, nahm das Leben leicht. Sehr zum Ärger meines Vaters. Wie schon in Istanbul hatte Abi sehr schnell Kontakt zu Mädchen gefunden. Er hatte viele deutsche Freunde, und sein Leben bestand mehr darin, sich zu vergnügen, die neuesten Schlager zu hören, als in die Schule zu gehen. Er besuchte eine Fachschule für Technik und konnte als Erster in unserer Familie Deutsch sprechen. Er hatte mehrere deutsche Freundinnen, die er uns aus Furcht vor den Eltern nicht vorstellte, von denen er uns aber viel erzählte. Von ihm erfuhren wir etwas über Deutschland.

Eines Tages kam ein blauer Brief von der Schule. Mein Bruder, schrieb der Rektor, schwänze ständig die Schule und würde, wenn er nicht ab sofort regelmäßig zur Schule käme, keinen Abschluss erhalten. Der Brief war an einem Samstag gekommen, niemand hatte ihn abfangen können, und so hatte mein Vater ihn in die Finger bekommen. Er wartete das ganze Wochenende lang wutschnaubend auf seinen ältesten Sohn, der wieder einmal mit Freunden unterwegs war. Als er am Sonntagabend nach Hause kam, zitierte mein Vater ihn zu sich. Auf dem Wohnzimmertisch lag eine Flugkarte. Einfacher Flug nach Istanbul. Abflug Montag. Abis Jugend war vorbei. Er war 18 und würde bei der Einreise in die Türkei sofort zum Militär eingezogen werden. Es gab eine furchtbare Szene. Mein Vater sagte, er müsse in der Türkei zur Vernunft kommen, und der Militärdienst sei genau das Richtige für ihn.

Das türkische Militär geht mit seinen Soldaten nicht gerade zimperlich um. In den ersten drei Monaten dürfen sie keinen Kontakt zur Familie aufnehmen. Sie sind keine »Bürger in Uniform«, sondern rechtlose Diener ihres Vaterlandes. Hinzu kam, dass die innenpolitische Lage Ende der sechziger Jahre in der Türkei äußerst labil war. Ständig wechselten die Regierungen, das Militär wurde immer mehr zum Staat im Staate, die Studenten rebellierten, eine marxistische Studentenorganisation entführte und ermordete den israelischen Generalkonsul. Zu dieser Zeit Soldat in der Türkei zu sein, war ein gefährlicher Job.

Abi kam nach Ankara und wurde nach seiner Grundausbildung einem General als Fahrer zugeteilt. Damit war er privilegiert, er musste nicht fürchten, bei Unruhen eingesetzt zu werden. Er hatte es gut getroffen. Sein General fuhr einen schwarzen Chevrolet – offensichtlich Militärhilfe der Amerikaner, die seit der Kubakrise die Türkei zum Verbündeten hatten. Den Straßenkreuzer musste Abi gemeinsam mit einem Kameraden putzen und den General chauffieren.

Als meine Eltern ihren Sohn nach einem Jahr in Ankara besuchten, wollte er ihnen demonstrieren, dass es ihm gut ging. Er bat seinen Kameraden, ihn mit dem Dienstwagen zu seinen Eltern zu fahren, setzte sich in den Fond, und sie fuhren los. Kaum hatten sie die Kaserne verlassen, begegneten sie an einer Kreuzung ihrem Chef. Der sah den Wagen des Generalstabs, dachte wohl, sein Oberkommandierender säße darin, und grüßte militärisch korrekt. Mein Bruder tauchte nicht etwa auf dem Rücksitz ab, sondern grüßte freundlich knapp zurück. Dem General muss das wohl merkwürdig vorgekommen sein, er sah dem Wagen nach und erkannte sein eigenes Kennzeichen.

Das war meinem Bruder nicht entgangen – leichenblass traf er bei meinen Eltern ein und gestand ihnen sein Missgeschick.

Mein Onkel, der inzwischen über einigen Einfluss und Kontakte verfügte, versuchte in den nächsten Stunden, den wutschnaubenden General zu beruhigen. Das war gar nicht so einfach, denn unser Abi hatte den General lächerlich gemacht. Er hatte gegen das Gesetz verstoßen, dass Jüngere den Älteren untertan sind und ihnen die Ehre zu erweisen haben. Was mein Bruder getan hatte, war in den Augen der Militärs eine Todsünde.

Er wurde umgehend zurück in die Kaserne beordert, eine Nacht lang vom General persönlich »vernommen« und am nächsten Morgen in den hintersten Zipfel der Türkei, nach Sarikamis, verbannt. Zwei Jahre lang musste er in dem Garnisonstädtchen auf zweitausend Metern Höhe unter härtesten Bedingungen ausharren. Meine Schwester weinte, und meine Mutter sorgte sich um den verlorenen Sohn. Aber der große Bruder wusste wieder einmal das Beste aus der Situation zu machen und entdeckte in der Einöde seine Begeisterung für die Literatur. Bald brach über uns ein Sturm literarischer Briefe voller Sehnsucht herein, mit wundervollen Gedichten, manchmal waren auch lustige Fotos beigelegt, die zeigten, wie er gerade Flöhe aus seinen Decken klopfte oder stolz mit seinem Gewehr am Fuße des Aladag stand und den Berg bewachte.

Nach der Militärzeit verliebte er sich in Istanbul in ein Mädchen, die Enkelin der Schwester meiner Großmutter Emmana. Er schrieb uns die romantischsten Briefe über seine Liebe – dass er endlich die Frau seines Lebens gefunden hätte. Er wolle heiraten und in Deutschland leben. Nur mit Mühe konnte mein Vater von uns allen überredet werden, den großen Bruder wieder nach Deutschland zu holen. Die Heiratsabsicht überzeugte ihn schließlich. Heiraten bedeutete einen neuen Lebensabschnitt. Damit findet das Chaos der Jugend sein natürliches Ende. Von da an ist ein Mann vernünftig und trägt Verantwortung.

Mit großem Eifer bereiteten wir alles für seine Rückkehr vor. Ich zog in das Zimmer meiner Schwester, und zwei kleine Räume wurden für meinen Bruder und die Braut eingerichtet, mit geblümter Tapete und einem rosa Himmelbett. Ich saß oft in diesem Zimmer und träumte meine eigenen Träume. Ich wartete sehnsüchtig auf ihn, ich wusste, er würde wieder Freude in unser Haus bringen.

Der abgewiesene Bräutigam

Als er 1972 wieder nach Deutschland kam, hatte er vier Koffer dabei. Drei waren voller Bücher. Er hatte beim Militär nicht nur mit dem Lesen, sondern auch mit dem Schreiben begonnen. Mit Block und Bleistift spazierte er oft allein unter den Bäumen im Garten entlang und setzte sich ab und zu hin, um sich Notizen zu machen. Ich wich ihm nicht von der Seite. Alles, was er sagte, war mir wichtig. Ich begann, Tagebuch zu führen, und notierte jede Stunde mit ihm. Wenn er den Garten verließ, lief ich zu dem Baum, unter dem er gesessen hatte, und schrieb ein Gedicht über die Sehnsucht und Freiheit.

Er konnte die griechischen Philosophen und Gedichte berühmter Romantiker zitieren. Am Abend in der Kneipe hingen unsere Landsleute an seinen Lippen. Fast täglich schrieb er seiner jungen Braut, und täglich kam Post von ihr. Ein Hochzeitskleid und Geschenke für die Familie der Braut wurden gekauft. Mein Vater hatte inzwischen seinem Cousin, dem Brautvater, offiziell geschrieben und um die Hand seiner Tochter angehalten. Als die Antwort kam, wollten wir feiern. Aber was kam, war ein knallhartes Nein.

Der Brautvater war – wie wir später erfuhren – mit dem Brief meines Vaters zu seiner Mutter gegangen, um die Erlaubnis für die Heirat seiner Tochter zu erbitten. Die sagte: »Die Keleks kriegen von uns keine Tochter.« Ein Leben lang waren Emmana und ihre Schwester verfeindet gewesen, und nun wollte die eine der anderen keinen Gefallen tun. Der Brautvater verbot seiner Tochter jeglichen Kontakt mit meinem Bruder, und als sie doch einmal dabei erwischt wurde, wie sie heimlich einen Brief meines Bruders las, schlug er sie. Sie musste kurz vor dem Abitur die Schule verlassen und wurde unter die Aufsicht ihres großen Bruders gestellt. Auch der musste vorübergehend die Schule aufgeben und die Ehre seiner Schwester überwachen.

Mein Bruder nahm die Absage anfangs gar nicht ernst. Auch mein Vater glaubte an einen Scherz, und wir brausten mit zwei Wagen in die Türkei in den Urlaub, um Hochzeit zu feiern und eine Braut nach Deutschland zu holen. In Istanbul bezogen wir ein Hotel und warteten auf die Braut. Falls die Eltern sich weiterhin weigerten, wollte mein Bruder die Braut entführen. Er war fest entschlossen, das Mädchen zu heiraten. Aber die Braut kam nicht, und die Eltern blieben bei ihrem Nein.

Mein Bruder versuchte, seine Liebste zur Flucht zu überreden, doch sie hielt ihn hin, bis er erfuhr, dass sie inzwischen mit einem Mann aus ihrer Verwandtschaft verlobt worden war. Mein Abi war am Boden zerstört. Zurück in Deutschland, sagte er zu meiner Mutter: »Such eine Braut aus, ich nehme jede.« Er hatte die türkische Lektion gelernt, er ergab sich in sein Schicksal.

Als meine Mutter sich nach einer möglichen Braut umhörte, wies eine Freundin sie auf eine Familie in Lemgo hin, die hätten eine bildschöne Tochter. Sie sei siebzehn und sogar schon berufstätig. Meine Eltern fuhren zum Moccatrinken in diese Kleinstadt, von der wir vorher noch nie gehört hatten, und fanden das Mädchen akzeptabel. Erst danach kamen ihnen Zweifel, weil die Brautfamilie türkische Araber und Kurden waren und eigentlich gar nicht zu uns passten. Aber der Junge sollte vernünftig werden, also musste er heiraten. Mein Bruder sah sich das Bild der jungen Frau, das sie ihm mitbrachten, gar nicht richtig an und machte nur ein Handzeichen, das so viel bedeuten sollte wie: »Ist mir egal«. Meine Mutter erachtete es als ein besonderes

Glück, dass die neue Braut dieselbe Kleidergröße wie das Mädchen in Istanbul hatte, für das wir schon ein Hochzeitskleid gekauft hatten. Nur mein Abi schwieg zu allem. Aus dem Dichter wurde ein Schweiger, aus meinem lustigen Bruder ein trauriger Kerl.

Er las von nun an Tag und Nacht die kompliziertesten Bücher, er wollte alles hinter sich bringen. Ich war von ihm bitter enttäuscht. Mein großer Bruder, der Denker und Romantiker, nahm einfach eine Frau, die er nicht kannte. Aber ich war die kleine Schwester, und die durfte das ihrem Abi nicht sagen. Ich wusste, dass auch meine Eltern die Ablehnung als persönliche Kränkung empfanden. In unserem Haus herrschte Grabesstille.

Die neue Braut himmelte ihren Bräutigam an. Sie und ihre Eltern waren einfache Leute. Dass die Braut nicht zu meinem intellektuellen Bruder passte, war jedem in der Familie klar. Obwohl alle wussten, dass diese Ehe nur in einer Tragödie enden konnte, fand die Hochzeit statt. Wir weinten bei der Hochzeitsfeier, die Familie der Braut feierte. Und in der Hochzeitsnacht begann ein Drama, das 17 Jahre andauern sollte. Nach drei Tagen wollte Abi die Scheidung. Alle redeten ihm zu, er möge Geduld haben. Bald wurde seine Frau schwanger, und kurz hintereinander bekamen sie drei Kinder. Mein Bruder ging mit seiner Familie nach Istanbul und stürzte sich in die Arbeit. Er hatte inzwischen schneidern gelernt und wurde durch sein Geschick und Organisationstalent im Laufe der Jahre Textilunternehmer mit einer Fabrik, die mehrere Hundert Arbeiter beschäftigte. Alles schien gut geworden zu sein. Bis er sich wieder verliebte. Unglücklicherweise in die Cousine seiner Frau. Und wieder begann ein Martyrium.

Mein Bruder reichte die Scheidung ein. Irgendwann gestand er seiner Frau, wen er liebte. Das war ein Fehler. Die Frau alarmierte ihre Familie. Über Nacht wurde die 27 Jahre alte Geliebte meines Bruders von ihren eigenen Brüdern entführt. Für Kurden ist es die größte Schande, die einzige Tochter einem verheirateten Mann innerhalb der Familie zu geben. Im Osten der Türkei wurde man dafür bis vor wenigen Jahren noch gesteinigt oder zum Selbstmord gezwungen. Und obwohl die Familie seit Jahren in Istanbul lebte, griff das alte Stammesgesetz. Die Frau hatte die Ehre der Familie verletzt und sollte mit Gewalt zur Einsicht gebracht werden. Sie wurde nach Ostanatolien gebracht und dort in einem Bergdorf von der eigenen Familie eingesperrt und rund um die Uhr bewacht. Ein halbes Jahr lang versuchten sie, ihr den Gedanken an meinen Bruder auszutreiben, ketteten sie ans Bett und ließen sie keine Minute aus den Augen. Aber sie blieb standhaft, schwieg und weigerte sich zu essen.

Meinem Bruder erzählten sie, seine Geliebte habe Selbstmord begangen. Seine Frau zeigte ihn wegen Ehebruch an. Bis 1996 stand Ehebruch in der Türkei unter Strafe. Mein Bruder wurde verhaftet und saß zwei Monate in Untersuchungshaft. Erst als er versprach, zu seiner Frau zurückzukehren, nahm sie die Anzeige zurück, und er kam frei, um sofort danach unterzutauchen.

Im September 2004 wollte die Partei von Ministerpräsident Erdogan den Straftatbestand der *Zina*, des Ehebruchs, wieder einführen. Nur nach massiven Protesten und aus Angst vor dem schlechten Eindruck bei der EU-Kommission zogen die Islamisten das Gesetz, das direkt aus der Scharia abgeleitet ist, dann doch wieder zurück.

Irgendwann wurde der Gesundheitszustand der jungen Geliebten meines Bruders so bedenklich, dass man ihr erlaubte, unter Aufsicht zum Arzt in die Kreisstadt zu fahren. Sie vertraute sich dem Arzt an. Er erkannte ihre Lage und half. Während er die Brüder im Wartezimmer hinhielt, schleuste er sie durch einen Hinterausgang aus der Praxis und ließ sie mit dem Taxi zur nächsten Busstation bringen. Mit ein paar Lira, die ihr der Arzt in die Hand gedrückt hatte, flüchtete sie nach Istanbul und konnte dort endlich ihre große Liebe in die Arme schließen. Mein Bruder und sie sind noch heute, nach 14 Jahren, unzertrennlich und lieben sich wie am ersten Tag. Die Entführer aber sind bis heute nicht wegen Entführung, Freiheitsberaubung und Folter zur Rechenschaft gezogen worden.

In einer türkischen Familie dreht sich alles um den *Abi*, den ältesten Bruder. Er wird neben dem Vater geehrt und geachtet, den er in seiner Abwesenheit vertritt. Er trägt auch die Verantwortung für die Mutter und die Geschwister, ist also für die Ehre der Familie verantwortlich. In der Familienhierarchie steht er ganz oben, auch für die Mutter. Die Mutter hat auf seine Liebe Anspruch, sie bedient ihn und buhlt um seine Liebe. Die jüngeren Geschwister haben ihn zu bedienen und ihm zu gehorchen. Sie dürfen ihm nicht widersprechen. Für viele junge Männer ist diese Rolle die reine Überforderung. Sie werden in jungen Jahren für die Familie in die Pflicht genommen, eine Aufgabe, die sie noch gar nicht bewältigen können. Es mag Zufall sein, aber für eine Studie habe ich mit mehr als zwanzig jungen muslimischen Strafgefangenen in deutschen Gefängnissen gesprochen. In allen Fällen waren die Straftäter *Abis*. Sie waren es, die von der Familie losgeschickt wurden, wenn die untreue Schwägerin zur Räson gebracht werden sollte. Sie rächten die Familie, wenn jemand meinte, die Schwester sei falsch angesehen worden. Und alle handelten aus dem Gefühl heraus, niemand würde sich ihnen widersetzen, gleich was sie täten. Dadurch kamen sie mit dem Rechtsstaat in Konflikt.

Auch ich habe meinem Abi niemals widersprochen. Bis auf ein Mal. Es war in den Ferien in der Türkei. Ich war bereits vierzig Jahre alt, und meine Familie wollte nachträglich meine Promotion feiern. Mein Abi nahm meinen Besuch zum Anlass, um kräftig auf Deutschland zu schimpfen. In der deutschen Presse war gerade ein Artikel über die schlimmen Verhältnisse in türkischen Gefängnissen erschienen. Mein Abi wärmte die in der Türkei beliebte Geschichte von der angeblichen Hinrichtung der Baader-Meinhof-Gruppe durch die deutsche Justiz auf. Völlig naiv erlaubte ich mir, ihn darauf hinzuweisen, dass niemand von Folter in deutschen Gefängnissen sprechen könne. Er geriet darüber völlig außer sich. Es war gar nicht die Frage, wer in dieser Frage richtig lag, sondern dass ich, die Jüngere, in Anwesenheit von älteren Familienangehörigen ihm widersprochen hatte. Das erzürnte ihn. »Ob du Königin von England oder Doktor der Philosophie bist, wenn Ältere reden, hast du den Mund zu halten.« Das war sein Credo. Und so ist es in dieser Gesellschaft: Der größte Unfug darf verbreitet werden, wenn er von Älteren stammt. Nicht die Kompetenz entscheidet, sondern die soziale Stellung. Nicht nur in den Familien führt das zu Tragödien.

Eine ebenso undankbare Rolle hat in der türkisch-muslimischen Familie die *Abla*, die älteste Schwester. Sie übt in der Familienhierarchie die Funktion der kleinen Mutter aus. Meine *Abla* war sieben Jahre älter als ich. Ihre Aufgabe war es, uns zu versorgen und zu erziehen. Die *Ablas* sind für den Haushalt und die Versorgung der Kleinsten zuständig. So war es auch bei uns. Obwohl sich meine Mutter so fortschrittlich gab, obwohl sie sich gern wie die Frauen im Westen kleidete, führte sie ihren Haushalt im Stil eines Harems. Ihre *Haseki* war meine Schwester. Die ging zu Beginn unseres Aufenthalts zur Textil-Fachschule und lernte sehr schnell Deutsch. Doch dann besorgte ihr meine Mutter den Job in der Keramikwerkstatt. Das Geld, das meine Abla dort verdiente, gehörte nicht etwa ihr, sondern der Familie. Ein Recht auf ein eigenes Konto hatte sie nicht und ein Recht auf eine eigene selbstbestimmte Entscheidung, was mit ihr geschah, auch nicht. Das war Sache der Familie.

Die Heirat meiner Schwester

Meine Schwester hat ihre Aufgabe, zu arbeiten und für uns zuständig zu sein, nie infrage gestellt. Genauso selbstverständlich war für sie, dass sie irgendwann verheiratet wurde. Alle türkischen Mädchen in unserer kleinen Stadt waren spätestens mit dem 20. Lebensjahr verheiratet. Meine Schwester war inzwischen fast 22, und meine Eltern wurden langsam unruhig. Bisher war noch kein Brautwerber bei uns zum Moccatrinken erschienen. Weder in Deutschland noch bei unseren Urlauben in der Türkei. Sie war nach den üblichen Kriterien kein schönes Mädchen. Sie war still und zurückhaltend und schien nur von uns Kleinen Anerkennung zu bekommen. Und so tat sie alles für uns.

Als wir wieder einmal in den Ferien nach Pinarbashe fuhren, nahm meine Mutter sich vor, für sie einen Mann zu finden. Mein Bruder war bereits verheiratet, jetzt war meine Abla dran. Der Familienrat aus Onkel und Tanten beriet und entschied sich für einen Cousin meines Vaters. Er kam aus ärmlichen Verhältnissen, war Grundschullehrer, und seine Familie hatte kein Geld für eine Hochzeit, deshalb war er noch ledig. Als man seine Familie fragte, stimmte sie gleich zu, obwohl die Brautleute noch gar nicht miteinander gesprochen hatten. Am nächsten Tag kamen sie zum Moccatrinken. Wir zogen unsere besten Sachen an, auch meine Schwester, die gern modische Kleidung trug, trug ihr schönstes Kleid. Sie wirkte verloren und wusste nicht, was sie tun sollte. In der Küche fragte sie mich: »Soll ich ihn nehmen?« Ich war 15 und fand das Leben in Deutschland furchtbar. Ich wollte so schnell wie möglich zurück in die Türkei. Gerade war Abi in die Türkei zurückgegangen und jetzt meine Abla. Alles schien darauf hinauszulaufen, dass wir auch bald zurückkonnten. Dann wären wir wieder zusammen. Also sagte ich zu ihr: »Ja.«

Als es klingelte, waren wir alle sehr aufgeregt. Das Haus war voll. Meine Eltern, die Geschwister, die Verwandten – alle waren bereits da. Auch die zukünftige Schwiegermutter hatte ihr schönstes Kopftuch umgebunden und trug einen langen geblümten Rock und eine Strickweste, trotz der großen Hitze im Sommer. Der Bräutigam war klein und schmal, hatte einen Schnauzbart und sah in seinem schwarzen Doppelreiher aus wie der türkische Lehrer, der er ja auch war. Er ging zu meinem Vater, um ihm die Hände zu küssen, dann küsste er allen anwesenden Älteren die Hände. Danach trat meine Schwester ein. Sie trug ein Tablett mit Moccatassen. So hätte sie auch in einem Café in Paris servieren können, denn sie hatte sich ein Kleid nach einem Muster von Chanel genäht. Eine Tante hatte ihr in der Küche beim Mocca geholfen, denn damit hatte sie noch keine Erfahrung.

Nachdem sie den Mocca serviert hatte, hielt der Vater des Bräutigams offiziell um die Hand meiner Schwester an. Meine Eltern stimmten zu. Dann kam der Brautpreis zur Sprache. Mein Vater war generös: »Wir sind doch moderne Menschen und müssen unsere Tochter nicht verkaufen, nicht wahr?«

Die anderen stimmten ihm zu, und jeder wusste, wir hätten sowieso nicht einen Kurus bekommen. Für den Bräutigam war die Heirat dann doch enttäuschend, als er erfuhr, dass meine Eltern ihn nicht nach Deutschland kommen lassen wollten, sondern meine Schwester bei ihm in der Türkei bleiben sollte. Dafür zahlte mein Vater die Hochzeit. Beide Familien luden jeden ein, den sie kannten. Die Hochzeit fand innerhalb einer Woche in der Turnhalle der Schule statt, in der der Bräutigam unterrichtete. Fast vierhundert Personen saßen wie beim Faschingsball an Tischen. Die Luft war zum Schneiden, als der Bräutigam in seinem Doppelreiher und meine Schwester in einem geliehenen Hochzeitskleid vor das Lehrerpult traten und das Jawort sprachen. Danach küssten sie den Gästen die Hände und nahmen die Geschenke entgegen. Ihnen wurde Geld angesteckt, und die Braut bekam goldene Armreifen.

So wurde meine Abla in den Ferien auf schnellste Weise verheiratet. Sie bekam mit ihrem Mann im Lehmhaus der Schwiegereltern ein Hochzeitszimmer. Das war von nun an ihr neues Zuhause. Meine Mutter vergoss keine einzige Träne über das Schicksal ihrer Tochter. Sie meinte, wir könnten froh sein, dass wir jemanden für meine Schwester gefunden hätten. »Im nächsten Jahr wären wir sie auch für doppelt so viel Geld nicht mehr losgeworden.« Als Aussteuer schickten meine Eltern ihr Haushaltsgeräte und Keramik zweiter Wahl aus der Werkstatt. Ihren Lohn für die vier Jahre behielt mein Vater mit großer Selbstverständlichkeit, schließlich hatte die Hochzeit ja Geld gekostet.

Wir ließen meine Abla todunglücklich in Anatolien zurück. Sie bekam zwei Söhne, und doch wartete sie jedes Jahr darauf, dass wir sie besuchen kamen. Bis heute – die Ehe ist längst gescheitert – wirft sie uns allen vor, wir hätten sie einfach abgeschoben.

Ich wusste, dass ich meine kleine Mutter verloren hatte, dass jetzt niemand mehr da war, der auf mich aufpasste. Das musste ich von nun an selber tun.

Die Bremer Stadtmusikanten
oder
Die Ehre der Familie

Wie Deutschland meine Eltern veränderte und Onkel Ali das Leben in unserer Stadt, warum meine Ehe scheiterte und Max Weber mir auf den Weg in die Freiheit verhalf

Bei den unglückseligen Hochzeiten meiner älteren Geschwister hat sich unsere Familie verloren. Wir hatten keine gemeinsame Zukunft und keine gemeinsame Heimat mehr. Meinem Vater war es in all diesen Jahren nicht gelungen, geschäftlich Fuß zu fassen, und er begann, Deutschland dafür verantwortlich zu machen. Mein kleiner Bruder setzte sich mehr und mehr von uns ab. Er war ständig draußen, hatte nur deutsche Freunde, und da er nie etwas von unseren Eltern wollte, kümmerten sie sich auch nicht besonders darum, was er machte.

Aber wenigstens ihre Ehre wollten meine Eltern nicht auch noch verlieren. Die Ehre der Familie ist die Tochter. Und die Tochter war ich. Ich war 16 und voller Tatendrang, der nach Meinung meiner Eltern gebremst werden musste. Sobald mittags die Schule aus war, hatte ich unverzüglich nach Hause zu kommen. Meine Mutter wartete schon auf mich. Wenn ich mich auch nur fünf Minuten verspätete, hatte ich zu erklären, wo ich mich wieder »herumgetrieben« hätte. Nachmittags hatte ich ihr zu helfen, Gebäck und Kuchen für die Gäste zuzubereiten, die fast täglich ins Haus kamen. Türkische Frauen besuchen sich ständig gegenseitig und führen einander stolz ihre wohlgeratenen Töchter vor. Ich musste den Freundinnen meiner Mutter Tee und *Börek* servieren und mich unter den kritischen Augen der

Teegesellschaft jeden Tag aufs Neue begutachten lassen, ob ich möglicherweise bald als Braut ins Auge zu fassen wäre. Schularbeiten durfte ich erst machen, wenn der Besuch gegangen war. Es wäre unhöflich gewesen, wenn die Tochter nicht bereitgestanden hätte, die Gäste zu bedienen.

Der gegenseitige Besuch zählt zu den liebsten Freizeitbeschäftigungen der Türken. Der Status einer Familie bemisst sich auch daran, wie viel Besuch sie bekommt. Niemand ist in dieser Gemeinschaft allein und auf sich selbst gestellt. Man gehört dazu. Man muss auch nicht warten, bis man eingeladen wird, sondern es ist durchaus üblich, sich zum Teetrinken selbst einzuladen. Die Männer kommen nur mit, wenn der Hausherr auch anwesend ist. Wenn Besuch kommt, werden die Jungen auf die Straße geschickt. Wenn Töchter im Hause sind, dürfen die Jungen auch keine Freunde mitbringen. Es könnte ja zu einem Kontakt mit dem Mädchen kommen. Kein Wunder, dass sich türkische Jungen immer auf der Straße herumtreiben und an den Ecken herumlungern – sie wissen nicht, wohin. Ich habe während der ganzen Zeit nicht einen türkischen Jungen in meinem Alter kennen gelernt. Wir durften die Jungen der befreundeten Familien nicht einmal grüßen, wenn wir sie auf der Straße oder in der Schule trafen. Selbst meine Mutter durfte ihren Nachbarn nicht begrüßen, wenn sie ihn allein auf der Straße traf. Sie musste die Straßenseite wechseln, um ihn nicht in Verlegenheit zu bringen, denn die türkische Frau gehört nicht in die Öffentlichkeit. Sie hat die Orte zu meiden, an denen sie Männern begegnen könnte.

Ich hasste es, im Hause sein zu müssen, und versuchte mit allen Tricks, immer mal wieder für ein paar Minuten hinauszukommen.

»Mama, wir haben keinen Zucker mehr, soll ich welchen besorgen?«

»Stimmt doch gar nicht, in der Kammer ist noch welcher.«

»Aber Salz fehlt!« Ich hatte das Paket hinten im Schrank versteckt.

Meist platzte meiner Mutter dann irgendwann der Kragen, sie wusste genau, ich suchte nur einen Grund, um zu entkommen. »Was du auf der Straße willst, werde ich nie begreifen. Bist du obdachlos, hast du keine Familie? Du wirst mir noch Schande bringen und die Leute [sie meinte unsere türkischen Landsleute] auf mich hetzen.«

In den Augen meiner Mutter war die Straße des Teufels, denn auf der Straße waren jene, die auf »Beute« warteten. Die türkischen Männer saßen im Café und sahen uns Mädchen nach, wenn wir spazieren gingen. Sie registrierten alles, um es gleich weiterzuerzählen, auf der Arbeit und zu Hause. Ihrer Meinung nach hatten Frauen und erst recht unverheiratete Mädchen »draußen« nichts zu suchen. Sie fühlten sich als Wächter der Moral, die als Brüder im Glauben dem abwesenden Vater und *Abi* halfen, die Ehre der Familie zu schützen. Beim nächsten Teetrinken hatten die Frauen dann etwas zu erzählen: »Wir haben Necla gesehen. Sie hat aber ein lautes Lachen ... Und trägt sie immer so kurze Röcke? ... Sie stand in der Mittagspause vor dem Kaufhaus. Was wollte sie denn da, das Kaufhaus hat doch über Mittag geschlossen?« Fragen über Fragen, und da die Frauen außer den Besuchen bei ihren Freundinnen nichts erlebten, ging die Phantasie schnell mit ihnen durch. Alle schienen ganz wild darauf zu sein, uns Mädchen bei einem Fehlverhalten zu erwischen, als wollten sie immer wieder die Berechtigung der muslimischen Überzeugung bekräftigen, dass junge Frauen unberechenbar sind und so schnell wie möglich verheiratet werden müssen. Sie selbst, verheiratet und sittsam, konnten sich durch diese üblen Nachreden umso mehr im Glanz ihrer eigenen »Reinheit« sonnen.

Wir waren inzwischen acht Jahre in Deutschland, und die Lebenseinstellung meiner Eltern hatte sich in dieser Zeit gründlich geändert. In Istanbul hatten Duran und Leman auf der Terrasse davon geträumt, einmal in Paris auf dem Eiffelturm zu stehen, und mein Vater hatte Lieder von Edith Piaf oder Adamo vor sich hingeträllert. Nachdem sie nach Deutschland gekommen waren, hatten sie sich in Bremen die »Bremer Stadtmusikanten« angesehen, ein Märchen, das Vater uns schon in der Türkei vorgelesen hatte. Der Leitspruch »Etwas Besseres als den Tod finden wir allemal« war so etwas wie sein Leitspruch gewesen. Meine Eltern hatten sich die Mauer in Berlin angesehen und waren nach Amsterdam gereist. Das alles war seit einiger Zeit vorbei. Meine Eltern hatten sich auseinander gelebt. Meine Mutter arbeitete in der Keramikwerkstatt und hatte ein regelmäßiges Einkommen, während mein Vater mit seinen geschäftlichen Unternehmungen immer wieder scheiterte. Darüber gab es Streit, meine Eltern trennten sich, ohne jemandem etwas davon zu sagen. Mein Vater kam nur noch unregelmäßig nach Hause, und meine Mutter erzählte ihren Freundinnen, er sei im »Außendienst« tätig.

Die Freundschaften mit den Deutschen hatten meine Eltern beendet, als die ersten Türken in die kleine Stadt zogen, in der wir inzwischen wohnten. Wir kannten bald keinen einzigen Deutschen mehr. Und ihre anfänglichen Versuche, die deutsche Sprache zu lernen, hatte meine Mutter inzwischen aufgegeben. In den Firmen gab es Dolmetscher für die Gastarbeiter, und zu Hause wurde nur Türkisch gesprochen. Wenn eine der Frauen zum Arzt oder zur Behörde musste oder ein Streit mit dem Vermieter zu schlichten war, kamen die Frauen zu mir. Sie brachten eine Schachtel Pralinen mit, und ich ging mit und übersetzte, was nötig war. Meine Mutter fand bei diesen »Schwestern« endlich wieder ein Stück Geborgenheit. Ganz besonders freundete sie sich mit der Frau von Onkel Ali an.

Die Reinen und die Unreinen

Onkel Ali stammte wie meine Eltern aus Zentralanatolien und arbeitete in einer Fahrzeugfabrik in der Stadt. Wie alle türkischen Migranten wohnte er im ehemaligen Ledigenheim der Stadt, wo die Firmen Zimmer für die Gastarbeiter mieteten und die Kosten für die Unterkunft direkt vom Lohn abzogen. Erst wenn die türkischen Arbeiter Frau und Kinder nachholten, bezogen sie eine eigene Wohnung.

Mein Vater hatte Onkel Ali im Heim kennen gelernt. Ali hatte Probleme, er kam mit der schweren Arbeit nicht zurecht, fehlte oft unentschuldigt oder kam morgens zu spät zum Arbeitsplatz. Mein Vater besorgte ihm eine Stelle bei der Stadtreinigung, die ihm sehr viel besser gefiel. Ali war ein kleiner dicker Mann mit lustigen Augen. Er aß leidenschaftlich gern und litt sehr darunter, dass er im Heim nicht türkisch kochen konnte. Es gab dort nur eine kleine Küche mit einer einzigen Doppelkochplatte für zwanzig Bewohner. Also aß Ali Toastbrot mit Scheiblettenkäse, denn auch in der Werkskantine konnte er nicht essen, dort wurde Schweinefleisch zubereitet, nach islamischer Auffassung war sie deshalb »schmutzig«. Ali war in Anatolien Landarbeiter gewesen und kam weder mit den modernen Istanbulern noch mit den Deutschen zurecht. Die Deutschen waren für ihn »Meister« oder »Chef«, mein Vater war für ihn der »Abi«, dem er untertänig die Hände küsste, wenn er manchmal am Wochenende zu uns zum Essen kam.

Alles änderte sich, als Ali seine Familie nach Deutschland holte.

Direkt gegenüber von uns zogen sie ein. Ich saß am Fenster, als seine Frau mit ihren drei kleinen Kindern ankam, die alle noch nicht schulpflichtig waren. Sie hatte mehrere große Plastikkoffer mit türkischen Lebensmitteln mitgebracht, Säcke voller trockener Bohnen, Bulgur, Weizen und Kichererbsen, sogar noch in ihrem anatolischen Dorf gebackenes Brot hatte sie dabei. Alis Frau trug die typische Kleidung des anatolischen Dorfes: einen langen geblümten Rock, eine selbst gestrickte Strickjacke mit Zopfmuster und ein fest gebundenes Kopftuch. Das fiel auf. Denn alle türkischen Familien in unserer kleinen Stadt waren städtisch, modern gekleidet.

Meine Mutter war ganz gerührt von der neuen Nachbarin, Alis Frau erinnerte sie an ihr Heimatdorf. Mit ihr zog das traditionell-islamische Leben in unsere Straße ein. Als Erstes mahnte sie meine Mutter, dass bald Ramadan sei und sie alles für *Sagur*, das Essen vor dem Sonnenaufgang, und für *Iftar*, das Fastenbrechen, vorbereiten müsse. Anfangs spotteten und lästerten die Frauen beim Tee noch: »Jetzt geht's wohl los!« Der Islam war bisher kein Thema gewesen, alle waren sich einig, er »passt nicht hierher«. Aber als Ramadan kam und Ali und seine Frau, die in einer Aufzugfabrik arbeitete, trotz Schichtarbeit fasteten, ging die Ablehnung in Kopfschütteln über, und im nächsten Jahr fasteten fast alle Frauen und kamen sich dabei wie Heldinnen vor: »Seht, auch wir arbeiten hart und haben trotzdem unsere Pflichten gegenüber Allah nicht vergessen.«

Auch die Männer wurden an diese Pflichten erinnert. Gemeinsam feierte man das Zuckerfest zum Abschluss des Ramadan. Langsam, aber unaufhaltsam wurden aus den Gastarbeitern Türken und aus den Türken Muslime. Und das Leben wurde einfacher – man musste sich nicht mehr um Kontakte zu den Deutschen bemühen, sich nicht mehr mit der deutschen Sprache quälen. Ohnehin gab es in unserer kleinen Stadt inzwischen genügend Landsleute, mit denen man sich treffen, mit denen man feiern und mit denen man sich so viel leichter verständigen konnte. Und die Religion gab endlich Halt und darüber hinaus die Gewissheit, das Richtige zu tun. Mehr noch, sie hob einen von den »Unreinen« ab, von den Deutschen, die Schweinefleisch aßen und Bier tranken. Mehr musste man von ihnen nicht wissen, um sie abzulehnen. Das Leben in der Fremde war anstrengend genug.

Die türkischen Familien fingen an, ihr eigenes Leben zu organisieren. Da in deutschen Schlachtereien auch Schweinefleisch verarbeitet und gelagert wurde, konnte man dort nicht kaufen. Also wurde Fleisch in Selbsthilfe beschafft. Manchmal fuhr mein Vater samstags aufs Land, kaufte einem Bauern einen Hammel ab, der gleich im Stall geschächtet wurde. Zu Hause warteten schon die Frauen, um alles aufzuteilen und ein Festmahl zu bereiten. Höhepunkt dieser Schlachtfeste war der gekochte Schafskopf, der in der Mitte des Tisches thronte. Das erste türkische Lebensmittelgeschäft in unserer Gegend machte in Hannover auf. Das war ein Ereignis, und am Wochenende wurde dort groß eingekauft. Alles, was nicht gegessen wurde, landete in der Gefriertruhe, die neben dem Herd zum wichtigsten Küchenmöbel auch für meine Mutter wurde.

Jahr für Jahr wuchs die türkische Gemeinde weiter an. Obwohl es seit 1973 einen Anwerbestopp gab, kamen immer mehr Türken in unsere Stadt, meist im Zuge der Familienzusammenführung. Die Kinder der Migranten der ersten Generation kamen ins heiratsfähige Alter, und die Bräute wurden aus der Heimat geholt. Jahre später mietete Ali einen kleinen Laden, in dessen Hinterzimmer der erste Gebetsraum eingerichtet wurde. Inzwischen gibt es drei Moscheen in der kleinen Stadt, und die jungen türkischen Importbräute, die jedes Jahr neu in die Stadt kommen, erkennt man – wenn sie sich mal auf der Straße sehen lassen – an ihren langen Mänteln und Kopftüchern.

Hochzeitsurlaub

Wenn der Sommer kam und die großen Ferien vor der Tür standen, wurden die Vorbereitungen für den »Heimaturlaub« getroffen. Für alle türkischen Familien gab es kein anderes Urlaubsziel als ihren Heimatort in der Türkei. Drei oder vier Familien taten sich zusammen und fuhren gemeinsam im Autokonvoi. Zwar konnte man inzwischen schnell und relativ billig fliegen, aber man fuhr ja nicht in den Urlaub, sondern zur Familie und hatte von der elektrischen Kaffeemühle bis zum Kühlschrank alle Erfindungen der Ungläubigen zu transportieren, die die Verwandtschaft für unverzichtbar hielt. Auf dem Rückweg waren die Autos dann mit Gurkenfässern, Schafskäse in Kanistern, Oliven und jedwedem Essbaren beladen. Gemeinsam fuhr man durch Jugoslawien über den Autoput und trennte sich erst an der bulgarisch-türkischen Grenze. Von dort fuhr jeder in sein Dorf. Nur die Neugier auf das, was den anderen in den Ferien widerfahren war, machte die Rückfahrt nach Deutschland erträglich.

Einige der neuen Familien hatten Töchter in meinem Alter, aber ich war das einzige türkische Mädchen, das noch zur Schule ging. Die anderen Mädchen mussten arbeiten und sparten für ihre Hochzeit. Die Geschichten, die nach der Rückkehr erzählt wurden, handelten nicht vom Strand und von Abenteuern, sondern von Brautwerbern, die zum Moccatrinken gekommen waren. Jede Familie mit einer Tochter im heiratsfähigen Alter, also ab 15 Jahren, hoffte, ohne sie aus der Türkei wiederzukommen.

Nach den Ferien erzählten wir Mädchen uns haarklein, was wir erlebt hatten, wer gekommen war und wie er aussah. Und alle waren gespannt darauf, was im nächsten Sommer passieren würde und wer dann wen heiraten würde. Wir zählten gemeinsam die Monate, Wochen, dann die Tage bis zu den Ferien.

Nach dem Sommerurlaub 1975 hatte auch ich etwas zu erzählen.

Nach Jahren besuchten wir zum ersten Mal die Schwester meiner Mutter in einem Dorf im »Weiten Tal«. Meine Tante hatte sieben Kinder und eine große Landwirtschaft, die sie mit ihrem Mann und den Kindern zu bewältigen hatte. Anders als die Türken schotten die Tscherkessen ihre Töchter nicht gegen das Leben ab. Als ich kam, wurde für mich ein Fest organisiert. In der Eingangshalle des Hauses war ein Tisch mit Köstlichkeiten gedeckt, und vor dem Haus briet ein Lamm am Spieß. Alle Mädchen und Jungen aus den umliegenden Dörfern kamen zum Tanz. Ein Ziehharmonikaspieler spielte auf, und die jungen Leute bildeten einen großen Kreis und klatschten im Rhythmus der Musik. Sie tanzten Vik, Kafaa oder den Säbeltanz. Die Tänze, ob langsam oder wild, choreographieren immer nur eine Geschichte: Ein Mann buhlt um ein Mädchen, umkreist sie, demonstriert seinen Stolz und seine Geschicklichkeit. Aber es darf dabei keinen Blickkontakt zwischen Mann und Frau geben, weder auf der Tanzfläche noch außerhalb. Bei den Tscherkessen ist die Frau tabu. Man tanzt mit ihr, aber man berührt sie nicht und sieht sie nicht an. Es wird von beiden Geschlechtern – immer unter Aufsicht der Älteren – eine große Selbstdisziplin verlangt. Und während die jungen Leute tanzen, werden am Rande von den Eltern die Verabredungen für das Moccatrinken getroffen.

Ich hatte die Dorfkinder um mich versammelt und zeigte ihnen Spiele aus Deutschland. Natürlich Gummitwist und Federball. Die Gäste standen auf der Veranda und schauten uns zu, und ich genoss die Bewunderung und den Beifall für meine Geschicklichkeit. Auch die Schwiegermutter meiner Tante war mit ihrem unverheirateten Sohn gekommen. Er war 27, hatte studiert und arbeitete beim staatlichen Fernsehen. Alle Mädchen schwärmten für ihn und hofften, von ihm erwählt zu werden. Ich kam gar nicht auf den Gedanken, dass er etwas von mir wollte, denn ich sah mich immer noch als hässliches Entlein. Irgendwann im Laufe des Nachmittags rief meine Tante mich in die Küche, sagte, ich hätte genug gespielt und solle ihr helfen, und dabei drückte sie mir eine Schale mit Kartoffeln in die Hand. Ich saß in der Küche, hörte draußen das Lachen der Kinder und beeilte mich mit dem Schälen. Die Schwiegermutter beobachtete mich, sah mir über die Schulter, begutachtete die Kartoffelschalen und meinte abschätzig: »Wer so verschwenderisch mit Kartoffeln umgeht, kann keine brauchbare Hausfrau werden.« Irritiert ging ich wieder hinaus und mischte mich unter die Tanzenden, denn die Musik hatte zu spielen begonnen, und ich freute mich, meine Tanzkünste vorführen zu können. Im Laufe des Abends kam der junge Mann aus Ankara zu mir und flüsterte mir ins Ohr: »Wer mit Federballspielen groß geworden ist, passt nicht zu unserer Familie.« Ich war 16, er war groß und hatte grüne Augen. Und der hatte erwogen, mich zu heiraten? Wenn ich das gewusst hätte, hätte ich die Kartoffeln hauchdünn geschält und nie einen Federballschläger in die Hand genommen. Aber so hatte ich meinen einzigen möglichen Brautwerber mit Federball und dicken Kartoffelschalen in die Flucht geschlagen.

In meiner Klasse in Deutschland hatten die Mädchen ganz andere Sorgen. Auch ihr ganzes Denken drehte sich um Jungen, aber Heirat war für sie kein Thema. Sie verliebten sich, und ein paar Tage später war alles wieder vorbei. Sie waren beschäftigt mit der Frage, was sie werden sollten oder wo man studieren könnte. Meine Klassenlehrerin drängte mich, einen Beruf zu erlernen und ein Praktikum zu machen. Das tat ich, und die Firma bot mir einen Ausbildungsplatz als technische Zeichnerin an. Meinen türkischen Freundinnen erzählte ich davon nichts, denn ich wollte nicht zur Außenseiterin werden.

Mocca kochen

Meine beste Freundin hieß Selma. Sie war ein Jahr älter als ich und hatte noch eine ältere Schwester. Beide arbeiteten gemeinsam mit ihrer Mutter als Näherinnen in einer Textilwerkstatt. Die beiden Schwestern sah ich fast täglich. Sie wohnten ganz in unserer Nähe. Selma hatte dunkelblonde Haare, grüne Augen und war besonders hübsch, eine echte Tscherkessin. Wenn ich sie mit meinen Eltern besuchte, bedienten die beiden Schwestern die Gäste. Sie standen stumm an der Tür, lächelten und achteten darauf, auch nicht einen Wunsch von ihnen zu übersehen. Solche Mädchen sind der Traum jedes türkischen Mannes.

Zu Selma und ihrer Schwester kamen auch in Deutschland viele Brautwerber. Darauf waren die Eltern sehr stolz, denn mit jedem Bewerber stieg das Ansehen der Familie. Die zukünftigen Schwiegermütter versuchten, sich gegenseitig zu übertrumpfen und ihre Söhne in den höchsten Tönen anzupreisen. Konkurrenz belebt das Geschäft, auch bei der Brautwerbung. Das Brautgeld steigt, das Gold für die Braut muss großzügiger bemessen sein, vielleicht kommt noch eine eigene Wohnung obendrauf, vielleicht kann man sogar auf die Mitgift einer Aussteuer verzichten. Um Selma wurde gefeilscht wie auf dem Bazar. Aber Selma wollte einen reichen Akademiker aus der Türkei und keinen »Deutschländer«. Trotzdem konnte man die Bitten, mit denen sich die Familien zum Moccatrinken einluden, der Höflichkeit halber nicht ablehnen. Und wir Mädchen machten uns einen Spaß daraus, mit den Bewerbern zu spielen.

Wenn man sich bei einer Familie »auf einen Mocca« einlädt, heißt das, man ist auf Brautschau. Für die Familie der möglichen Braut ist das eine Ehre, wenn die Tochter des Hauses begehrt ist. Viele Bewerber, sprich: eine große Nachfrage, heben den Preis der Braut und das Ansehen der Familie. Allerdings sind solche Besuche für beide Seiten unverbindlich und ohne Verpflichtung.

Bei der Brautwerbung ist die potentielle Braut nicht im Raum. Ihre Aufgabe ist es, für die Gäste den Mocca zu kochen und zu servieren. Das gilt als Prüfung für die Ehefähigkeit, denn türkischen Mocca zu kochen ist im Gegensatz zum Teekochen schwierig. Der Mocca wird in einer kupfernen Stielkanne mit Zucker aufgekocht. Er darf nicht zu kurz gekocht werden, dann gibt es keine Crema. Nur wenn der Schaum auf dem Kaffee hell ist und bis zum Rand der kleinen Tasse reicht, ist der Mocca und damit auch die Tochter gut. Schwarzer Schaum gilt als Verhängnis. Die perfekte Crema gelingt nur, wenn man genau den richtigen Zeitpunkt abpasst und der Kaffee nicht zu lange kocht. Mit gesenktem Blick betritt das Mädchen das Wohnzimmer, schenkt den Gästen und ihren Eltern den Mocca ein. Und wenn die Brautschau und der Mocca glücklich ausgehen, sagt man »kahvesi icildi«, es wurde ihr Mocca getrunken, was so viel heißt wie: Es wurde ein Eheversprechen gegeben.

Wenn Selma einen Bewerber unsympathisch fand, tat sie Salz statt Zucker in die Kanne. Damit war jedem Beteiligten klar, das Mädchen will nicht. Wir saßen dann kichernd hinter der Wohnzimmertür und beobachteten, wie der Sohn mit hochrotem Kopf neben seiner Mutter saß, das Gesicht verzog und es peinlichst vermied, sich irgendetwas anmerken zu lassen.

Selma betete jeden Tag zu Allah, dass im nächsten Sommer endlich der Richtige kommen möge. Sie liebte die Türkei, für sie war es eine Strafe, in Deutschland zu sein. Ich dagegen hoffte, dass sie auch aus dem nächsten Urlaub wieder zurückkommen möge, weil ich meine Freundin nicht verlieren wollte. Aber im nächsten Sommer kamen ihre Eltern allein zurück.

Als wir das hörten, gingen wir ein Hochzeitsgeschenk kaufen und beglückwünschten die Eltern. Die Wohnung war kalt und leer geworden ohne Selma. Ich habe sie nie wieder gesehen.

Nach diesem Sommer war ich das einzige 18-jährige türkische Mädchen in unserer Stadt, das noch nicht verheiratet war.

Das Leben hinter dem Fenster

Im Jahr darauf beendete ich die Schule und begann meine Ausbildung. Auch dann ging ich gleich nach der Arbeit nach Hause, um meiner Mutter im Haushalt zu helfen und die Frauen zu bedienen, die zu Besuch kamen. Ich hatte keine einzige Freundin mehr, alle waren inzwischen in der Türkei verheiratet. Die Wochenenden waren am schlimmsten, denn ich durfte nicht hinaus.

Direkt gegenüber von unserer Wohnung war die Diskothek »Ponderosa«, und die Kneipe daneben hieß »Der blaue Bock«. Es war der Jugendtreff der Stadt. Jeden Samstag brach dort das »Saturday-Night-Fever« aus, und ich saß hinter dem Fenster und sah, wer mit wem flirtete, wer sich verliebte oder trennte. Ich hielt alles in meinem Tagebuch fest. Am 27. April 1974 schrieb ich: »Das blonde Mädchen von letzter Woche ist heute mit ihrer Freundin da. Ich finde, dass die enge Jeans ihr besser stand als die weite Schlaghose. Vielleicht ist sie ja deshalb heute ohne Freund gekommen. Am Montag schreiben wir unsere letzte Mathearbeit, und ich habe viel geübt. Unser neuer Mathelehrer ist so nett, und er hat versprochen, mir zu helfen. Letzte Woche habe ich das erste Mal Geometrie verstanden. Warum ist er bloß erst jetzt gekommen? Ich weiß, dass ich dann eine Zwei geschrieben hätte. Bei Herrn Köhler, diesem Witzbold, habe ich nichts kapiert. Ich bin so aufgeregt. Dann ist in zwei Monaten noch die Abschlussfeier. Wir überlegen jetzt schon, wie wir alles gestalten wollen. Ich freue mich riesig für die Klasse, dass sie feiern können. Susanne, die sonst immer so ein mieses Gesicht zieht, hat versprochen, mir alles von der Feier zu erzählen. Und ich finde, das ist genauso schön, als wäre ich auch dabei gewesen.«

Nur wenn meine Mutter aus dem Wohnzimmer schrie: »Kannst du mal nach dem Teekessel schauen«, schreckte ich hoch und rannte, um den Gästen Tee nachzuschenken, um dann gleich wieder auf meinen Platz am Fenster zurückzukehren, weiter zu beobachten und alles in meinem Tagebuch festzuhalten. Äußerlich zeigte ich Wohlverhalten, aber innerlich kochte ich und wurde immer rebellischer.

Mein Vater kam nur noch sporadisch nach Hause, und immer wenn er kam, gab es Streit. Ich forderte meine Mutter auf, sich endlich gegen ihn zur Wehr zu setzen, sie aber sagte nur: »Wie kann ich mich gegen einen Menschen wehren, den ich auch nach 33 Jahren immer noch nicht wage, mit seinem Vornamen anzusprechen?« Sie sagte immer Effendi, mein Herr, zu ihm.

Die Ausbildung machte mich stark. Ich war eine begeisterte Zeichnerin und liebte es, hinter dem großen Zeichentisch zu stehen und mich mit den kleinen Maschinenteilen zu beschäftigen. Die Ingenieure halfen ihrer kleinen Türkin gern, und ich war glücklich, so viel zu lernen. Auch wurde bei uns in der Firma über die Gewerkschaft und die Rechte der Auszubildenden gesprochen. Mich begeisterte das alles, und ich wurde zur Jugendvertreterin der 35 Lehrlinge gewählt. Meine Mutter war stolz darauf, dass ich »von den Deutschen« gewählt worden war. Um ehrlich zu sein – es gab auch gar keinen anderen Kandidaten, und so eine wütende kleine Türkin wählte man damals gern. Die Jugendsekretärin der IG Metall unterstützte mich, wo sie konnte, und kam sogar zu uns nach Hause, um meine Mutter zu überreden, mich auf ein Gewerkschaftsseminar mitfahren zu lassen. Meine Mutter zögerte, aber schließlich sagte sie: »Ich möchte ja, dass sie viel lernt. Mein Schicksal habe ich meiner Unwissenheit zu verdanken.« Und so durfte ich das erste Mal in meinem Leben für fünf Tage allein weg.

Das Seminar hieß »Jugendvertreter 1«, war aber eher ein Grundkurs in marxistischer Dialektik. Ich lernte vom unversöhnlichen Widerspruch zwischen Arbeit und Kapital und glaubte, damit eine Antwort auf mein persönliches Elend gefunden zu haben. Ich war arm, wurde ausgebeutet und gehörte deshalb zu den Guten. Ich wurde eine begeisterte Revolutionärin.

Als bald darauf unser Vater wieder einmal unangemeldet nach Hause kam, tat ich, was ich mir bereits seit einem Jahr vorgenommen hatte. Ich verweigerte ihm den Gehorsam. Er kam, und ich ging in mein Zimmer und schloss die Tür ab.

Wie üblich rief er: »Wo sind die Kinder?«

Und meine Mutter: »Kinder, euer Vater ist da!«

Ich kümmerte mich nicht darum, sondern wartete ab, was geschehen würde. Meine Mutter rief erneut, und dann klopfte sie zaghaft an der Tür. Ich rührte mich nicht. Daraufhin kam mein Vater an die Tür, hieb mit der Faust dagegen und rief: »Willst du nicht endlich rauskommen?«

Ich schrie zurück: »Nein, ich komme nicht. Außerdem wollen wir nicht, dass du noch kommst. Wir hassen dich alle und wollen dich nie mehr sehen.«

Stille. Nach einer Weile hörte ich meine Mutter schreien, und dann krachte es an der Tür. Ich wusste, meine Stunde hatte geschlagen. Ich kannte dieses Geräusch. Ein Beil krachte in die Tür.

Schon einmal hatte mich mein Vater mit einem Beil aus einem Zimmer geholt. Damals wohnten wir noch auf dem Dorf, und ich hatte mich in meinem Zimmer eingeschlossen, als ich plötzlich in einer Ecke eine riesige Bisamratte entdeckte. Ich sprang aufs Bett und schrie um mein Leben. Die Ratte bekam Angst, wollte flüchten und sprang gegen die Tür, quiekte laut und fiel zu Boden. Immer wieder sprang sie, und ich schrie. Mein Vater versuchte, die Tür einzutreten, aber erst mit einem Beil gelang es ihm, sie aufzubrechen.

Balta, das Beil, steht in der Türkei für Mord. Es kommt vor, dass Frauen nach Jahren der Quälerei ihre Männer mit einem Beil im Schlaf erschlagen. Doch ich war hellwach, wütend und beleidigte ihn immer weiter. In diesem Moment wäre ich gern die Ratte gewesen, denn die war entkommen. Mein Vater warf das Beil weg und packte mich an meinen inzwischen wieder lang gewachsenen Haaren. Er schleuderte mich gegen den Schrank und die Wand und brüllte mich an, ich solle schweigen. In meinem Schmerz krallte ich mich wie eine Katze an seinem Hals fest und ließ nicht mehr los, bis er mich endgültig in die Ecke schleuderte und, am Hals blutend, aus dem Zimmer stürzte. Mein kleiner Bruder war schon zu Beginn des Streits aus der Wohnung geflüchtet, meine Mutter saß reglos auf dem Boden. Mit dem festen Vorsatz, nie mehr wiederzukommen, verließ ich kerzengerade die Wohnung und suchte Zuflucht bei einer Nachbarin. Nach einer Woche kam meine Mutter weinend herüber und sagte: »Dein Vater hat uns verlassen. Er hat gesagt: Ich habe meine Tochter umgebracht. Und: Dieses Land hat uns umgebracht.« Kurz darauf hat mein Vater Deutschland verlassen. Er ist zurück in die Türkei gegangen. Ich habe ihn nie wieder gesehen.

Meine Mutter folgte ihm. Ich blieb mit meinem kleinen Bruder in der Wohnung zurück. Wir hatten nicht viel Geld, konnten aber endlich in Ruhe unsere Lehre zu Ende machen. Mein kleiner Bruder hatte in meiner Firma eine Lehre als Maschinenschlosser angefangen. Wir hielten zusammen, wir hatten beschlossen, in Deutschland zu bleiben.

Nach einem Jahr kam meine Mutter zu uns zurück. Sie war enttäuscht und verletzt. Ihr Mann hatte die Scheidung eingereicht, und sie war schuldig geschieden worden. Die entsprechenden Zeugen hatte mein Vater schnell gefunden. Mit diesem Urteil hatte sie keinen Anspruch auf Unterhalt. Mein Vater war wieder in Pinarbashe und in das Haus seiner Mutter Emmana gezogen. Die Verwandten hatten ihm, dem inzwischen Sechzigjährigen, eine neue Frau besorgt. Sie war 25. Er hat das Haus und seine kleine Stadt nicht mehr verlassen. Vor einigen Jahren ist er gestorben. Die Verwandten haben es mir erst sehr viel später erzählt und wunderten sich, dass ich nicht weinte. Mein Vater war für mich schon lange gestorben – mein halbes Leben lang hatte ich schon um ihn getrauert.

» Wir wollen jetzt studieren «

Ich beendete meine Lehre und hatte nur noch einen Wunsch: raus aus dieser Stadt, raus aus diesen Verhältnissen. Meine Mutter hätte mich niemals gehen lassen, aber die Gewerkschaftssekretärin hatte mir von einem Internat in Lüneburg erzählt, in dem man sich in einem Jahr auf das Studium im Zweiten Bildungsweg vorbereiten konnte. Die Kollegin überzeugte auch diesmal meine Mutter. Allerdings hatte meine Mutter kein Geld, und so füllten wir Bafög-Anträge aus, und ich konnte gehen.

Als ich mit 19 Jahren mit meiner großen Tasche am Bahnhof stand, meine Mutter zum Abschied weinte, schwor ich mir – Theater war immer noch meine Leidenschaft – wie Scarlett O'Hara in » Vom Winde verweht «: » Und wenn ich verdurste, ich komme nicht mehr zurück. « Meine Mutter dagegen hoffte auf ein besseres Leben mit mir. Zu ihren Freundinnen sagte sie stolz: » Wir wollen jetzt studieren. «

Das Internat war eine kleine Schule, auf der man für das Studium fit gemacht wurde. Alle Schülerinnen und Schüler hatten bereits einen Beruf erlernt. Es waren lauter Revoluzzer, die glaubten, die Welt auf den Kopf stellen zu können. Sie lachten über mich, weil ich mehr Zeit darauf verwendete, mich hübsch zu machen, als mit ihnen Gewerkschaftslieder zu singen. Die Jungen trugen lange Haare, Bärte und große Brillen, und die Mädchen verzichteten auf BHs, hatten schlabbrige T-Shirts und selbst genähte Pluderhosen an wie meine türkischen Landsleute aus Anatolien, vor denen ich gerade geflohen war. Es hatte sich eine feministische Frauengruppe im Internat gebildet, an der alle Schülerinnen teilnahmen. Beim ersten Treffen forderten die Frauen von mir, meine langen schwarzen Haare abzuschneiden. Eine Frau, die mit langen Haaren den Männern gefallen wolle, hätte nichts begriffen, sagten sie. Ich weigerte mich, meine frisch errungene Selbstbestimmung aufzugeben. Fortan wurde ich von den Kurzhaarigen mit Missachtung gestraft, und eines Morgens stand ein Spruch an der Tafel: »Wenn du zur Revolution gehst, vergiss den Kosmetikkoffer nicht.«

Jeden Freitag fuhr ich zu meiner Mutter nach Hause. »Was es alles gibt und was wir alles nicht wissen«, staunte sie, wenn ich ihr vom Unterricht erzählte. Wenn ich am Sonntagabend zurückfuhr, tröstete ich sie: »Nächste Woche wird es richtig spannend, Mama, da fangen wir mit den griechischen Philosophen an.« Und sie ließ mich gehen. Sie bezahlte mir die Fahrt nach Hause, sonst gab es kein Geld. Ich habe in diesem Jahr im Internat keinen Pfennig gehabt, denn das Bafög wurde für Essen und Unterhalt direkt an die Schule überwiesen. »Ich muss noch arbeiten«, sagte ich, wenn die anderen abends in die Kneipe gingen, zog mich in mein Zimmer zurück und unterhielt mich mit meinem Tagebuch.

Unser Philosophielehrer war 28 Jahre alt und machte den besten Unterricht. Mein großes Interesse für sein Fach amüsierte und überraschte ihn so sehr, dass er sich in mich verliebte. Aber ich war spröde und hatte immer die Worte meiner Mutter im Ohr: »Trau keinem Mann, der mit Liebesgesäusel kommt. Er will nur das eine, aber nicht heiraten.« Er schrieb Gedichte für mich, kaufte Rosen und legte sie mir vor die Tür. Er fiel in der Bibliothek vor mir auf die Knie. Irgendwann redete die ganze Schule von seiner unglücklichen Liebe, und nach einem halben Jahr erhörte ich ihn. Damit waren wir in meinen Augen quasi verlobt. Es gab jetzt für mich keine andere Möglichkeit mehr, als mit ihm zusammenzubleiben. Mein Weg war vorgezeichnet. Für einen türkischen Mann wäre ich nicht mehr akzeptabel gewesen. Gefühle hin oder her, so war mein Schicksal jetzt bestimmt.

Aber erst einmal trennten sich unsere Wege. Ich wollte in Hamburg studieren, und er hatte eine Stelle in Frankfurt bekommen. Er half mir bei den Aufnahmeprüfungen, und bald war er meine neue Welt, meine Familie. Ich zog in Hamburg in ein Studentenwohnheim, und mein Leben spielte sich fortan zwischen Hochschule, Wohnheim und Zugfahrten ab. An den Wochenenden besuchte ich entweder meinen Verlobten oder meine Mutter. Am Montagmorgen kam ich zurück nach Hamburg, ging gleich in die Hochschule und von dort ins Heim. Pünktlich zur selben Zeit rief dann jeden Tag meine Mutter an und eine halbe Stunde später mein Verlobter.

Ich war frei, konnte aber nichts damit anfangen, obwohl niemand da war, der mich hätte kontrollieren können. Ich hatte nicht gelernt, was es bedeutet, seine Freiheit zu genießen, sondern fühlte mich verpflichtet, fleißig zu studieren und das zu tun, was sich in meinen Augen für eine junge Frau schickte. Die Revolution fand nur in meinem Kopf, nicht in meinem Verhalten statt.

Kurz bevor ich an der Hochschule für Wirtschaft und Politik mein Diplom in Volkswirtschaft machte, beschlossen wir zu heiraten. Für mich stand die Heirat außer Frage. Es war nach meiner Vorstellung und nach allem, was ich bisher gelernt hatte, der einzige Weg, erwachsen zu werden.

Walzer, Bauchtanz
und der »Geist des Kapitalismus«

Meine Mutter hatte Bedenken, die freudige Nachricht der Verwandtschaft in der Türkei mitzuteilen. Als Erstes rief sie ihren Bruder an. »Wir wollen Necla verheiraten«, sagte sie stotternd. »Aber er ist ein Deutscher.« Schweigen am anderen Ende der Leitung. Dann sagte mein Onkel: »Gott sei Dank, ich hatte schon gefürchtet, es wäre ein Türke.« Der Bruder meiner Mutter war immer ein stolzer Tscherkesse gewesen, der es seinem Vater nie verziehen hatte, dass er meine Mutter einem Halbtürken gegeben hatte.

Nicht alle Verwandten reagierten so freundlich. Ich sei ein schlechtes Beispiel für seine Töchter, schimpfte einer und brach jeden Kontakt mit uns ab. Auch andere fanden meine Heirat unverzeihlich. Aber meine Mutter hielt zu mir, sie hatte ihren Schwiegersohn bereits ins Herz geschlossen. Ich wollte es allen zeigen und eine richtige türkische Hochzeit feiern. »Das bin ich meiner Mutter schuldig«, sagte ich, und die Familie meines zukünftigen Mannes war mit allem einverstanden.

Meine Schwiegereltern waren wohlhabende und gebildete Leute, und meine Schwiegermutter mochte mich sehr. Sie war eine feine Dame, trug wunderschöne Kleider und fuhr einen Porsche. Um alles ganz richtig zu machen, musste als Erstes das Moccatrinken organisiert werden. Wochenlang wurde die kleine Wohnung meiner Mutter geputzt, ihre Freundinnen halfen beim Backen, und ich übte, den Mocca zu kochen. Dann kamen mein Verlobter, sein Vater, die Mutter, der Bruder, die Schwägerin. Ich servierte den Mocca, und sie hielten um meine Hand an.

Zwei Wochen später fand eine große Verlobungsfeier im Rathaus statt. Die ganze Familie mietete sich im schönsten Hotel ein, und mit über fünfzig geladenen Gästen feierten wir die Verlobung. Meine Großmutter Azize, meine Schwester mit ihren Kindern, meine Cousine und ihre Tochter waren eigens aus der Türkei gekommen. Das war für mich das schönste Geschenk. In zwei Monaten wollten wir heiraten, und meine Mutter und meine Schwester halfen, die Aussteuer zusammenzustellen. Sie stickten Monogramme in Bettwäsche und Handtücher, meine Schwiegereltern mieteten in Frankfurt eine schöne Altbauwohnung und richteten sie für uns ein.

Es wurde eine große Hochzeit mit allem, was man sich als Mädchen erträumt. Meine Schwester nähte mir ein weißes Hochzeitskleid, alle Verwandten kamen, es gab die große deutsch-türkische Verbrüderung mit Walzer und Bauchtanz. Nur ich wurde das Gefühl nicht los, dass das nun das Ende meiner Freiheit sei.

Unsere Hochzeitsreise sollte in die Türkei gehen. Ich wollte meinem Verlobten die Türkei zeigen. Er wollte mit mir meine Heimat kennen lernen. Sechs Wochen lang. Wir fuhren mit dem Auto nach Anatolien und wurden dort von Verwandtschaft zu Verwandtschaft weitergereicht. Nicht einen Tag waren wir allein. Überall wurden wir herzlich empfangen, jeden Tag wurde unsere Hochzeit aufs Neue gefeiert, bekamen wir Geschenke. Ich feierte mit den Frauen, er saß mit den Cousins im Café und litt Höllenqualen. Eines Nachts sagte er: »Ich halte es nicht mehr aus. Ich will nach Hause.« Ich konnte das nicht verstehen. »Alle lieben dich, und du bist so undankbar.«

Als er merkte, dass er gegen diese Familienbande machtlos war und nicht einmal seine Frau ihn verstand, wurde er krank. Er bekam einen schweren Ausschlag am ganzen Körper. Wir fuhren nach Ankara – zu Onkel Enischte. Dort stand wieder die ganze Familie zu unserem Empfang bereit mit eigens mit unserem Namen bestickten Handtüchern. Er bekam einen Schreikrampf, als man ihn mit *Damat*, Bräutigam, ansprach.

Von dieser Reise und von vielem anderen hat sich unsere Be-

ziehung nicht wieder erholt. Nach einem Jahr habe ich ihn verlassen. Mit zwei Koffern ging ich nach Hamburg zurück.

Niemand verlangte von mir, dass ich nach Hause zurückkehrte, durch die Heirat war ich aus der Obhut meiner Familie entlassen. Ich war frei, zog in eine Wohngemeinschaft und begann,
Soziologie zu studieren.

Mein drittes Semester war einschneidend. Ich besuchte ein Seminar bei Professor Käsler, einem Max-Weber-Spezialisten. Das
Thema war Max Webers Werk »Die protestantische Ethik und
der ›Geist‹ des Kapitalismus«. Käsler stellte uns die Frage »Warum gehen Menschen in die Kirche?« Ich verstand diese Frage
zunächst gar nicht, denn die Antwort, so dachte ich, liegt doch
auf der Hand: »Weil es ihre Pflicht vor Gott ist.« Religion war
doch gottgegeben. Käsler malte eine Kirche an die Tafel und
sammelte alle von den Studenten genannten Gründe ein, nahm
sie auseinander, analysierte sie, um sie dann wieder zusammen-
zufügen und uns zu zeigen, dass Menschen die Religion für ihre
soziale Welt und sogar für ihre Geschäfte nutzen. »Alles Handeln ist Mittel zum Zweck«, sagte er und verwirrte mich damit
nachhaltig. Also auch der Gang in die Moschee.

Bisher hatte ich mir die Welt politisch und ökonomisch erklärt, sie in Arm und Reich geteilt. Nun dämmerte mir, dass
auch kulturelle und religiöse Faktoren das Individuum und sein
Verhalten bestimmen. Dieser Gedanke war neu für mich. Ich begann, Menschen nach ihrer religiösen Herkunft zu befragen. Ich
wollte wissen, welchen Unterschied es macht, wenn Migranten
aus einem christlichen Land nach Deutschland kommen oder,
wie die Muslime, aus einer türkisch-islamischen Kultur. Ich hatte endlich einen Weg gefunden, neue Fragen zu stellen.

Der Prophet und die Frauen
oder
Wie der Schleier trennt

Wer seine Mutter zum Weinen bringt, wie Mohammed die Göttinnen der Mekkaner auslöschte und die Frauen schützte, um sie zu beherrschen

Ich wurde als Muslimin geboren. Nach islamischem Verständnis sind die Kinder eines muslimischen Vaters Muslime, auch wenn mein Vater sich erst spät in seinem Leben wieder daran erinnern sollte, dass er Muslim war. Meine Mutter war so etwas wie eine Ramadan-Muslimin, vergleichbar den Deutschen, die sich einmal im Jahr, zu Weihnachten, darauf besinnen, dass sie Christen sind. Im neunten Monat des islamischen Jahres, und nur dann, wurde meine Mutter immer dreißig Tage lang fromm.

Niemand hat mich gefragt, welchen Glauben ich annehmen wollte, ich habe nie das Glaubensbekenntnis gesprochen, und doch gehöre ich zur *Umma*, der Gemeinschaft aller Muslime in der Welt, die bei Sonnenaufgang vom Ruf des Muezzin geweckt wird. Der Ruf des Muezzin war wie das Krähen unseres Hinterhofgockels und das Bimmeln der Straßenbahn Bestandteil unseres Lebens in Istanbul. Aber da meine Eltern sich nicht nach dem Ruf richteten, habe auch ich nie über die Bedeutung des mir unverständlichen Gesangs nachgedacht.

Dass wir Muslime sind, wurde mir zum ersten Mal bewusst, als ich drei oder vier Jahre alt war und sich unser Alltag plötzlich veränderte. Tagsüber gab es nichts zu essen, im Radio wurde andere Musik gespielt, und meine Mutter betete, ganz anders als im übrigen Jahr, im weißen Umhang mit den Nachbarinnen auf dem Wohnzimmerteppich. Es war Ramadan, der Fastenmonat, und wir Kinder fanden das alles sehr aufregend. Wir wollten auch fasten, wie die Großen es taten. Unser Vater, der als überzeugter Anhänger der Republik sich ohnehin nur halbherzig am Ramadan beteiligte, verfügte in seiner pragmatischen Art, dass wir zwar fasten dürften, aber morgens, mittags und abends zu vorgeschriebenen Zeiten etwas essen sollten. Er nannte das »Kinder-Fasten«.

In der türkischen Gesellschaft gilt nach den Reformen Kemal Atatürks die Trennung von Staat und Religion. Aber der Alltag sieht anders aus. Die Verhaltensnorm, die Tradition, die ganze Sozialisation der türkischen Gesellschaft sind muslimisch. Und auch wenn meine Eltern nicht besonders gläubig waren, so hatten sie diese Kultur doch verinnerlicht. Ihre Begriffe von Gut und Böse, von Ehre und Schande, von Richtig und Falsch sind muslimisch geprägt. Die Leitkultur auch bei vielen Türken in Deutschland ist der Islam.

Über das richtige Verständnis des Islam allerdings hat es immer wieder Auseinandersetzungen gegeben, nicht wenige davon wurden mit dem Schwert, dem Dolch oder der seidenen Schnur entschieden. Es gibt unzählige Strömungen, Sekten und Schulen, die um die gottgefällige Auslegung des Korans streiten, obwohl eigentlich Konsens herrscht, dass der Koran gar nicht auslegbar ist, weil er Gottes Offenbarung ist. Er wurde, so das Glaubensbekenntnis der Muslime, Mohammed von Gott durch den Erzengel Gabriel diktiert, und zwar Wort für Wort. »Koran« hat im Arabischen die gleiche Bedeutung wie »Rezitation«. Mohammed hat die Offenbarungen »rezitiert«, teilweise wurden sie aufgeschrieben, teilweise von seinen Anhängern auswendig gelernt und gesammelt. Eine einheitliche arabische Fassung entstand erst Jahrzehnte später. Sie enthält 114 Suren, jede Sure eine unterschiedliche Zahl von Versen. Die Suren entsprechen den Offenbarungen und sind Gleichnisse, wie sie sich auch im alten Testament finden. Viele beziehen sich direkt auf Ereignisse in Mohammeds Leben.

Vor Mohammed hat es andere Propheten gegeben, denen Gott sich offenbarte. Abraham, Moses, Jesus gelten im Islam auch als Propheten. Aber sie wurden nicht richtig verstanden, meinen die Muslime, und deshalb hat sich Gott noch einmal offenbart. Mohammed ist nach dieser Auffassung »das Siegel der Propheten«, der letzte Prophet, der Vollender.

Islam bedeutet Hingabe an Gott, und Muslim ist, wer sich dem Willen Gottes hingibt. Der Islam ist keine Kirche im herkömmlichen Sinne, sondern eine Glaubensgemeinschaft. Sie wird durch den *Koran*, das heilige Buch, durch die *Sunna*, das sind die von Gläubigen gesammelten überlieferten Sprüche, durch die Handlungen des Propheten, die *Hadithe*, durch die daraus abgeleitete Rechtsordnung, die *Scharia*, und durch die *Ulemma*, das Gericht und die Gelehrten, bestimmt.

Neben der religiösen Seite hat sich in den islamischen Ländern ein normatives Welt- und Menschenbild herausgebildet, das den Alltag der Menschen – nicht der Gläubigen – maßgeblich bestimmt. Und das gilt selbst für Gesellschaften, die sich für säkularisiert halten.

Die Pflichten eines Muslims

»Es gibt keinen Gott außer Allah, und Mohammed ist sein Prophet« – jeder, der dieses Glaubensbekenntnis, die *Schahada*, mit den Worten »ich bezeuge« bestätigt, kann Moslem werden. Wer dieses Glaubensbekenntnis ausgesprochen hat, für den gibt es kein Zurück – er übernimmt damit die Pflichten, die sich für jeden Muslim aus der von Mohammed überbrachten Botschaft ergeben. Dazu gehört das Gebet, *Salat*, das fünfmal am Tag zu vorgeschriebenen Zeiten durchgeführt wird und dessen Elemente und Abfolge genau festgelegt sind. Am Freitag, dem islamischen Feiertag, versammelt man sich dazu in der Moschee. Das erste Gebet soll vor Sonnenaufgang, das zweite am Mittag, wenn die Sonne am höchsten steht, das dritte am Nachmittag, das vierte nach Sonnenuntergang und das fünfte bis Mitternacht gehalten werden. Dass dieses Gebot in unserer technisierten und organisierten Welt für einen arbeitenden Muslim schwer einzuhalten ist, liegt auf der Hand. Wer es nicht schafft oder versäumt, bleibt in der Schuld Gottes. Ihm wird die Rechnung dafür am Jüngsten Tag präsentiert.

Auf das Schuldenkonto kommen auch alle anderen Verfehlungen, Versäumnisse und Verbrechen, die der Muslim im Laufe seines Lebens begeht. Durch ein gottesfürchtiges Leben und die Einhaltung der Vorschriften kann er allerdings auch Pluspunkte sammeln, wie zum Beispiel durch die *Hadsch*, die Pilgerfahrt nach Mekka, oder durch Spenden an Arme. Diese Daseinsschuld gegenüber Gott bestimmt auch die Verhältnisse der Menschen untereinander. Im Arabischen bedeutet das Wort *Din* Religion und ist verwandt mit dem Wort *Dain*, Schulden. Der Mensch schuldet Gott alles. Am »Tag des Gerichts« werden die aus dem Gleichgewicht geratenen Beziehungen wiederhergestellt, die Schulden gegen die guten Taten aufgerechnet, und es wird ermittelt, ob ein Platz im Paradies oder in der Hölle dabei herauskommt.

Die Vorstellung von Himmel, Hölle und Engeln ist nicht metaphorisch gemeint. Das Paradies ist in der Ausschmückung der Imame und Dichter Fleisch gewordene Männerphantasie – ein riesiger Garten, bevölkert von schwarzäugigen Jungfrauen, den *Huris*, in dem Milch, Honig und Wein fließen. Der Koran preist in über 300 Versen diesen Ort ewiger Schönheit und nie endender Wonnen. Die Frau ist in dieser Darstellung immer verfügbares Geschlechtswesen und Lustobjekt.

Die *Zakat*, die vorgeschriebenen Almosen, sollen Arme, Witwen und Waisen unterstützen. Aber auch wer für die Freiwilligen im Heiligen Krieg, dem *Dschihad*, spendet, findet Anerkennung. Zu Zeiten der Sklaverei konnten die Almosen auch dafür verwandt werden, Sklaven freizukaufen. Inzwischen erhebt der Staat Steuern, und trotz dieser weltlichen Last kann sich ein Muslim nicht von dieser Abgabe befreien. Sie sollte möglichst jährlich etwa 2,5 Prozent des Einkommens betragen.

Saum, das Fasten im Monat Ramadan, erinnert an den neunten Monat des islamischen Kalenders, an dem der Prophet zum ersten Mal Offenbarungen erlebte und seine Anhänger ihren ersten Sieg über die Mekkaner errangen. Er soll die Muslime an ein geistiges Leben jenseits von Essen und Trinken erinnern und Gott näher bringen. Von Beginn bis Ende dieses Monats sollen alle Muslime den ganzen hellen Tag lang – von Sonnenaufgang bis Sonnenuntergang – nicht essen, trinken oder rauchen und sexuell enthaltsam sein. Am Abend jedoch wird gemeinsam *Iftar*, das Fastenbrechen, gefeiert.

Schließlich soll jeder Muslim – soweit es ihm irgendwie möglich ist – einmal im Leben eine Pilgerfahrt, die *Hadsch*, nach Mekka antreten. Wer diese Pilgerfahrt unternommen hat, darf den Titel *Hadschi* führen, den Gott am Tag des Jüngsten Gerichts zu Gunsten des Betreffenden anrechnen wird.

Der Prophet war Religionsstifter und Kriegsherr, Händler und Verschwörer, Liebhaber und Ehemann in einer Person. Er beeinflusst das Leben von Millionen Menschen bis auf den heutigen Tag. Ich hätte nie gedacht, dass Mohammed in meinem Leben einmal eine Rolle spielen würde, vor allem nicht, weil unsere Familie seit meinem zehnten Lebensjahr in Deutschland lebte.

Aber als ich in die Pubertät kam, da war ich 13, sagten meine Eltern plötzlich, die Deutschen sind anders als wir, und legten mir von einem Tag auf den anderen zahlreiche Verbote im Umgang mit anderen auf. Alle Verbote wurden damit begründet, dass die »Ehre der Familie« in Gefahr sei. Was damit gemeint war, wusste ich nicht. Für mich bedeuteten diese Verbote das Ende meiner Kindheit, der zweite große Einschnitt in meinem Leben nach dem Abschied von Istanbul.

Erst viel später, als ich mich bei den Forschungen für meine Promotion mit dem Einfluss des Islam auf das Alltagsverhalten beschäftigte, war es mir möglich, mich auch mit dem Propheten und seinem Leben auseinander zu setzen. Ich wollte wissen, wer dieser Mann gewesen war, der so einschneidend in mein Leben eingegriffen hatte. Und je länger ich mich mit diesem Thema beschäftigte, desto stärker wurde mein Verdacht, dass vieles, was den Islam so resistent gegen die Anforderungen der Moderne macht, seinen Kern und Ursprung im Leben seines Gründers hat.

Das Jahr des Elefanten

Mohammed wurde im »Jahr des Elefanten« um 571 n. Chr. in Mekka geboren, als der christliche Herrscher des Jemen, König Abraha, Mekka anzugreifen versuchte. Aber sein Kriegselefant verweigerte den Gehorsam, und seine Krieger erkrankten an der Pest. Er musste unverrichteter Dinge wieder abziehen. Für die Muslime war dies Vorsehung, für die Mekkaner das »Jahr des Elefanten«.

Als Mohammed zur Welt kam, war er bereits Halbwaise. Sein Vater war kurz vor seiner Geburt gestorben, und seine Mutter konnte ihn nicht stillen, da ihre Brüste »vor Kummer ausgetrocknet« waren. So wurde er zu einer Milchamme bei einem Beduinenstamm in der Wüste gegeben. Halima nahm den Jungen auf und versorgte ihn bis zu seinem sechsten Lebensjahr.

Es war zu damaliger Zeit nichts Ungewöhnliches, Kinder nach dem 40. Tag wegzugeben, um sie frühzeitig an das harte und entbehrungsreiche Leben in der Wüste zu gewöhnen. Wie alle Beduinen lernte Mohammed, sich mit bescheidener Nahrung zu begnügen: Datteln, Ziegen- und Kamelmilch. Er ging früh schlafen und stand beim ersten Morgengrauen auf. Und er lernte, Schafe zu hüten. Viele Dorfkinder können bis heute eine ähnliche Geschichte erzählen – wie sie bald nach der Geburt zu einer kinderlosen Verwandten gegeben und als fünf- oder sechsjährige Kinder mit den Schafen in die Berge geschickt wurden. In den Erzählungen der »Importbräute«, mit denen ich gesprochen habe, tauchen solche Geschichten immer wieder auf. Kinder sollen keine allzu enge Bindung an die Mutter entwickeln, denn sie gehören nicht ihr, sondern dem Stamm.

Mohammed lernte Arabisch, und in der Wüste hatte er sein erstes Erweckungserlebnis. Im Alter von sechs Jahren brachte man ihn zurück zu seiner Mutter Amina, die mit ihm nach Jathrib reiste, dem späteren Medina, um ihn mit der Familie und dem Grab seines Vaters bekannt zu machen. Der Anblick der blühenden Oase muss sich nach den Jahren in der Wüste wie ein wundervoller Traum ins Gedächtnis des Knaben eingeschrieben haben. Die Erinnerung an die Mutter, die bald darauf starb, blieb bei ihm für immer mit der paradiesischen Oasenlandschaft verbunden. Medina sollte auch später immer wieder sein Zufluchtsort sein. Es wurde im Arabischen das Synonym für Stadt, Staat, Gemeinschaft, Zivilisation – *Me-dina*, das System der gegenseitigen Verpflichtung der Menschen mit Gott.

Das »Modell Medina« wurde zum Inbegriff der Sehnsucht der Muslime nach der idealisierten Urgemeinde. Sie streben nicht nach Fortschritt, nicht nach Entwicklung, sondern zurück nach Medina – wie ein Kind, das sich in den Mutterschoß zurücksehnt. Medina wurde für Mohammed zum Ort, wo er seiner Mutter am nächsten war, von wo aus er seine Lehre verbreitete und an den er zurückkehrte, als sich sein Leben vollendete.

Mütter und Söhne

»Der Schlüssel zum Paradies liegt zu Füßen der Mütter«, predigte Mohammed, nachdem er vierzig Jahre später endgültig über die Mekkaner gesiegt hatte. Wo immer Mütter im Koran erwähnt werden, treten sie als geheiligte Wesen auf. Dem Sohn, der der Mutter gegenüber Ungehorsam zeigt, drohen Höllenqualen – wer seine Mutter zum Weinen bringt, so hörte ich in der Predigt des Imam in einer Hamburger Moschee im Jahr 2004, wird ertrinken.

Die absolute Verehrung der Mutter ist bis heute eine Säule des islamischen Lebens, und das Verhältnis von Söhnen zu ihren Müttern grenzt in muslimischen Familien gelegentlich an Heiligenverehrung – mit entsprechenden Folgen für die Psyche der Jungen und die Institution der Ehe. »Wie Gott, so soll man auch die Mütter zeitlebens und ohne Unterlass lieben und fürchten«, schreibt die marokkanische Religionswissenschaftlerin Fatima Mernissi. Im Unterschied zu anderen Kulturen wird die Bindung zwischen Mutter und Sohn nie beendet, nicht einmal verändert. »Im Gegenteil, die Hochzeit – in den meisten Gesellschaften eine Art Initiationsritual, das es dem Sohn ermöglicht, sich von der Mutter zu lösen – ist in der Tradition der islamischen Gesellschaft ein Ritual, das den Einfluss der Mutter auf den Sohn noch verstärkt. Mit der Hochzeit wird die Trennung zwischen Liebe und Sexualität im Leben des Mannes institutionalisiert; dadurch wird er gerade noch darin bestärkt, eine Frau zu lieben, mit der er keinen Geschlechtsverkehr haben kann: seine Mutter.«

Die angeheiratete Frau bleibt dagegen ein Leben lang die Fremde, die *Gelin*, wie es auf Türkisch heißt. Liebe kann sie von ihrem Ehemann keine erwarten. Die Liebe ist der Mutter und Allah vorbehalten. Liebe zwischen Mann und Frau ist nicht vorgesehen. Da der Sohn aber nicht mit der Mutter schlafen kann, besorgt die ihm eine Sexualpartnerin, die ihn befriedigen und mit der er Kinder zeugen soll. Diese Zweiteilung zieht sich wie ein Band durch Mohammeds Denken und durch die islamische Lehre. Die Welt ist zweigeteilt: in Innen und Außen, in Ehre und Schande, in Gut und Böse.

In Syrien lernte Mohammed nicht nur die Buch-Religionen der Juden und Christen kennen, sondern konnte auch beobachten, wie sich die verschiedenen arabischen Stämme in ständigen Rachekriegen befehdeten. Und er erfuhr etwas über die außergewöhnliche Rolle der Frauen innerhalb der Stämme: Die Frau war Inbegriff der Schönheit, der Stolz des Mannes – und zugleich immer wieder Ursache von Sittenlosigkeit und Korruption.

Nun waren die Sitten in der vorislamischen Zeit recht locker, und Frauen, die mit mehreren Männern sexuelle Beziehungen hatten, waren gesellschaftlich voll anerkannt. Erst später wurden diese matriarchalen Strukturen diskriminiert und als »Prostitution« geächtet. Zu dieser Zeit aber konnten Frauen noch ihre Ehemänner »entlassen«, und zwar mit einer schlichten Geste. Entweder sagten sie: »Du bist verstoßen«, oder sie drehten den Eingang des gemeinsamen Zeltes auf die andere Seite – für ihn das Zeichen, dass er unerwünscht war. Es war auch nicht ungewöhnlich, dass Ehefrauen, deren Männer auf Reisen waren, sich mit anderen Männern einließen. Bevor sie abreisten, hängten die Männer zwei Zweige vor ihrem Haus auf. Befanden diese sich bei ihrer Rückkehr noch an ihrem Platz, war die Gattin ihm treu geblieben. Auch die *Mut'a* gab es, heute würde man das als »Ehe auf Zeit« bezeichnen. Die Partner kamen überein, für eine gewisse Zeit zusammenzuleben. Daneben und gleichzeitig gab es die *Ba'l* – Ehe –, und in der war der Mann »Herr der Frau«. Die Frau war rechtlos, wie ein Tier, sie galt als Beute, Kriegsgefangene oder als Geschenk, das weitergereicht wurde. Der Mann konnte sie jederzeit grundlos verstoßen, die Kinder gehörten ihm. Mohammed übernahm in seiner Lehre diese Form der Ehe, »zivilisierte« sie gleichsam, wie er es bei den Juden und bei den Christen gesehen hatte, und verbesserte die Stellung der Frau, sie konnte jetzt erben und wurde die »Ehre« des Mannes. Die Frau war – um in der Sprache des Propheten zu bleiben – nicht mehr der verachtete »Esel«, sondern das liebenswerte »edle Pferd«.

Die satanischen Verse und ein Mord

Ende des 6. Jahrhunderts verschoben sich in Arabien die Machtverhältnisse. Mekkas Händler waren immer reicher geworden und durch den Handel, den sie trieben, auch mit den attraktiven Religionen der Juden, Christen und Manichäer in Berührung gekommen. Doch das war der Glaube fremder Mächte. Sie waren auf der Suche nach einem eigenen Weltbild. In dieses geistige und machtpolitische Vakuum stieß Mohammed mit seinen Offenbarungen und leitete eine entscheidende Wende ein. Er schenkte den Arabern eine neue Religion, ein Rechtssystem und eine Vision: Seine Politik zielte auf Überwindung der Stammesgrenzen, auf die Schaffung eines Staates, der durch Sprache und Religion etwas Größeres, die *Umma*, entstehen ließ. Religion und Politik waren eins. Er unterwarf die anderen Stämme, und er unterwarf die Frau. Die Unterwerfung unter Gott war stets nicht nur Bekenntnis, sondern zugleich auch Machtdemonstration. Der Sieg des Islam bedeutete nicht nur die Unterwerfung des Menschen unter den einen, männlichen Gott, sondern auch die sexuelle Unterwerfung der Frau unter den Mann. Aber so weit war der junge Kaufmann noch nicht.

Zunächst fand er in der wohlhabenden, 15 Jahre älteren Kaufmannswitwe Chadidscha aus Mekka eine Arbeitgeberin, die ihm vertraute und ihn dann, als er 23 Jahre alt war, zum Ehemann nahm. Mohammed, so Fatima Mernissi, sei der letzte Araber gewesen, »der von Frauen frei gewählt wurde«. Chadidscha war eine selbständige und selbstbewusste Frau gewesen, die ihr eigenes Haus geführt und eigenständig Geschäfte betrieben hatte – nicht gerade die Frau, die ein Muslim seiner Tochter zum Vorbild empfiehlt. Die Ehe hielt zwanzig Jahre, bis zu Chadidschas Tod. Die beiden hatten fünf Kinder zusammen, von denen nur die Tochter Fatima überlebte.

In diese Zeit fielen auch Mohammeds erste Offenbarungen, die ihn verstörten und andere an seinem Geisteszustand zweifeln ließen. Chadidscha aber hielt zu ihm, sie glaubte an ihn. Mit ihrem Tod veränderte sich Mohammeds Verhältnis zu den Frauen grundlegend. Er emanzipierte sich von seinen »Müttern«, er war nicht länger Sohn, sondern wurde der Mann, der über die Frauen herrschte. Und diese Wandlung begann mit einem symbolischen Mord.

Mekka war die Handels- und Kulturmetropole der arabischen Halbinsel und beherbergte zahlreiche Kultstätten, wie die von Abraham errichtete Kaaba, und über 300 Götterstatuen, darunter auch die Heiligtümer der drei weiblichen Gottheiten Allat, al-Ozza und Manat, zu denen bereits damals jährliche Pilgerfahrten stattfanden. Die Mekkaner, die Mohammeds »einen Gott« nicht anerkennen wollten, versuchte er zu gewinnen, indem er als Offenbarung verkündete, die drei Schutzgöttinnen seien ins Haus des Islam als »Töchter Allahs« zu übernehmen. Den Mekkanern schien dies zu gefallen, konnten sie so doch weiter auch ihre Götter verehren. Aber Mohammed kamen Zweifel. Der Erzengel Gabriel erschien ihm und erklärte, dieses Vorhaben sei des Teufels: Es gäbe nur einen Gott, und der habe weder Söhne noch Töchter. Mohammed widerrief daraufhin die »satanischen Verse«, die Göttinnen ließ er auslöschen.

Das Symbol für Al-Ozza, bis dahin als »die Machtvolle« verehrt, war ein dreistämmiger Weidenbaum im Tal von Haradh in der Nähe Mekkas, den Mohammed seinem Gefährten Chaled zu fällen befahl. Als der bereits zwei Stämme abgehackt hatte, erschien zornig eine schwarze nackte Frau. Chaled spaltete ihr den Schädel und fällte den dritten Stamm. »Das war Al-Ozza«, berichtete er Mohammed. »Niemals werden die Araber wieder eine andere Machtvolle haben. Ab heute wird man sie nicht mehr verehren!« Die Zerstörung der »Mächtigen« war der symbolische Mord an der übermächtigen Frau. Es war das Ende des Polytheismus und der Monogamie Mohammeds – und der Sieg des Monotheismus und der Polygamie im Islam.

Der Harem des Propheten

Drei Monate nach Chadidschas Tod heiratete der Prophet die dreißigjährige Witwe Sauda bint Zamaq – eine Versorgungsehe, munkelte man. Die nächste Frau war eine Jungfrau, genauer ein Kind, die Tochter seines Freundes Abu Bakr, des späteren ersten Kalifen, und sie hieß Aischa. Sie soll sechs Jahre alt gewesen sein, als Mohammed sie heiratete. Abu Bakr verweigerte seinem Freund zunächst die Tochter, gab dann aber dem Drängen des Propheten nach. Der Mohammed-Biograph at-Tabari, er lebte von 838 bis 923, beschreibt dies in seiner berühmten »Geschichte der Propheten und Könige«: »Nach langem Zögern willigte Abu Bakr ein. Darauf wusch die Mutter das Gesicht des Mädchens, das im Sand spielte und völlig ahnungslos war gegenüber dem Ereignis, das ihr eigenes Leben und die Geschichte des Islam ganz allgemein entscheidend prägen sollte. Dann wurde Aischa ins Haus des Propheten gebracht. Er saß auf einem großen Bett in Erwartung ihrer Ankunft. Er setzte das kleine Mädchen auf sein Knie und vollzog die Ehe mit ihr.«

Das war offensichtlich für den inzwischen 52-jährigen Mohammed ein einschneidendes Erlebnis. Fortan empfahl er, so ein überliefertes Hadith, den Männern: »Heiratet eine Jungfrau! Denn sie ist gebärfähig, hat eine süße Zunge, Lippen. Ihre Unreife verhindert Untreue, und sie ist mit euch in allem einverstanden. Im sexuellen Leben hingebungsvoll, genügsam. Ihre sexuellen Organe unbenutzt, kann (sich) eurem anpassen und mehr Lust bringen.« Aischa wurde die einflussreichste Frau im Harem.

Mohammeds vierte Frau war Hafsa, auch sie Tochter eines engen Gefährten, des späteren zweiten Kalifen. Auf sie gehen viele Hadithe zurück. Zainab Bint Chusaima, Mohammeds fünfte Frau, war schüchtern und die Witwe eines Mannes, der im Kampf für den Propheten gefallen war. Hellen Aufruhr unter seinen Frauen gab es, als Mohammed einen Monat darauf um Umm Salma anhielt, eine schöne Frau aus gutem Hause, die zunächst alle Freier abgewiesen hatte. Als sie schließlich doch dem Propheten nachgab, machte sie sich Aischa und die anderen Frauen zu lebenslangen Feindinnen. Umm Salma schloss sich mit Fatima, Mohammeds Tochter aus erster Ehe, gegen Aischa und Hafsa zusammen. Nach dem Tod des Propheten wurde aus dieser Feindschaft ein blutiger Kampf um die Macht im Islam, der letztlich zur Spaltung der Muslime in Sunniten und Schiiten führte.

Auch mit fünf Frauen war Mohammed nicht zufrieden zu stellen. Er sah Zainab Bint Dschahsh, eine der, wenn man den Schilderungen glauben darf, schönsten Frauen Mekkas. Aber Zainab war eine Cousine und die Frau seines Adoptivsohns Zaid. Die Frau des eigenen Sohnes war tabu. Aischa zettelte einen Aufstand im Harem an und suchte die Öffentlichkeit Medinas, um die Heirat zu ächten. Mohammed ging in Klausur und empfing eine Offenbarung, in der Gott ihm diese Ehe erlaubte. Als er die entsprechende Sure verkündete, soll Aischa gespottet haben: »Ich sehe gut, dass dein Gott dir selbst in Liebesaffären zu Hilfe eilt.« Verwandtenehen im Islam konnten sich fortan auf den Propheten berufen: Wenn selbst dieser seine Schwiegertochter und Cousine zur Frau nehmen durfte, warum sollte dann der Cousin nicht seine Cousine heiraten?

Der Schleier der Musliminnen

Die Heirat mit Zainab hatte noch eine weitere schwerwiegende Folge für das Verhältnis von Männern und Frauen im Islam. In der Hochzeitsnacht mit ihr »kam der Schleier herab«. In der Schilderung von at-Tabari hat sich das Ereignis folgendermaßen zugetragen. Nachdem der Prophet geheiratet hatte, wollte er mit seiner Braut allein sein. Aber eine kleine Gruppe taktloser Gäste wollte nicht gehen. »Sie befanden sich noch immer im Zimmer und diskutierten. Ärgerlich verließ der Prophet den Raum.« Als er in das Brautgemach zurückkam und die Gäste immer noch nicht gegangen waren, zog er einen *Sitr*, Vorhang, zwischen sich und die anderen, »und in diesem Moment kam der Hijab-Vers herab«. Er lautet: »Ihr Gläubigen! Betretet nicht die Häuser des Propheten, ohne dass man euch zu einem Essen Erlaubnis erteilt, und ohne (schon vor der Zeit) zu warten, bis es so weit ist, dass man essen kann! Tretet vielmehr (erst) ein, wenn ihr (herein)gerufen werdet! Und geht wieder eurer Wege (in alle Himmelsrichtungen), wenn ihr gegessen habt, ohne zum Zweck der Unterhaltung auf Geselligkeit aus zu sein (und sitzen zu bleiben)! Damit fallt ihr dem Propheten (immer wieder) lästig. Er schämt sich aber vor euch (und sagt nichts). Doch Gott schämt sich nicht, (euch hiermit) die Wahrheit zu sagen. Und wenn ihr die Gattinnen des Propheten um (irgend)etwas bittet, das ihr benötigt, dann tut das hinter einem Vorhang! Auf diese Weise bleibt euer und ihr Herz eher rein.«

Die Folgen dieses Verses sind nicht zu unterschätzen. Der Hijab wurde zum Schlüsselbegriff der muslimischen Kultur. Der

Hijab trennt die Gesellschaft in ein Innen und ein Außen. Er wurde zur Begründung für den Schleier, mit dem muslimische Frauen sich unsichtbar machen sollen – zum Schutz vor der Zudringlichkeit anderer Männer, sagt man. Für andere Männer wird der private Raum zur verbotenen Zone, zum Harem. Das Haus wird zur Sache der Frau, die Öffentlichkeit bleibt Sache der Männer. Fortan hatten die Frauen draußen nichts mehr zu suchen und wurden vom gesellschaftlichen Leben ausgeschlossen. Wenn sie hinausgingen, hatten sie sich zu verschleiern.

Aus dem relativ harmlosen Vorgang, dass Mohammed sich in seiner Privatsphäre eingeschränkt fühlte und sich mit einem Vorhang schützte, ist die nachdrückliche Bestimmung der Stellung der Frau im Islam, die Trennung der islamischen Gemeinschaft in die Männer- und Frauenwelt geworden. Und daraus erwuchs eine gesellschaftliche Tradition, die bis heute das Leben von Millionen Frauen bestimmt.

Mohammeds Macht in Medina war nicht gesichert, der Kampf mit den Mekkanern und der jüdischen Gemeinde in Medina nicht gewonnen. Er brauchte Verbündete und musste der patriarchalischen Opposition, allen voran dem Kalifen, entgegenkommen – auf Kosten der Frauen. Deren Freiheit wurde eingeschränkt, deren Recht auf Promiskuität abgeschafft, den Männern hingegen wurde Polygamie zugestanden, wenngleich diese an Verpflichtungen gebunden war. Die Sure 4, Vers 3 besagt: »… heiratet, was euch gut ansteht (oder: beliebt), (ein jeder) zwei, drei oder vier. Wenn ihr aber fürchtet, (so viele) nicht gerecht zu (be)handeln, dann (nur) eine, oder was ihr an (Sklavinnen) besitzt.«

Diese Einschränkung entsprang auch einer sozialen Notwendigkeit. Mohammed hatte 625 die Schlacht von Ohod gegen die Mekkaner verloren. Viele seiner Anhänger waren dabei umgekommen und hatten Witwen und Waisen hinterlassen, die versorgt werden mussten, wollte man sie nicht fremder Willkür ausliefern. Die Ehe und damit die Zugehörigkeit zu einer Familie waren die einzige Sicherheit für unmündige Mädchen und allein stehende Frauen.

Mohammed selbst heiratete insgesamt elf Frauen, außerdem hielt er sich Sklavinnen und Konkubinen, die ihm zu Diensten waren. Seinen Frauen wurde der Beiname »Mutter der Gläubigen« zugestanden. Ihnen war es untersagt, sich nach des Propheten Tod wieder zu verheiraten. Auch sollten sie vor sexueller Belästigung geschützt sein. Denn dies war selbst für die Frauen des Propheten ein allgegenwärtiges Problem. Die Männer redeten sich oft damit heraus, sie hätten die Frauen für rechtlose Sklavinnen gehalten, die allzeit verfügbar zu sein hatten. Die Frauen wurden daraufhin aufgefordert, den *Gilbab*, den Schleier, über ihr Gesicht zu ziehen und sich so von den Sklavinnen zu unterscheiden. »Prophet! Sag deinen Gattinnen und Töchtern und den Frauen der Gläubigen, sie sollen (wenn sie austreten) sich etwas von ihrem Gewand (über den Kopf) herunterziehen. So ist am ehesten gewährleistet, dass sie (als ehrbare Frauen) erkannt und daraufhin nicht belästigt werden.«

Sexuelle Belästigung und Gewalt müssen eine ständige Bedrohung für die Frauen gewesen sein, wann immer sie ins Blickfeld der Männer gerieten. Aber statt die Täter zu bestrafen, wurden die Opfer verschleiert. Der Schleier war also nicht, wie heute vielfach fälschlich dargestellt, ein Zeichen des Glaubens, sondern eine Maßnahme zum Schutz der Frauen vor den Zudringlichkeiten der Männer, und zugleich wurde er Instrument der Ab- und Ausgrenzung von Frauen.

Nun trugen auch die Musliminnen den Schleier, der vorher nur den vornehmen und freien Frauen vorbehalten gewesen war, um damit ihren sozialen Stand anzuzeigen und sich Respekt zu verschaffen. Eine Sklavin hingegen machte sich strafbar, wenn sie den Schleier anlegte. Die Frauen des Propheten wurden damit sozial aufgewertet – sie sahen nach außen hin aus wie freie

Frauen und wurden durch den Schleier gleichzeitig als unberührbar stigmatisiert.

Die Sklavin des Mannes

Unter Mohammed wurde die Frau zur Gefangenen des Mannes. Der Prophet selbst hat dies noch kurz vor seinem Tod unmissverständlich zum Ausdruck gebracht: »Was die Frauen betrifft, sie sind Gefangene in eurer Hand ... die ihr durch Gottesvertrag empfangen habt, deren Schoß euch durch Gottes Wort erstattet ist.«

Al-Ghazali (1059–1111), auch Algazel genannt, einer der größten Theologen und Rechtsgelehrten im Islam, hat daraus einen Verhaltenskodex entwickelt, der noch heute gilt. Die Frau ist dazu da, das Haus zu bestellen, das sie möglichst nicht verlassen soll, und muss, »wenn sie ausgeht, sich in abgetragene Kleider hüllen und wenig begangene Wege wählen, die Hauptstraßen und Märkte dagegen vermeiden«. Sie soll keinen eigenen Kontakt mit Männern haben, auch nicht allein mit Freunden des Mannes sprechen. »Auch soll sie bei sich auf peinliche Sauberkeit achten und in jeder Hinsicht stets so beschaffen sein, dass der Mann sie genießen kann, wenn er will ...« Der Mann wiederum darf die Frau strafen, wenn sie Widerworte gibt oder seinen Anweisungen nicht folgt. Wenn Liebesentzug nicht hilft, darf er sie schlagen, aber nicht ins Gesicht.

In ihren Pflichten und Taten vor Gott und den Menschen gelten die Geschlechter als gleich, das wird im Koran ausdrücklich betont. Gleichzeitig aber gibt es eine ganze Reihe von Suren, die keinen Zweifel daran lassen, wie sehr männliche Vorstellungen diese Religion – auf Kosten der Frauen – prägen. Unbestreitbar gibt es auch in der Bibel eine ganze Menge frauenfeindlicher Aussagen. Aber im Gegensatz zum Koran ist die heilige Schrift der Christen nicht das letzte Wort; kaum jemand in Westeuropa käme heute auf die Idee, sie wortwörtlich zu nehmen und sein Leben daran auszurichten. Anders die gläubigen Muslime. Für sie ist der Koran wörtlich zu nehmen, und viele versuchen, ihm nachzuleben. Wie wenig reformfähig sich der Islam zurzeit präsentiert, lässt sich vielleicht am deutlichsten an seiner Haltung zu Frauen zeigen.

Der Mann darf eine widerspenstige Frau züchtigen: »Die Männer sind den Weibern überlegen wegen dessen, was Allah dem einen vor dem anderen gegeben hat ... Die rechtschaffenen Frauen sind gehorsam und sorgsam in der Abwesenheit (ihrer Gatten), wie Allah für sie sorgte. Diejenigen aber, für deren Widerspenstigkeit ihr fürchtet – warnet sie, verbannt sie in die Schlafgemächer und schlaget sie. Und so sie euch gehorchen, so suchet keine Wege wider sie, siehe Allah ist hoch und groß« (Koran, Sure 4, Vers 38).

Nur der Mann kann sich scheiden lassen, die Frau kann sich nur mit seinem Einverständnis von ihm loskaufen (Sure 2, Vers 229). Der Mann hat die freie Wahl, die Frau zu nehmen und wieder zu verstoßen, wie er möchte. Und sie muss ihm jederzeit zur Befriedigung seiner Triebe zur Verfügung stehen. »Du kannst zurücksetzen (die Heirat verweigern), wen du willst, und zu dir rufen, wen du gerade willst, ja selbst die, welche du verstoßen hast, wenn du jetzt Verlangen nach ihr hast; dies soll alles kein Verbrechen für dich sein. Dies hat nur den Zweck, ihre Augen frisch zu halten, dass sie sich nicht betrüben und alle sich zufrieden geben mit dem, was du jeder gewährst« (Sure 33, Vers 52).

Die Ehe ist die Begründung eines legitimen sexuellen Verhältnisses. Die Frau darf sich dem Mann nicht verweigern. »Die Weiber sind euer Acker, geht auf euren Acker, wie und wann ihr wollt, weiht aber Allah zuvor eure Seele (durch Gebet, Almosen oder gutes Werk). Er erwartet natürlich, dass der Boden seines

Ackers gut ist und dieser Früchte hervorbringt« (Sure 2, Vers 224).

Die Frau gehört als Ding in die Verfügungsgewalt des Mannes und ist auch vor Gericht nicht gleichberechtigt. Die Aussage einer Frau hat nur den halben Wert der eines Mannes, und ohne Bestätigung durch einen Mann zählen die Aussagen von Frauen nichts: »… nehmt zwei Männer aus eurer Mitte zu Zeugen. Sind aber zwei Männer nicht zur Stelle, so bestimmt einen Mann und zwei Frauen, die sich eignen, zu Zeugen, aber niemals statt zwei Männern vier Frauen. Ein Mann muss immer dabei sein« (Sure 2, Vers 283).

Auch in Erbangelegenheiten zählt sie nur die Hälfte. »Hinsichtlich eurer Kinder hat Allah Folgendes verordnet: Männliche Erben sollen so viel haben wie zwei weibliche« (Sure 4, Vers 15). Wurde eine Frau Witwe, so erbte sie ein Viertel des Vermögens, die anderen Teile gingen an die nächsten männlichen Verwandten, hatte sie Kinder, nur ein Achtel. Diese – keineswegs vollständige – Auflistung einschlägiger Koranstellen mag zeigen, dass kaum von einem Gleichheitsprinzip von Mann und Frau im Islam gesprochen werden kann.

Aber Mohammed hat in seinen Offenbarungen nicht nur die rechtliche Stellung der Frau definiert, sondern in den Hadithen auch Verhaltensempfehlungen gegeben. Und diese Empfehlungen haben ebenso weitreichende Folgen für die Traditionen der Muslime. So hat Mohammed Männern Tipps gegeben, was sie auf der Brautsuche zu beachten haben: »Man heiratet eine Frau aus vier Gründen: wegen ihres Geldes, ihrer Schönheit, Abstammung und Religiosität.« Und weiter: »Doch achtet darauf, dass sie in erster Linie ein schönes Gesicht und einen schönen Körper hat, denn nur diese Frauen können euch glücklich machen … Ist sie schön, so könnt ihr auch mit ihr glücklich werden. Ist sie aber hässlich, so steht es euch zu, sie abzulehnen.« Wie kommt Mohammed dazu, seinen Gläubigen zu empfehlen, die einen (die Schönen) als wertvoller zu betrachten als die Hässlichen? Hat Allah denn nicht entschieden, die einen hübsch und die anderen weniger anziehend zu machen?

Dieses Schönheitspostulat jedenfalls hat bei den Frauen in der muslimischen Welt einen tief verwurzelten Komplex erzeugt. Man ist nur so viel wert, wie man schön ist. Auf dem Heiratswie auf dem Sklavenmarkt wird ein höherer Preis erzielt, wenn die Ware hübsch ist. Auch der Brautpreis richtet sich nach dem Schönheitsgrad der Frau. Ein schönes Mädchen wird schon früh umworben, ein unansehnliches muss Geld mitbringen, will sie geheiratet werden.

Meine Mutter hat mir oft gesagt: »Dass du studieren kannst, hast du deiner Nase zu verdanken.« Ich entsprach nicht dem Schönheitsideal einer tscherkessischen Frau, meine Nase war zu groß. Ich hatte die Nase meines Vaters geerbt. Deshalb rechnete meine Mutter ohnehin nicht damit, dass Brautwerber oder zukünftige Schwiegermütter ins Haus kommen würden. Wenn dem so gewesen sein sollte, habe ich meiner Nase mein Glück zu verdanken, denn die Heirat, so hat Al-Ghazali die islamische Ehe auf den Punkt gebracht, bedeutet »eine Art Sklaverei und dass die Frau die Sklavin des Mannes ist. Deshalb hat sie ihm unbedingt und unter allen Umständen zu gehorchen in dem, was er von ihr verlangt, vorausgesetzt, dass es nichts Sündhaftes ist.« Solche Auffassungen sind von gestern, werden aber leider heute noch von Muslimen – auch in Deutschland – vertreten und gelebt. Selbst an der umstrittenen Frage der Polygamie kann man das studieren.

Im Islam ist die Mehrehe den Männern vorbehalten, es »entspricht nicht der Natur der Frau«, mehrere Männer zu haben, sagen die streng gläubigen Muslime. Für eine Minderheit der Gelehrten ist die Mehrehe nur als »Notlösung« für wirtschaftlich schlechte Zeiten gedacht, sie wird aber überall in islamischen Ländern praktiziert und zum Teil auch gesetzlich legitimiert. Und auch in Deutschland gibt es diese Vielweiberei. Auch wenn Bigamie hierzulande unter Strafe steht, werden sich wohl kein Ankläger und Richter finden, denn wer sollte sie zur Anzeige bringen? Die betroffenen Frauen? Die sind unter Verschluss. Und für die öffentlichen Institutionen dieser Republik, die mit der Welt der Muslime offiziell zu tun haben, scheint dieses Problem eher unter der Überschrift »kulturelle Eigenheit« abgebucht zu werden. Man kümmert sich nicht darum, solange es sich in der abgeschlossenen Welt der Muslime abspielt.

Ich habe eine Zeit lang in einer vom Arbeitsamt finanzierten Trainingsmaßnahme für Langzeitarbeitslose unterrichtet. Zu den Unterrichtsinhalten dieser Kurse gehörte auch das deutsche Sozialversicherungssystem. Natürlich hatten die Teilnehmer alle möglichen Fragen nach Wohngeld, Möbelzuschuss etc. In einem Kurs meldete sich ein etwa vierzigjähriger, aus Afghanistan stammender Ingenieur, der in Deutschland Asyl bekommen hatte. Er schilderte in gebrochenem Deutsch seine Lage. Seit zehn Jahren sei er arbeitslos und habe vier Kinder mit seiner 25-jährigen Frau. Die Kinder seien zehn, acht, sechs Jahre, das jüngste acht Monate alt. Er habe jetzt in dem vom Sozialamt finanzierten Urlaub in Kabul eine schöne 16-jährige Frau geheiratet. Und dann kam seine Frage: Ob er jetzt auch Anspruch auf eine weitere getrennte Wohnung und Einrichtung habe, er wisse nicht, wohin mit der neuen Frau, die alte Wohnung sei zu klein. Als ich ihn darauf hinwies, dass die Mehrehe in Deutschland verboten sei, begriff er gar nicht, was ich ihm sagte. Oder er wollte es nicht begreifen. Seit diesem Erlebnis hat sich mein Blick auf die verschleierten Frauen auf Wochenmärkten und in Hamburger Parks verändert – ich sehe den Harem. Und dieser Harem ist familienversichert.

In einer Stellungnahme des Bundesfamilienministeriums an den Petitionsausschuss des Deutschen Bundestags heißt es im

Oktober 2004: »Das deutsche Recht steht einer mehrfachen Verheiratung von Personen, deren Heimatrecht die Mehrehe erlaubt, nur entgegen, sofern die neue Heirat in Deutschland erfolgen soll. Im Übrigen sind polygame Ehen anzuerkennen, wenn sie dem Heimatrecht der in Betracht kommenden Personen entsprechen.« Frauen, die nach »ausländischem Recht wirksam in polygamer Ehe verheiratet« seien, hätten somit einen Unterhaltsanspruch gegenüber dem Ehemann. »Es ist daher rechtlich nicht zu beanstanden, wenn diese Frauen beitragsfrei familienversichert sind.« Die Krankenkassen müssen also einen Harem versichern, obwohl Bigamie in Deutschland strafbar ist.

Das Oberverwaltungsgericht Lüneburg hingegen hat dazu im Oktober 2004 eine differenziertere Haltung eingenommen. Einem 1988 eingebürgerten Mann, der zu der Zeit in Niedersachsen mit einer Deutschen und in Pakistan mit einer Pakistani verheiratet war, wurde die deutsche Staatsangehörigkeit aberkannt, weil dem Mann die »Einordnung in die deutschen Lebensverhältnisse« fehle.

Das ist verwirrend. Gibt es denn zweierlei Recht in Deutschland? Kann ein deutscher Mann zum Beispiel in Afghanistan eine Zweitfrau heiraten und dann in Deutschland mit zwei Frauen leben? Oder gilt das nur für Muslime? Aber würde das nicht gegen das Gleichheitsgebot verstoßen? Warum soll einem Muslimen erlaubt sein, was einem Deutschen verboten ist? Dem Familienministerium scheint das kein Problem zu sein. Da wundert man sich nicht, warum ein muslimischer Prediger aus Hamburg-Wilhelmsburg Deutschland für »das islamfreundlichste Land der Welt« hält.

Brautpreis Deutschland

oder

Geschichten von den »Importbräuten«

Wie Frauen mir von ihrer Hochzeitsnacht berichten, eine Schwiegermutter erzählt, wie viel sie für eine Braut bezahlen musste, und mein Sohn und ich nach »Kaza« fuhren, einer Kleinstadt in Niedersachsen, die von den Türken erobert wurde

Als ich das erste Mal von einer gekauften Braut hörte, hielt ich das nur für eine besonders skurrile Geschichte. Eine Freundin meiner Mutter erzählte Beifall heischend, als hätte sie gerade ein besonderes Schnäppchen im Sommerschlussverkauf erstanden, wie sie aus Deutschland in die Türkei gefahren war und zehn Tausend-Mark-Scheine vor dem Vater der künftigen Braut ihres Sohnes hingeblättert hatte. Dafür durfte sie die *Gelin* gleich mitnehmen.

»Gelin«, die, die kommt, so nennt man die Braut, die ins Haus kommt. Import-Gelin heißen die Bräute, die man nach Deutschland holt. Ich wusste zwar, dass man unter Türken nicht aus Liebe heiratet, sondern die Schwiegermutter die Braut aussucht, aber diese Geschichte schien mir dann doch zu absurd, wie ein moderner Sklavenhandel mitten in Deutschland, mit »Importware« aus der Türkei!

Meine Nachfragen, mein Erstaunen und mein Wunsch, mit der Braut über diesen »Kauf« zu sprechen, stießen auf blankes Unverständnis. Die Freundin meiner Mutter begriff gar nicht, warum ich mich überhaupt aufregte, statt mich mit ihr über diesen wunderbaren Fang zu freuen. Meine Neugier war geweckt.

Ich wollte wissen, ob auch andere Bräute Ähnliches erlebt hatten. Ich fragte meine Mutter und Bekannte und recherchierte.

Im Laufe der Zeit traf ich viele Frauen und Bräute, die unter solchen und ähnlichen Umständen von ihren Familien nach Deutschland verkauft worden waren. Sie erzählten mir ihre Geschichte, von ihren Hochzeiten und den Tagen danach, von ihrem Eheleben und von ihrem Verhältnis zu ihren Männern. Viele Frauen wurden offenbar zum ersten Mal in ihrem Leben nach ihrer Sicht des Geschehens, nach ihren Erfahrungen, nach ihrer Meinung gefragt. Es waren fast ausnahmslos verstörende Geschichten, die sie mir erzählten. In ihr Schicksal als Importbraut schienen sie sich alle schnell ergeben zu haben, oft in der trügerischen Hoffnung, ihr Leben in Deutschland könne nur besser werden. Das Muster, nach dem diese Ehen »arrangiert« wurden, war immer ähnlich.

Die typische Importbraut ist meist gerade eben 18 Jahre alt, stammt aus einem Dorf und hat in vier oder sechs Jahren notdürftig lesen und schreiben gelernt. Sie wird von ihren Eltern mit einem ihr unbekannten, vielleicht verwandten Mann türkischer Herkunft aus Deutschland verheiratet. Sie kommt nach der Hochzeit in eine deutsche Stadt, in eine türkische Familie. Sie lebt ausschließlich in der Familie, hat keinen Kontakt zu Menschen außerhalb der türkischen Gemeinde. Sie kennt weder die Stadt noch das Land, in dem sie lebt. Sie spricht kein Deutsch, kennt ihre Rechte nicht, noch weiß sie, an wen sie sich in ihrer Bedrängnis wenden könnte. In den ersten Monaten ist sie total abhängig von der ihr fremden Familie, denn sie hat keine eigenen Aufenthaltsrechte. Sie wird tun müssen, was ihr Mann und ihre Schwiegermutter von ihr verlangen. Wenn sie nicht macht, was man ihr sagt, kann sie von ihrem Ehemann in die Türkei zurückgeschickt werden – das würde ihren sozialen oder realen Tod bedeuten. Sie wird bald ein, zwei, drei Kinder bekommen. Ohne das gilt sie nichts und könnte wieder verstoßen werden.

Damit ist sie auf Jahre an das Haus gebunden. Da sie nichts von der deutschen Gesellschaft weiß und auch keine Gelegenheit hat, etwas zu erfahren, wenn es ihr niemand aus ihrer Familie gestattet, wird sie ihre Kinder so erziehen, wie sie es in der Türkei gesehen hat. Sie wird mit dem Kind türkisch sprechen, es so erziehen, wie sie erzogen wurde, nach islamischer Tradition. Sie wird in Deutschland leben, aber nie angekommen sein.

Kaum jemand spricht mit diesen Frauen, weil diese in der Öffentlichkeit meist auch gar nicht auftauchen. Sie sind in den Familien, in den Häusern versteckt, sie können sich nicht mit Deutschen verständigen, sie haben keinen Kontakt zu Menschen, die ihnen helfen könnten, zu Behörden, Sozialarbeitern oder Beratungsstellen. Sie sind in unserer Gesellschaft unsichtbar. Selbst demokratische und aufgeschlossene türkische Migranten, die sich dieses Problems durchaus bewusst sind, tabuisieren es, weil es ihnen peinlich ist und weil sie eine öffentliche Rufschädigung für »die Türken« befürchten. Die *Umma*, die Gemeinschaft, wird über die Rechte des Einzelnen gestellt.

Am ehesten trifft man diese Frauen in den Moscheen, die in Deutschland immer mehr die Funktion von Gemeindehäusern, von sozialen Treffpunkten annehmen. Hier wird in den angeschlossenen Läden eingekauft, die *helal*, koscher, sind, hier trifft man sich, um zu beten und um den Koran zu lesen und auswendig zu lernen. Den Frauen wird meist bestenfalls ein Hinterzimmer zur Verfügung gestellt, eine soziale Betreuung, wie man sie in christlichen oder öffentlichen Institutionen antreffen kann, findet man hier nicht. Und doch sind es die einzigen Orte, an die die Frauen ohne ihre Männer gehen können. Und die Moscheen sind voll, voll mit Frauen, die dort in den Koranschulen den Koran auswendig lernen. Die deutsche Gesellschaft verliert mehr und mehr den Zugang und den Kontakt zu diesen Migranten.

Ich gehe regelmäßig zu den Frauen in der Moschee. Ich rede mit ihnen und versuche, ihnen bei ihren Problemen zu helfen.

Durch diese Kontakte und Gespräche habe ich ein Bild von ihrer Lage erhalten, das Anlass zu Sorge gibt. Ihre Schicksale spiegeln den stärker werdenden Rückzug auf tradierte Kulturmuster wider. Mit den Deutschen wollen sie in der Regel gar nichts zu tun haben. Sie sprechen deren Sprache nicht, sie verstehen deren Kultur nicht, und die Lebensweise der Deutschen wird gerade von den überzeugt religiösen Musliminnen verachtet. Die offene Gesellschaft scheint für sie keine Alternative zu sein. Sie wenden sich ab und ihren Traditionen zu. Der Islam ist und bleibt ihre Heimat, zuweilen wird er das hier, in der Fremde, eher noch mehr, als es für sie in der Türkei der Fall gewesen ist.

Frauen in den Moscheen

Das Wort Moschee entstammt dem Arabischen *Masdschid* und bezeichnet den »Ort, an dem man sich niederwirft«. Moscheen sind keine Gotteshäuser, sondern Gebetshäuser. Es gibt keine Altäre oder Gottesdarstellungen; jede Moschee ist vielmehr dem Wohnhaus des Propheten nachgebildet: ein leerer Raum mit einem Stein, *Mihrab*, der Richtung Mekka weist, und einer Kanzel, *Minbar*, eigentlich ein Baumstumpf, auf dem der Prophet zu predigen pflegte.

Die Moschee im Hamburger Schanzenviertel ist von außen nicht zu erkennen. Kein Minarett auf dem Dach, kein Schild an der Tür weisen darauf hin, dass sich hier ein *Camii*, ein Gebetshaus, befindet. Den kleinen Eingang neben den großen Türen zu dem türkischen Supermarkt finden nur Eingeweihte. Der Bazar versorgt die immer größer werdende Gemeinde der Türken mit koscheren und normalen Lebensmitteln ausschließlich türkischer Herkunft. Es gibt viele türkische und kurdische Händler in diesem Viertel neben Hamburgs ehemaligem Schlachthof.

»Die Schanze«, wie die Hamburger sagen, ist ein Anfang des

vorigen Jahrhundert entstandenes Arbeiterviertel, nahe der Bahnlinie und nicht weit entfernt vom Hafen. Heute ist es ein Sanierungsgebiet mit hohem Ausländeranteil und letztes Refugium der Rebellen der Stadt. In der »Roten Flora«, früher ein Revuetheater, dann ein Billigkaufhaus, kämpfen die Autonomen mit Plakaten und gelegentlichen Straßenkämpfen immer noch »gegen das System«. In den sanierten Fabriketagen der Hinterhöfe schlafen die Internet-Unternehmer ihren »New Economy«-Kater aus, haben kleine Werbeagenturen oder Filmproduktionen aufgemacht. Und so hat sich hier im Laufe der Jahre ein multikultureller Humus herausgebildet, der Kreative und Intellektuelle ebenso anzieht wie die, die einfach billig leben und einkaufen wollen. Türken und Kurden leben hier, weil sie die Wohnungen bezahlen und ihre eigenen Läden und Moscheen einrichten können. Andere werden von der Exotik der antibürgerlichen Atmosphäre angezogen. Langsam wird aus dem Schmuddelviertel ein Kaffee-Kiez mit portugiesischen und italienischen Espresso-Bars, und aus den kleinen Dönerbuden werden nach und nach richtige Restaurants.

Neben der Moschee befindet sich die Hauptschule, neun von zehn Schülern stammen aus Migrantenfamilien. Die Fußballvereine heißen hier noch St. Pauli, Teutonia und Hammonia. Aber längst kicken für sie fast nur noch Mehmets, Erkans und Volcans. Die Moschee wird von einem Verein der DITIP getragen. DITIP, die »Türkisch-islamische Union der Anstalt für Religion e.V.«, ist die mit Abstand größte türkisch-islamische Organisation in Deutschland. In der DITIP sind Vereine organisiert, die vom türkischen Staat unterstützt werden und deren Hodschas und Imame in der Türkei ausgebildet worden sind. Die andere große Richtung der Muslim-Vereine bildet die islamische Gesellschaft Milli Görüs, die dem fundamentalistischen Islam zuzurechnen ist und deren Geistliche in Saudi-Arabien ausgebildet und von dort finanziert werden.

Der Seiteneingang führt in ein schmales Treppenhaus, frisch in Türkisgrün gestrichen. Hinter einer grauen Stahltür liegt ein großer Raum, der ganz mit einem ornamentverzierten roten Teppich ausgelegt ist – der Gebetsraum für das gemeinschaftliche Gebet, der durch den *Hijab* geteilt ist. Dieser Vorhang trennt Frauen und Männer voneinander. Der *Hijab* der Moschee in Hamburg-Altona besteht aus LKW-Planen und einer Leichtbauwand. Er teilt die muslimische Gesellschaft in die Frauen- und die Männerabteilung, in einen kleineren Teil für die Frauen und einen größeren und helleren für die Männer.

Frauen sind in Moscheen nicht gern gesehen, und die Männer räumen ihnen auch nur zögernd Platz ein. In dieser Gemeinde ist manches anders, hierher kommen viele Frauen, weil es eine weibliche Hodscha gibt, die mit ihnen betet und den Koran liest. Im ersten Stock über dem Gebetsraum gibt es eine Art Gemeindesaal, einen Waschraum, ein Büro, einen Friseur. Der große Raum ist schmucklos, auffällig ist die verspiegelte Wand am Ende des Raums. Der Spiegel gehörte zur Einrichtung, den der Vormieter, ein Kampfsportverein, den Gläubigen hinterlassen hat. Jetzt sitzen hier alte und junge Männer an schlichten Plastiktischen, trinken Tee, spielen Domino oder lassen sich in einer Abseite die Haare schneiden. Direkt an der Treppe hinter einer Stahltür findet sich ein weiterer Raum, groß wie zwei Klassenzimmer und als Unterrichtsraum hergerichtet – die Koranschule und Frauenabteilung. An der Stirnwand zwei rote Fahnen mit dem Halbmond, die Fahne der türkischen Republik. Dazwischen ein bedruckter Teppich mit der Kaaba in Mekka in kreischgrellen Farben. Die Bänke in Reih und Glied zum Frontalunterricht aufgestellt. Der Raum hat keine Außenfenster, ist aber durch eine Leichtbauwand vom Rest der Halle abgetrennt. Durch ein großes Fenster kann man in den angrenzenden Lagerraum sehen. Man blickt auf Hunderte von Särgen, fünffach übereinander gestapelt, jeder einzeln in Folie eingeschweißt. Daneben stehen weiße Kindersärge, Ober- und Unterteile wie Geschirr gestapelt, und davor ein paar Feldbetten, die offensichtlich erst kürzlich benutzt wurden.

Schweigen ist unser Kismet.

Hier treffe ich Zeynep. Es ist der einzige Ort, an dem ich mit ihr sprechen kann. Nebenan in der Männerabteilung wären wir nicht geduldet, und in ein Café außerhalb könnte sie nicht gehen. Wenn sie dort jemand sehen und das ihrem Mann erzählen würde, wäre das eine Katastrophe. Undenkbar für eine türkische Frau.

Zeynep ist 28 Jahre alt, wirkt aber mit ihrem Kopftuch, der groben Strickjacke und dem knöchellangen Rock alterslos und als habe sie etwas zu verbergen. Sie hat große braune Augen und sitzt ganz vorn auf der Stuhlkante, so als müsse sie gleich wieder aufspringen und gehen.

Ich habe Zeynep nach einem Freitagsgebet kennen gelernt, als ich mit meinen Studenten die Moschee besichtigt und mit der Frau Hodscha über die Situation der Frauen gesprochen habe. Sie lud mich ein, doch selbst mit den Frauen zu reden. Als ich eine Woche darauf zu dem verabredeten Termin erschien, saßen in dem kleinen Raum fast hundert erwartungsvolle Frauen, die mit mir, der *Abla*, der »großen Schwester von draußen«, sprechen wollten. Noch nie hatten sie Gelegenheit gehabt, mit einer Frau aus der deutschen Gesellschaft zu sprechen, obwohl einige von ihnen schon seit Jahren in Deutschland leben. Aus diesem Treffen ergaben sich weitere, auf denen ich mit ihnen über ihre Probleme sprach. Es ging um die Welt »da draußen«, ihren Stadtteil, den sie nicht kennen, die Stadt, die ihnen fremd ist. Und um das, was ihnen »drinnen« Sorgen macht – die Erziehung der Kinder, deren Probleme in der Schule, ihre Ehe, Einsamkeit, Depression, einfache und tragische Dinge – und immer wieder um ihre Heirat und ihre Hochzeit. Mit einigen konnte ich allein sprechen. So auch mit Zeynep.

Zeynep spricht nur Türkisch wie die meisten Frauen, die hierher kommen, kaum eine kann mehr als ein paar Brocken Deutsch. Sie gibt sich große Mühe, nicht in den Dialekt ihres Dorfes zu fallen. Von ihrer Kindheit weiß sie nicht viel zu erzählen, nur dass sie sehr gern zur Schule gegangen ist. Als sie 13 war, bekam ihre Mutter noch drei Kinder, da war es mit der Schule vorbei. »Ich habe meine Geschwister großgezogen. Meine Mutter stand sehr früh auf und ging als Erstes in den Stall und dann aufs Feld. Ich war mit meiner jüngeren Schwester allein, und wir mussten den Haushalt besorgen, uns um die drei Kleinen kümmern, sie füttern, windeln, eben alles.« Zeynep wäre lieber weiter zur Schule gegangen, denn die einzigen Menschen, die sie freundlich behandelten, waren ihre Lehrerinnen. Aber wie das so ist in den Dörfern, da wird die Stellung einer Person in der Familie über das Geschlecht und das Alter bestimmt. Ältere Frauen nehmen dabei eine Ehrenstellung ein, sie sagen den Mädchen, was sie zu tun und zu lassen haben. Mädchen stehen ganz unten am Fuß der sozialen Leiter. So auch Zeynep. Ihre *Babaanne*, ihre Großmutter väterlicherseits, ließ nicht zu, dass Zeynep weiter zur Schule ging. Sie sollte arbeiten und sich um die Geschwister kümmern. Zeynep hatte bald nur noch einen Gedanken. Sie wollte weg.

Als sie bei ihrer Tante zu Besuch war, traf sie einen Jungen auf der Straße. Sie gefiel ihm. Es war kein richtiger Flirt, nur so ein langer Blick auf dem Weg zum Bäcker. Ihre Tante bemerkte das und meldete es Zeyneps Eltern. Für die Familie war das ein Zeichen, dass es Zeit wurde, für Zeynep einen Mann zu suchen. Da ergab es sich, dass eine entfernte Verwandte der *Babaanne* ihren eigenen Verwandten, die in Deutschland lebten, aber gerade in der Türkei auf Brautschau waren, von Zeynep berichtete. Zeynep wäre vielleicht ein Mädchen, das als Frau für ihren Sohn infrage käme. Eile war geboten, denn die Familie von Zeyneps späterem Mann hatte nur zwei Wochen, um eine Frau für den Sohn zu finden.

Zeynep spricht von diesen zwölf Jahre zurückliegenden Ereignissen, die ihr Leben verändern sollten, immer noch mit ungläubigem Staunen. Ihre Mutter warnte sie, sie sei mit ihren 16 Jahren noch zu jung für die Ehe, aber die Tochter schlug alle Warnungen in den Wind. Sie wollte unbedingt weg, und als der junge Mann auch noch gut aussah, war ihr alles egal. »Ich traf ihn das erste Mal bei der Schwester meines Vaters. Ich war 16, er 24. Ich habe ihn kaum angesehen, so aufgeregt war ich. Ich habe nicht einmal ›Hallo‹ gesagt. Und vor der Tür wartete die Verwandtschaft. Sie wollten seine Entscheidung.« Da beide schwiegen, war ihr Schicksal besiegelt.

Die Schwiegereltern erzählten von Deutschland, wie schön und leicht das Leben dort sei. Zeynep und ihre Eltern waren beeindruckt, und es wurde deshalb auch nicht, wie eigentlich üblich, ein richtiger Brautpreis vereinbart. Deutschland schien als Brautpreis wertvoll genug. Der Brautpreis, der meist aus Gold- und Silberschmuck sowie aus Geld für die Aussteuer besteht, wird der Braut von den Schwiegereltern übergeben. Er soll die Eltern der Braut finanziell entlasten und der jungen Frau eine gewisse materielle Absicherung garantieren. Der Brautpreis gehört ihr. Je nach sozialer Stellung kann es sich auch schon mal um eine fünfstellige Summe handeln.

Aber die neuen Schwiegereltern wollten eine preiswerte Braut, und so gab es über diese Frage zwischen ihnen und Zeynep die erste Auseinandersetzung. Traditionell ist es so, dass die zukünftigen Schwiegereltern die Braut abholen und ihr die Dinge kaufen, die sie sich aussucht. Zeynep wurden zwei goldene Armreifen, eine Goldkette und ein goldener Ring zugestanden. Als sie noch einen Ring begehrte, wurde der Schwiegervater ungehalten: »Was willst du damit, warte, bis wir in Deutschland sind, da werden wir dich in Einkaufszentren bringen, wo dir Hören und Sehen vergehen!« Aber zumindest den zweiten Ring hat Zeynep trotzdem bekommen. Stolz zeigt sie ihn mir: »Ich trage ihn immer, es ist mein Lieblingsring.« Die Einkaufszentren hingegen, die ihr Schwiegervater ihr versprach, hat sie in all den Jahren nie zu Gesicht bekommen.

Ihren zukünftigen Mann, den sie in dem Gespräch immer nur *Benim adam*, ihren Mann, und nicht beim Vornamen nennt, sah sie noch einmal bei einem Essen und zwei Tage später bei der Verlobungsfeier, die in dem ausgeräumten Stall der Familie stattfand und an die sie sich gern erinnert, weil dort mit einem Kassettenrekorder Musik gemacht und getanzt wurde. Einmal traf sie ihren Mann, bevor er nach Deutschland zurückfuhr, heimlich im Café. Er sprach davon, was er von ihr erwartete. Sie solle vor seiner Familie Respekt haben, immer höflich und zu Diensten sein. Er redete so, sagt sie heute, als suchte er eine Putzfrau für seine Eltern. Kein Wort davon, was sie wollte, was sie sich für das Zusammenleben mit ihm wünschte. Als er abfuhr, träumte sie. Nicht von ihm, sie träumte von Deutschland.

Vorher waren sie noch auf dem Amt gewesen, um die Einreiseerlaubnis zu beantragen, wie Zeynep meinte. Tatsächlich aber unterschrieb sie dort, ohne es zu wissen, die Heiratsurkunde. Das begriff sie erst später. Aber von dem Moment an, da sie der Hochzeit nicht widersprochen hatte, war sie ohnehin verloren, es hätte Schande über die Familie gebracht, wenn sie danach noch nein gesagt hätte.

Während des folgenden Jahres blieb der Kontakt mit ihrem Verlobten spärlich. Sie telefonierten gelegentlich, aber sie hatten sich nichts zu sagen. Während Zeynep Tischtücher, Bettdecken und Servietten für ihre Aussteuer nähte und stickte und sich überlegte, ob sie Töpfe und Pfannen mit nach Deutschland nehmen sollte, verschwendete die Familie in Deutschland offensichtlich keinen Gedanken an »die, die kommt«. Und als die Hochzeit stattfinden sollte, kam es zum Eklat.

Die Schwiegereltern aus Deutschland traten im Haus der Braut als Besitzende auf. Sie wollten die Braut abholen, wie man »ein Schaf aus der Herde« holt. Während Zeyneps Eltern, die Onkel, Tanten und Nachbarn eine große, ehrenvolle Hochzeit vorbereiteten, wollten die Schwiegereltern sie einfach mitnehmen. »Was sind das für Sitten?«, empörte sich Zeyneps Mutter. Die Deutschländer, diese Fremden, hatten keine Ehre. Der Vater brach in Tränen aus, und die Tochter, die ihn hasste, weil er sich nie um sie gekümmert und sie oft geschlagen hatte, nahm diesen fremden Mann, der um sie weinte, in die Arme.

Die Hochzeitsvorbereitungen gingen, wenn auch im Streit, weiter, und Zeynep machte sich mit ihren Freundinnen auf in die Stadt, um ein Brautkleid auszusuchen. Die Schwiegereltern überredeten sie, das billigere und bei weitem nicht so schöne Kleid zu nehmen. Zeynep fügte sich. Sie wollte nach Deutschland, und ihr gut aussehender Bräutigam gefiel ihr. Sie wollte sich ihre Hochzeit nicht verderben lassen.

Als sie am Hochzeitstag, wie es üblich ist, mit ihren Freundinnen und den anderen Frauen zum Friseur ging, um sich frisieren zu lassen, sprach ihr zukünftiger Mann sie auf dem Weg dorthin an, zog sie beiseite und verlangte, sie solle ihm das Gold zurückgeben, das ihr zur Verlobung überreicht worden war. Dies wollten er und seine Eltern ihr auf der Hochzeitsfeier anstecken. Zeynep weigerte sich. Fast hätte er sie geschlagen.

Erst als sie ihm vor der Tür zum Friseur die Kette und die Armringe gab, ließ er von ihr ab. Sie schämte sich, ihren Eltern davon zu erzählen. Seit diesem Vorfall, sagt sie mit Tränen in der Stimme, habe sie gewusst, »dass mein Leben vorbei war«. Die Hochzeitsfeier fand im Hof der Dorfschule statt, denn die Familien konnten sich auf keinen gemeinsamen Ort einigen. Und während der Hochzeitsfeier saßen sich die Clans feindlich gegenüber, die Musik spielte dazu, und irgendwann tanzten sie auch.

Die Hochzeitsnacht begann mit einem Gebet und *Scherbet*, einem süßen Sirup. Zeynep wusste nicht, was in dieser Nacht geschehen würde, niemand hatte sie aufgeklärt. Und immer wenn ihr Mann sich ihr nähern wollte, schrie sie auf. Ihr Mann bemühte sich um sie, aber irgendwann gegen Morgen, als der Muezzin zum Gebet rief, gab er auf. »Ich musste für alle Frühstück machen, Tee kochen und die Familie bedienen. Sie aßen und lachten. Ich dagegen musste auf den Boden schauen. Niemand fragte mich, wie es mir ging, niemand interessierte sich für mich.«

Nach 14 Tagen war der Sommerurlaub der Almanci zu Ende, und sie reisten zurück nach Deutschland, auch der frisch vermählte Ehemann. Die junge Ehefrau blieb mit dem Schwiegervater zurück. Sie wartete noch auf ihre Ausreisepapiere. Als sie endlich ihre Koffer mit all den Dingen packen konnte, die sie sich ein Jahr lang ausgesucht hatte, waren das dem Schwiegervater plötzlich zwei Koffer zu viel. Er schleuderte ihre Sachen durchs Zimmer, und Zeynep durfte nur so viel mitnehmen, wie in eine Tasche passte.

Sie fuhr das erste Mal nach Istanbul, sie hatte Angst und empfand doch auch Vorfreude. Ihr Schwiegervater beschrieb ihr Deutschland als *Cennet*, das Paradies auf Erden. »Ein Traum von Welt. Ich dachte, ich komme in eine Villa, wie im Film.« Die Deutschen, das waren für sie die Türken, die in Deutschland lebten. Dass dort eine andere Sprache gesprochen wurde, daran hätte sie überhaupt nicht gedacht, auch nicht daran, wie kalt es dort ist. Die »Villa« erwies sich als Bruchbude, eine Wohnung im vierten Stock. Die Möbel waren alt, kaputt und zusammengesucht, die Schränke ohne Türen, ein Schuhschrank diente als Fernsehtisch. Ihr Heim im Dorf war dagegen eine intakte, behagliche Welt gewesen.

Zeynep mag davon nicht reden, sie schämt sich und meint: »Wenn Deutsche das hören, werden sie uns auslachen.« Ich frage sie, ob das niemand erfahren soll. Zeynep daraufhin: »Sie haben ja Recht. Unser Schweigen ist unser Kismet. Wenn wir schweigen und alles hinnehmen, wird das Schicksal uns noch bösere Streiche spielen.«

Die Wohnung hatte vier Zimmer, in denen das junge Paar zusammen mit den Schwiegereltern lebte. »Anfangs konnte ich nicht aus dem Haus, ich hatte keinen Mantel. Mein Mann war arbeitslos, und ich wusste nicht, dass er Arbeitslosengeld bekam.« Zeynep sah nie Geld, sie musste den Haushalt besorgen. Die Schwiegermutter arbeitete auf vier Putzstellen und war tagsüber unterwegs, der Schwiegervater schlief den ganzen Tag. Ihren Mann sah Zeynep nur nach Mitternacht, und sie hatte keine Ahnung, was er den Tag über trieb. Sie war allein, und das schien ihrer Schwägerin, einer »Deutschländerin«, eine willkommene Gelegenheit, morgens ihre drei kleinen Kinder wortlos unten vor der Haustür abzustellen und zu verschwinden. Zeynep würde sich schon um sie kümmern. Abends rief sie an, dass die Kinder hinuntergeschickt werden sollten. Die Schwägerin war eine Braut aus Deutschland, nicht wie Zeynep aus der Türkei.

»Ich war erst 16, aber als ich nicht gleich schwanger wurde, brachte meine Schwiegermutter mich zum Arzt, um feststellen zu lassen, ob ich womöglich unfruchtbar sei.« Aber Zeynep wurde schwanger, musste weiter den Haushalt machen, auf die Kinder aufpassen und war allein. Und trotzdem blieb ihre einzige Furcht, dass die Familie unzufrieden sein könnte. Sie bekam ein kleines Mädchen, das den ganzen Stress abbekommen hat und ein schwieriges Kind ist. Später gebar sie noch zwei Jungen. Zeynep sagt, dass sie die Kinder in ihrem Kummer viel geschlagen hat.

Jetzt sitzt sie vor mir und sagt stolz: »Seit ich in die Moschee gehe, ist alles leichter geworden. Und mir geht es viel besser. Seit die Frau Hodscha da ist, trage ich ein Kopftuch. Niemand hat mich dazu gezwungen. Aber beim Koranlesen wollte ich es tragen. Ich habe schon in der Türkei den Koran gelesen, hier frische ich eigentlich nur auf. Aber ich sage noch einmal, niemand hat mich gezwungen, auch nicht mein Mann.«

Ich sehe sie fragend an. Ich habe nicht unterstellt, dass jemand sie gezwungen haben könnte. Aber ihr ist es wichtig, ausdrücklich zu betonen, dass es ein Schritt war, den sie freiwillig getan hat.

»Ich habe hier angefangen zu beten. Fünfmal am Tag. Das ist schwer. Aber seit einem Jahr bete ich täglich, ohne eine Zeit zu verpassen. Ich bin sehr religiös geworden, aber das tut mir gut, seitdem schlage ich die Kinder nicht mehr so viel. Ich versuche jetzt, auf meine Kinder zu hören, mit ihnen zu sprechen.« Die Religion sei ihre Rettung gewesen. »Sie hat meine Seele beruhigt, meinen Kopf gereinigt. Zum ersten Mal empfinde ich mich als Mutter und nicht als Maschine. Und ich habe vom Schicksal anderer gehört, die auch leiden. Wir Frauen hier in der Moschee sind Seelenschwestern geworden. Ich war ein Nervenbündel, schrie über jede Kleinigkeit, regte mich dauernd auf. Inzwischen kann ich mich gut beherrschen. Auch mit meinem Mann komme ich gut klar. Er fängt an, auf mich zu hören. Ich habe ihm nie die Schuld gegeben. Er hatte nichts anderes gelernt, als nur an sich zu denken, er war auch ein Verlorener. Er hat mich nie geschlagen. Die ersten sieben Jahre hat er sich nicht um mich gekümmert, jetzt brauche ich ihn nicht mehr. Heute braucht er mich.« Zeynep hat heimlich angefangen zu arbeiten, die Schwiegereltern sind inzwischen Rentner und neun Monate des Jahres in der Türkei. Heute ist Zeynep auch für sie eine Respektsperson. »Seit ich bete, bin ich eine starke Frau.«

Zeynep gehört zu den Frauen, die jeden Tag zweimal zum Koranlesen in die Moschee kommen. Man nennt das *Hatip in-*

dirmek, einmal den Koran lesen. Das ist wörtlich gemeint. Der Koran wird Sure für Sure, Vers für Vers gelesen. Da der Koran in arabischer Sprache verfasst wurde und in religiösen Zusammenhängen nur auf Arabisch zitiert werden darf, findet das *Hatip* auf Arabisch statt. Die Frauen aber können kein Arabisch, und so wird der Koran von einem Hodscha, in diesem Fall von einer Vorbeterin, gelesen. Die Hodscha spricht eine Zeile vor, und die Frauen sprechen diese Zeile nach. Die Hodscha liest die Verse nicht, sondern sie singt sie – ein Ritual, das fast zwei Stunden andauert und die Zuhörerinnen in eine Art Trance versetzt. Sie hören die heiligen Worte, sprechen sie nach und fühlen sich, auch wenn sie sie nicht verstehen, aufgehoben. Der Koran wird zu ihrem Leben. Auch für Zeynep, die fünfmal am Tag fast eine halbe Stunde betet und zweimal am Tag zwei Stunden den Koran nachspricht, ist der Glaube zum Daseinsinhalt geworden. Er hat sie aus ihrer sozialen Isolation befreit. Aus der Putzfrau der Familie ist eine moralische Autorität geworden. Wer den *Hatip indirmek* geschafft hat – das dauert bei täglicher Teilnahme an den Lesungen etwa zwei Jahre –, bekommt von der Gemeinde das *Hatip tac*, ein Brautdiadem, aufgesetzt. Zeynep ist jetzt eine Braut Allahs, für ihre Leistungen beim *Hatip indirmek* wurde sie gar zur Königin gekrönt.

Als ich Zeynep am Schluss unseres Gespräches frage, ob ihr Mann sie freiwillig geheiratet habe, antwortet sie: »Ich glaube, er wurde überredet, aber jetzt sind wir beide reif geworden. Wenn ich heute geheiratet hätte, wäre alles anders gekommen, ich wäre niemals mit einem wildfremden Mann in ein wildfremdes Land gegangen. Vielleicht ist das der Grund, warum sie kleine Mädchen holen!«

Fadime und das Kopftuch

Fadime ist eine sehr kleine, sehr dünne Frau mit einem wunderschönen Gesicht. Sie hat ihr weißes Kopftuch nach islamischer Art lang bis über die Schultern gebunden und trägt ein bodenlanges beiges Kostüm mit einer übergroßen hellen Jacke. Sie kommt mir schüchtern lächelnd entgegen, den Kopf zur Seite gelegt, mit gesenktem Blick. Ihre Stimme ist leise, sie flüstert fast, und das in einem starken anatolischen Dialekt, sodass ich sie kaum verstehe.

Sie setzt sich, faltet ihre Hände auf ihrem Bauch und wartet darauf, dass ich sie anspreche.

Das Gespräch kommt nur schleppend in Gang, denn Fadime antwortet immer nur in dürren Worten. Meine Fragen scheinen sie zu irritieren. Mich wundert, warum sie sich zum Gespräch gemeldet hat, denn die Warteliste der Frauen, die gern mit mir reden wollen, ist inzwischen lang – als würde es viele drängen, mir ihre Lebensgeschichte zu erzählen. Ich habe Fragebogen an die Frauen verteilt, um einige Daten zu erheben und ihnen irgendwie gerecht zu werden. Und jetzt diese Frau, die nicht spricht und mit gesenktem Blick vor mir sitzt.

Sie ist 33 Jahre alt, verheiratet und hat drei Kinder. Seit ihrem siebten Lebensjahr wuchs sie in der Familie ihres Onkels auf, weil der auch nach neun Jahren Ehe immer noch keine Kinder bekommen hatte. Sie ist nie zur Schule gegangen, kann weder lesen noch schreiben. Im Sommer wurde sie in die Berge geschickt, um Schafe zu hüten, und im Winter hat sie die Tiere im Stall versorgt. Eine Schule, erzählt sie, gab es erst im nächsten Dorf, und dorthin war es zu weit.

Später erfahre ich, dass ihre Pflegeeltern nach Fadimes Ankunft doch noch zwei Söhne und eine Tochter bekommen haben. Die beiden Stiefbrüder sind inzwischen Lehrer geworden –

für sie war der Weg in die Schule offensichtlich nicht zu weit gewesen.

Ein Cousin, der aus Deutschland zum Urlaub in der Heimat war, hat sie gesehen und bei dem Onkel um die Hand angehalten. Fadime wollte nicht heiraten, aber dann ist der Cousin persönlich gekommen und hat sie direkt gefragt. Da hat sie zugestimmt. Zwei Tage später ist sie mit ihm wegen der Papiere aufs Amt gegangen und war verheiratet. Ihr Mann ist dann nach Deutschland zurückgefahren und fünf Monate später zur Hochzeit wiedergekommen. Die Schwiegereltern, Fadimes Onkel und Tante, kamen auch, die kannte Fadime ohnehin schon. Die Feier fand im Hochzeitssaal der Kreisstadt statt, Fadime bekam Geschenke und war drei Tage lang mit ihrem Mann zusammen.

Fadime trägt Kopftuch, seit sie mit sieben Jahren in die Familie ihres Onkels aufgenommen wurde, so wie es alle Frauen in dieser Familie tun, auch die Kinder. Ihr Mann wollte nur eine Frau mit Kopftuch heiraten, obwohl seine beiden Schwestern, die in Deutschland aufgewachsen sind, es nicht tragen. Fadime trägt immer Kopftuch, nur wenn sie außer Haus zum Putzen geht, nimmt sie es ab – weil die Deutschen das nicht mögen, sagt sie.

1993 kam sie nach Deutschland, wo sie und ihr Mann zusammen mit den Schwiegereltern in einer gemeinsamen Wohnung leben. Sie wollte einen Alphabetisierungskurs besuchen, aber ihre Schwiegermutter verbot ihr das. Sie wurde schwanger, und alles schien in Ordnung zu sein, bis es im Leben der Familie zu einem scharfen Bruch kam.

Ein Cousin ihres Mannes sollte in der Türkei für die Familie eine Wohnung kaufen. Aber er unterschlug das ersparte Geld, und die Familienmitglieder beschuldigten sich gegenseitig des Betrugs. Ihr Mann geriet durch diesen Vorfall völlig aus der Bahn, er spielte nur noch Karten und entwickelte eine Leidenschaft für Waffen. Irgendwann geriet er mit einer Waffe in eine

Schlägerei. Jetzt sitzt er wegen Totschlags für vier Jahre im Gefängnis. Er sei ein guter Mann, sagt sie, er habe sie nie geschlagen.

Ihre Schwiegereltern haben sich von ihr abgewandt und fordern, dass sie trotzdem täglich bei ihnen die Hausarbeit verrichtet und alle anderen Arbeiten erledigt, schließlich sei sie über ihren Sohn nach Deutschland gekommen, und die Sozialhilfe, die sie inzwischen erhält, stünde ihr eigentlich gar nicht zu, sondern ihnen.

Fadime ist ganz allein mit ihren Kindern. Als ich sie frage, was sie denn von mir erwarte, sagt sie zögernd: »Die Frauen haben gesagt, Sie könnten mir helfen.« Sie hatte gehofft, ich könne ihren Mann aus dem Gefängnis holen und seine Abschiebung verhindern. Als ich ihr sage, dass das nicht in meiner Macht stünde, fängt sie an zu weinen.

Als der Himmel weinte

Emine will unbedingt mit mir sprechen, sie wartet bereits vor der Tür auf mich. Für sie ist es die erste Gelegenheit, überhaupt mit jemandem zu sprechen. Nach zehn Jahren in Deutschland.

Sie heiratete mit 22, obwohl sie das überhaupt nicht wollte, denn sie war schon in der Türkei eine berufstätige Frau. Sie hatte nicht nur die fünfjährige Grundschule absolviert, sondern auch die dreijährige Mittelschule besucht. Ihr Vater, der einen kleinen Dorfladen hatte, war gegen diesen Schulbesuch gewesen. Er brauchte sie als Arbeitskraft. Sie hatte noch zwei Brüder und drei Schwestern. Die Brüder hatten Vorrang, und die Mädchen mussten im Haushalt helfen. Aber einer ihrer Onkel war Dorfschullehrer, und Emine bettelte so lange, bis er sie in der Schule anmeldete. Sie wollte lernen, und nach der Mittelschule besuchte sie die Gesundheitsfachschule, um Hilfskrankenschwester zu werden. Als Gegenleistung für die Ausbildung musste sie vier Jahre im Osten der Türkei arbeiten.

Ihre Großmutter begleitete sie in der ersten Zeit. Emine lebte dort ganz selbstständig in einer Wohnung mit anderen jungen Frauen, die ihren Dienst als Lehrerinnen leisteten. Als die Dienstverpflichtung beendet war, kehrte sie nach Catalca zurcü, in ihr Heimatdorf an der Schwarzmeerküste, zurück.

Weil Emine schon früh ein Kopftuch trug und täglich *Namaz*, das fünfmalige Gebet, hielt und außerdem hübsch aussah, war sie eine begehrte Partie. Aber sie selbst hatte andere Pläne und lehnte alle Bewerber ab, auch wenn die ihr den Himmel auf Erden versprachen. Bald begann das Gerede im Dorf, weil sie schon 22 und immer noch nicht verheiratet war. Als Krankenschwester musste sie alle behandeln, die mit ihren Wehwehchen oder Krankheiten zu ihr kamen, ihnen Spritzen geben und Verbände anlegen. Wenn es ihr zu viel wurde, sagte man den Eltern: »Eure Tochter fühlt sich wohl als etwas Besseres, seit sie in der Fremde war. Wir sind ihr wohl nicht mehr gut genug.«

Emine wäre so gern in die Stadt gezogen und hätte im Krankenhaus gearbeitet oder studiert, aber das war unmöglich, die »Ehre« der Familie hätte das nicht zugelassen. Und Emine wagte auch nicht zu fragen, sie wusste, ihre Familie würde so viel Selbstständigkeit nicht gestatten. So blieb sie, und es kam, wie es kommen musste. Eines Tages rief die Schwester ihrer Mutter aus Deutschland an und fragte nach ihr. Sie hatte einen Sohn in Emines Alter, den sie verheiraten wollte. Emines Mutter sagte nein, Emine sagte nein, aber ihr Vater lud die Tante »zum Mocca« ein.

Emine kannte den Bewerber flüchtig, seit sie acht war. Er war ein Cousin, in gleichem Alter wie sie. Damals war er im Sommer in ihrem Dorf auf Ferienbesuch gewesen. Sie mochte ihn nicht. Auch ihre Mutter war gegen die Verbindung, sie war stolz auf ihre Tochter, die einen Beruf erlernt hatte. Aber der Vater hörte die verlockenden Erzählungen über Deutschland, was es dort alles gab und wie schön das Leben dort sei. Ein Onkel kam und sagte: »Willst du etwa dein Leben lang arbeiten müssen?« Die Tanten kamen und sagten: »Du kannst doch Deutschland nicht ausschlagen!« So stimmte Emine der Verlobung schließlich zu, und zwei Tage später war sie verheiratet.

Sie kannte ihren Mann kaum, und was sie von ihm kannte, gefiel ihr nicht. Aber sie schwieg, aus Respekt vor ihrem Vater. Er hätte sonst sein Gesicht verloren. Die Familie des Bräutigams reiste gleich danach wieder ab und kam sechs Monate später zur Hochzeit zurück. Als Brautwerber waren sie höflich und zurückhaltend gewesen, als Schwiegereltern traten sie auf, als hätten sie schlechte Ware gekauft und wollten jetzt den Preis drücken. Zwischen Emine und ihrem Mann, den auch sie nie beim Vornamen nennt, kamen keine Gemeinsamkeiten auf. Er stand ganz unter der Fuchtel seiner Mutter und sprach kein Wort mit seiner Frau.

Emine ist eine junge Frau, die etwas vom Leben erwartet. Aber sie geriet an einen stumpfen Mann und eine verbitterte Schwiegermutter. Als diese mit ihrem Mann nach Deutschland ging, musste sie ihre beiden kleinen Töchter bei Verwandten zurücklassen. Das hat sie bitter und böse gemacht. Sie verfolgt Emine mit dem Hass, den sie auf das Leben hat. Und Emine kann sich nicht wehren.

Die Hochzeit war ein Bad der Tränen, das darauf folgende Leben ein Meer der Demütigungen. Die Schwiegermutter verlangte, das Brautlaken zu sehen. »Wer weiß, wo sie sich im Osten herumgetrieben hat.« Sie verbot Emine, ihre Bücher mitzunehmen, und als sie in Hamburg ankamen, war es finster und kalt. Und es regnete. Der Himmel weinte.

Sie wohnte im Schanzenviertel und musste im Frühjahr und Sommer morgens hinaus nach Vierlanden zum Erdbeerpflücken. Zum Deutschlernen blieb keine Zeit, nur ein paar Stunden war sie in einem Kurs. Aber der kostete Geld, und das schien niemand zu haben. Auch als sie schwanger wurde, musste sie zur Arbeit und verlor ihre Zwillinge, weil niemand sie rechtzeitig zum Arzt brachte. Als ihre Fruchtwasserblase platzte, schickte man sie allein ins Krankenhaus. Die Ärzte dort warnten sie, gleich wieder schwanger zu werden, sie müsse sich erst erholen. Aber die Schwiegermutter schalt sie einen Krüppel. Aus Angst, zurück in die Türkei geschickt zu werden, ergab sie sich in ihr Schicksal. Sie schwieg und erduldete, was man ihr antat. Nach der Geburt des nächsten Kindes, das mit einem Kaiserschnitt entbunden werden musste, wurde sie krank. Sie bekam einen Gehirntumor, der operiert werden musste. Die Operation war erfolgreich, aber inzwischen, so sagt sie, spüre sie, dass der Tumor wieder wachse.

Sie hat niemanden, dem sie von diesen traurigen Erfahrungen erzählen könnte. Ihren Eltern nicht, weil die sich Sorgen machen würden, auch ihrer älteren Schwester nicht, die inzwischen ebenfalls in Deutschland mit einem Cousin verheiratet ist. Der kleinen Frau laufen immer wieder Tränen aus den großen schwarzen Augen, während wir dicht beieinander sitzen. Sie hat ihr Kopftuch fest um Kopf und Kinn gebunden. Sie wirkt angestrengt und alt, in ihrem engen langen, braun-beige karierten Rock und dem braunen Pulli, und zugleich fast durchsichtig. Ihre Augen sprechen eine deutliche Sprache. Sie versteht nicht, was mit ihr geschieht.

Ich versuche, sie zu trösten, ermuntere sie, sich etwas Schönes zu gönnen. Auch mir kommen die Tränen, wir greifen mangels Taschentüchern zu blaugrünen Servietten, die auf dem Tisch liegen. Ich frage sie nach ihren Kindern und ob sie mit ihnen auf den Spielplatz gehen würde. Sie verneint und sagt, während sie sich die Tränen abwischt, ihr Sohn habe auch schon gesagt: »Mama, wenn du mit mir spielen würdest, bräuchtest du mich nicht so viel zu schlagen.« Sie weint wieder und sagt: »Ich habe meinen Sohn fast totgeschlagen. Er hat alles abbekommen.«

Ich muss mir auch immer wieder die Tränen abwischen. Als ich sie ansehe, bemerke ich, dass sie grün und blau im Gesicht ist. Die Servietten färben ab, aber ich mag nichts sagen, ebenso wenig wie sie, denn auch mein Gesicht ist von der Serviette gefärbt. Eine komische Situation, zwei weinende Frauen in einem Abstellraum mit Blick auf eine Halle voller Särge, blaugrün im Gesicht und voller Sorgen.

Ich versuche, sie zu überzeugen, dass es besser wäre, über alles zu reden. Jeder sei für sein Glück verantwortlich. Und die Geschwüre kämen vom Schweigen. Aber sie hat Angst, dass sich ihre Brüder und ihre Eltern Sorgen machen könnten. Ihr Mann hat ein Lokal aufgemacht, in dem er Tag und Nacht verbringt. Nie ist er da, über nichts kann sie mit ihm sprechen. Der einzige Ort, an dem sie ein wenig Ruhe findet, ist die Moschee. »Hier kann ich mit anderen reden, auch wenn ich meine Probleme nicht lösen kann.«

Ich möchte ihr entlocken, was sie sich wünscht, ob sie sich vorstellen könnte, in die Türkei zurückzukehren. Solche Fragen sind ihr fremd. Niemand hat sie je danach gefragt, was sie möchte. Und selbst hat sie sich eine solche Frage auch nie gestellt. Sie meint, die Antwort zu kennen. »Ein ganz normales Leben führen, mit meinem Mann und den Kindern. Auch mal etwas unternehmen.« Das ist alles, was sie erwarten würde. Aber die Probleme erdrücken sie. Ihr Sohn, der aufsässig in der Schule ist, ihr Mann, der ein Fremder geblieben ist, eine Schwiegermutter, die ihre Macht über sie ausnutzt, ein Land, das sie nicht kennt. »Ich habe ein Leben lang versucht, anderen alles recht zu machen, und bin daran zu Grunde gegangen. Und es hat nicht einmal etwas genützt.«

Ich mag sie so nicht gehen lassen – mit ihren blaugrünen Flecken im Gesicht. Ich weise sie darauf hin, dass die Serviette gefärbt hat, wir lachen über unser Missgeschick und gehen in den Waschraum, um uns zu waschen. Irgendwie scheint Emine erleichtert, als wir uns verabschieden, mich aber verfolgt dieses Gespräch noch lange.

Besuch bei der Schwiegermutter

Als die Braut mit dem Tablett voller *Cay* und *Börek* ins kleine Wohnzimmer kommt, verschlägt es mir fast den Atem. Es ist, als erschiene die junge türkische Cindy Crawford in der Mansarde. Sie ist 18, hat schulterlange, braune Haare, ein ebenmäßiges Gesicht und die Figur eines Models. Eine Schönheit im T-Shirt. Sie lächelt, als sie mir den Tee unter dem kritischen Blick ihrer Schwiegermutter serviert, wünscht »Afiyet olsun« (wohl bekomm's) und verschwindet mit gesenktem Blick wieder in der Küche.

Als die Schwiegermutter bemerkt, wie mich diese junge Frau beeindruckt, lächelt sie. Sie ist stolz auf ihre »Gelin« und sagt: »Ja, wir haben Glück gehabt. Eine Braut zu kaufen heißt, die Katze im Sack zu kaufen. Erst wenn man die Schleife öffnet, weiß man, ob man Glück oder Pech gehabt hat.« Mir liegt die Frage auf der Zunge, was denn dann die Schwiegermutter für die Braut sei. Auch eine Katze im Sack? Aber ich sage nichts, trinke Tee und lächle.

Die Familie lebt seit über zwanzig Jahren in Deutschland. Die Kinder sind in der Türkei geboren und wohnen alle noch in den drei Zimmern der elterlichen Wohnung. Das junge Brautpaar im Schlafzimmer, dem »Brautzimmer«, die Eltern schlafen im Wohnzimmer auf der Schlafcouch neben dem Couchtisch und dem Fernseher, der jüngere Sohn nächtigt im Flur und die jüngste Tochter in der Küche auf einer Bank. Alles ist sehr beengt.

Die Frau, die mir gegenübersitzt, ist vierzig Jahre alt. Sie trägt ein eng um den Kopf geschlungenes Kopftuch, eine braune Strickweste mit Zopfmuster und einen langen mit Gummizug gebundenen Rock, den sie selbst aus großgeblümtem Stoff genäht hat. Sie ist eine *Kaynana*, eine Schwiegermutter, wie man sie in jedem türkischen Dorf findet. Ich treffe sie allein, die Töchter sind in der Küche und die drei Männer im Caféhaus oder in der Moschee. Dort sind sie immer, denn sie haben zurzeit keine Arbeit. Der jüngste Sohn hat gerade die Schule beendet, der älteste Sohn und der Vater sind arbeitslos. Sie leben von der Sozialhilfe, die nur durch die Arbeit der Mutter als Putzfrau aufgebessert wird. Männer und Frauen führen wie im anatolischen Dorf auch in Deutschland getrennte Leben. Als im Laufe des Gesprächs die Tochter den Kopf durch die Tür steckt und mich begrüßt, sagt die Mutter: »Sag deinem Vater, er soll um acht nach Hause kommen, dann gibt es Essen.« Nachdem sie eine Zeit lang über die Männer im Allgemeinen und über die ihren im Besonderen hergezogen ist, kommen wir zum eigentlichen Anlass meines Besuchs. Ich möchte wissen, wie sie ihren Sohn verheiratet hat und wie sie diese schöne Braut für ihn gefunden hat.

»Eigentlich konnten wir uns eine Braut gar nicht leisten«, sagt sie, »aber der Älteste war schon 22, und bevor er womöglich auf die schiefe Bahn geriet, musste etwas geschehen. Ich bin zur Bank gegangen und habe einen Kredit beantragt. Aber die Bank wollte ihn mir nicht geben, obwohl wir dort schon seit zwanzig Jahren Kunde sind. Schließlich haben sie uns doch zehntausend Mark gegeben.«

Weil sie so wenig Geld hatten, musste alles sehr schnell gehen und der »Einkauf« möglichst in einer Woche abgewickelt sein. »Ich habe meine Schwester in der Türkei angerufen und sie gebeten, allen im Dorf infrage kommenden Familien meinen Besuch anzukündigen. Ich hatte ja genaue Vorstellungen, wie die Gelin sein sollte. Eine schöne Jungfrau mit guten Manieren, Schulbildung und aus einer guten Familie. Aber ich sage Ihnen, das war nicht einfach. Ich flog also in die Türkei und fuhr in die Stadt, aus der wir stammen. Ich fuhr allein, denn es sollte alles schnell gehen. Die ersten fünf Tage war ich jeden Tag bei einer anderen Familie, aber keine der jungen Frauen gefiel mir. Es war zum Verzweifeln. Die Mädchen waren hässlich, dick, jedenfalls nichts für uns. Am vorletzten Tag sagte meine Schwester, sie kenne noch eine Cousine dritten Grades, aber sie fürchte, die Familie sei zu anspruchsvoll. Ich aber wollte mein Glück probieren, steckte mein Geld ein und ging zum Moccatrinken.

Als ich das Mädchen sah, war ich wie vom Blitz getroffen. So etwas Schönes, so etwas Edles hatte ich lange nicht gesehen. Die oder keine! Ich beschloss, dieses Haus nicht ohne diese Braut wieder zu verlassen. Ich erzählte, wie schön es in Deutschland ist, dass sie sich nie ihre Hände schmutzig machen muss, weil alles wie von selbst geht. Die Wohnungen seien groß, und man bekäme sein Geld vom Staat, ohne dafür arbeiten zu müssen. Ich erzählte ihnen, wie schön und klug mein Sohn sei, und pries ihn in den höchsten Tönen. Die Brauteltern ließen sich aber nicht so leicht beeindrucken. Sie hatten schlimme Dinge von Deutschland gehört, dass alle dort Bier trinken und die Frauen halbnackt auf der Straße herumlaufen. Aber das, wandte ich ein, machten doch nur die Deutschen, und sagte dann: ›Mit Erlaubnis Allahs und mit Erlaubnis des Propheten bitten wir um die Hand Ihrer Tochter.‹

Alle schwiegen. Ich nahm meine Handtasche, holte die zehntausend Mark heraus und zählte sie auf den Tisch. Ich sagte: ›Das ist alles, was ich habe. Wenn Sie mir Ihre Tochter geben, können Sie das Geld gleich behalten.‹ Ich schob das Geld zu dem Vater des Mädchens hinüber. Er schwieg lange. Dann sagte er, er habe nur Gutes über meinen Sohn gehört, und es sei eine Ehre, wenn er seine Tochter zur Frau nähme. Er griff nach dem Geld und steckte es in die Hosentasche. Er sagte: ›Wenn Sie meiner Tochter noch eine Goldkette und Armringe schenken, die Aussteuer zahlen und die Hochzeit ausrichten, wenn Gott es also vorgesehen hat, soll es sein.‹ Da musste ich natürlich zustimmen. Was hätte ich machen sollen, ich hatte mich bereits zu weit vorgewagt, jetzt konnte ich nicht mehr zurück. Auch wenn es uns ruinieren würde. Wir haben noch an Ort und Stelle den mündlichen Ehevertrag geschlossen, Zeugen waren ja genug anwesend. Am nächsten Tag bin ich mit den Zeugen zum Standesamt, und wir haben die beiden verheiratet.«

Als ich Zweifel an so einer Hochzeit ohne Bräutigam äußerte, winkte sie ab. »Bei uns kennt jeder jeden. Und wenn ich dem Cousin auf dem Amt sage, mein Sohn heiratet, dann geht das schon. Ich kaufte meiner Schwiegertochter noch schnell einen Goldtaler und einen Ring und verabschiedete mich. Ich musste zurück nach Deutschland und meine Familie informieren und mit den Hochzeitsvorbereitungen beginnen. Als mein Sohn ein Bild seiner Braut sah, war er hingerissen. Wir mussten nun noch mehr Geld auftreiben, denn die Reise war teurer geworden als gedacht, und die Aussteuer und Hochzeit waren gar nicht eingeplant gewesen. Wir haben zuerst die Wohnung renoviert und alles umgestellt. Mein Mann und ich zogen ins Wohnzimmer, unser Schlafzimmer wurde das Brautzimmer. So wie es jetzt ist.

Als ich das Geld für die Goldkette hatte, fuhren wir in die Türkei und feierten Hochzeit im Garten meiner Schwester. Das Brautkleid haben wir geliehen. Die anderen haben sich nicht mehr getraut, etwas zu fordern, denn schließlich hatten wir sie bereits in der Tasche. Von nun an war Schluss mit der Bettelei.«

Sie ruft ihre Schwiegertochter, um Tee nachschenken zu lassen. Während diese die Gläser nachfüllt, sagt sie: »Wir haben es gut getroffen, sie würde nie etwas tun, ohne mich zu fragen. Wir sind ja auch auf engstem Raum zusammen. Die Männer gehen nach draußen, und wir machen den Haushalt. Sie kann sehr gut kochen und ist sehr höflich.«

Als ich sie frage, ob ich auch einmal mit ihrer Schwiegertochter sprechen dürfe, fragt sie mich: »Was wollen Sie denn von ihr?« Ich sage, ich würde gern erfahren, ob ihre Schwiegertochter das auch so sehen würde, denn schließlich seien Deutschland und die Familie für sie ja auch ein »Überraschungspaket« gewesen. Sie schickt die Schwiegertochter hinaus, sagt, es würde kein Tee mehr gebraucht. Ich sehe in ihrem Blick, dass sie plötzlich bedauert, mir ihre Geschichte erzählt zu haben.

Vergesst nicht, ihr gehört ihnen!

Ich habe Asumans Einladung angenommen, sie und ihre Familie an einem Wochenende zu besuchen. Sie hatte von meinen Gesprächen mit anderen Frauen gehört und wollte mir unbedingt auch ihre Geschichte erzählen, die so ganz anders sein sollte als das, was ich bisher gehört hätte. Ich nehme meinen kleinen Sohn mit, der mir maulend folgt und sich erst überzeugen lässt, als ich ihm verspreche, auf der Reise mindestens drei Kapitel aus »Harry Potter« vorzulesen. Wir schaffen auf der Hinfahrt zwei Kapitel.

Asuman holt mich mit ihrem Mercedes-Geländewagen vom Bahnhof der Kleinstadt ab. Sie trägt einen Hosenanzug, halblang geschnittene braune Haare und hat eine Sonnenbrille ins Haar gesteckt – eine attraktive Frau von 32 Jahren. Seit kurzem hat sie einen Führerschein, und ihr Mann erlaubt ihr, mit dem Wagen zu fahren, wenn er nicht arbeitet. Das hat sie unabhängiger gemacht. Ihr Mann ist selbstständiger Unternehmer, er hat in der Großstadt einen erfolgreichen kleinen Reinigungsbetrieb und es damit zu einigem Wohlstand gebracht. Wir halten vor einem großen Haus in einer Einfamilienhaus-Siedlung. Blumenrabatten vor der Tür, ein frisch gemähter Rasen rund um das Haus, und die Schwiegermutter hat auf der Terrasse bereits zum Essen gedeckt.

Asuman hat zwei Kinder, einen neunjährigen Sohn und eine vierjährige Tochter. Die beiden Jungen verständigen sich sofort darauf, Fußball zu spielen, und sind mit einem Ball im Garten verschwunden. Gelegentlich hört man, wie der Ball ans Garagentor donnert, was die Großmutter aber nur zu der Bemerkung veranlasst: »Er hat einen tollen Schuss.« Die Schwiegereltern wohnen in der oberen Etage des großen Hauses. Asumans Mann und ihr Schwiegervater sind in der Moschee, sie wollen sich dort gemeinsam mit anderen ein Spiel der türkischen Liga anschauen. In der Moschee gibt es einen Großfernseher, und die Männer sind ohnehin lieber unter sich.

Ich hole mein Tonband heraus, und Asuman beginnt zu erzählen: »Wir sind Tscherkessen, und unser Dorf in der Nähe von Kayseri in Anatolien ist der schönste Ort, den ich kenne. Durch das Dorf fließen kleine Bäche, und es ist sehr grün mit vielen Bäumen. Wir waren sechs Kinder zu Hause, drei Jungen und drei Mädchen. Ich bin die Jüngste. Alle meine Geschwister sind zur Schule gegangen, haben die mittlere Reife abgeschlossen, meine älteren Brüder haben studiert und sind Lehrer in Ankara geworden. Meine Eltern lebten von der Landwirtschaft, und mein Vater war Miteigentümer einer Molkerei, die Joghurt herstellte.

Als ich elf war, starb meine Mutter, und mein Vater hat uns ganz allein großgezogen. Er war immer für uns da, und ich hatte eine schöne Kindheit. Besonders an die Winter kann ich mich gut erinnern. Dann lag bei uns viel Schnee, und wir trafen uns mit den anderen Familien, an jedem Abend bei einem anderen Nachbarn. Ein Kessel mit glühenden Kohlen wurde in die Mitte gestellt, es wurden Mais oder Kichererbsen geröstet, und wir sangen Tscherkessenlieder und tanzten zur Ziehharmonika. Tagsüber bauten wir ganze Dörfer aus Schnee, mit Schneemännern und Schneefrauen. Im Sommer aßen wir meistens unter einem Baum am Fluss.

Manchmal kam meine Cousine aus Deutschland zu Besuch. Das war immer ein großes Ereignis. Sie kam in einem schicken Auto, brachte uns Geschenke, und wir alle träumten von einem schönen Leben dort.«

»Hat sie etwas über die Deutschen erzählt?«

»Nein, das war nie ein Thema, niemand hat sich für die Deutschen interessiert. Wenn ich es recht überlege, so ist mein Eindruck, dass sich überhaupt kein Türke für die Deutschen interessiert, auch hier nicht.« Asuman lacht laut bei diesem Gedanken. Ich frage sie, ob sich denn damals in ihrer Familie niemand dafür interessiert hätte, was in der Welt geschah.

»Mein Vater las jeden Tag die Zeitung, er war an allem sehr interessiert. Fernseher gab es bei uns nicht. Aber wir hatten viele Bücher zu Hause. Eins gefiel mir besonders. An Autor oder Titel kann ich mich nicht mehr erinnern, aber an die Geschichte: Eine Braut wurde in eine streng muslimische Familie verheiratet, und sie war sehr verzweifelt. Sie wusste nicht, ob sie sich anpassen sollte oder weggehen, zu ihrer Familie konnte sie jedenfalls nicht zurück. Aber anders als die Familie, in der sie jetzt lebte, hatte sie lesen gelernt und war zur Schule gegangen. Also beschloss sie, der Familie jeden Abend etwas vorzulesen. Sie besorgte sich Bücher und las jeden Abend ein Kapitel vor. Die Familie wurde bald süchtig nach diesen Geschichten, und selbst die Nachbarn fanden sich nach und nach zu den Vorleseabenden ein. Und schließlich verliebte sich auch ihr Ehemann in sie. Diese Geschichte gefiel mir: eine Frau, die, ohne ihren Glauben zu verlieren, einen Weg gefunden hat, glücklich zu werden.

Ich durfte, anders als meine Schwester, das Gymnasium besuchen. Es befand sich in der Stadt, und ich musste in der Schulzeit bei meinem Bruder wohnen. Er lebte zusammen mit seiner Frau in einer winzigen Wohnung, es war sehr eng dort. Nach dem Abitur bestand ich die Aufnahmeprüfung an der Universität, aber ich hatte das Gefühl, meinem Bruder und meiner Schwägerin zur Last zu fallen, wenn ich länger bei ihnen wohnen blieb. Als in der Molkerei eine Stelle in der Buchhaltung frei wurde, habe ich die Arbeit übernommen und war fünf Jahre lang Buchhalterin. Das war ein schönes Leben. Ich wohnte mit meiner Schwester bei meinem Vater, verdiente Geld, über das ich selbst verfügen konnte.

Mein Vater brachte uns in dieser Zeit bei, wie wir uns als Ehefrauen zu verhalten hätten. Seid respektvoll eurem Mann gegenüber, sagte er, und folgt seinen Worten. Solange er euch nicht schlägt, solange er nicht trinkt oder das Geld verspielt, kann euch nichts geschehen, und ihr müsst alles mit Liebe und Güte regeln. Keine Arbeit darf euch zu viel sein, die ihr für die Schwiegereltern verrichtet. Nie möchte ich eine Klage von euch hören! Egal wie müde und erschöpft ihr auch seid, zeigt niemals ein bedrücktes Gesicht! Belästigt eure Schwiegereltern nie mit euren Sorgen, denn sonst verliert ihr sie. Vergesst nicht, ihr gehört ihnen, und ihr habt ihnen gegenüber Pflichten.«

Asuman wirft einen Blick zur Terrassentür, um zu prüfen, wo ihre Schwiegermutter sein könnte. Die ist in der Küche, und Asuman redet weiter: »Mein Vater hat mir das alles so oft eingebläut, dass ich immer alles für mich behalten habe. Zeig dein Lächeln, hatte er immer gemahnt. Vergiss das nie!« Jetzt lächelt sie wieder, wenn auch ein wenig bitter. Ich weiß, dass sie unter diesem Gebot so gelitten hat, dass sie herzkrank wurde.

Asumans älteste Schwester war nicht aufgeklärt worden, als sie verheiratet wurde, und hatte sehr darunter gelitten. Das wollte sie ihren jüngeren Schwestern ersparen und schickte deshalb aus Istanbul Bücher über die Anatomie der Frau, über Menstruation und über Geburtenkontrolle. Eine Tante lud Asuman zum Essen ein, um sie aufzuklären. Angst vor der Hochzeitsnacht hätten alle Mädchen, meinte sie zu der Nichte, so würden sie nun mal erzogen. Dabei gäbe es gar keinen Grund, sich zu fürchten. »Oder hast du jemals von einem Mädchen gehört, das nach der Hochzeitsnacht gestorben ist?« In Wahrheit würden doch alle nach dieser Nacht sehr glücklich aussehen. »Also, geh ohne Angst, du wirst sehen, es passiert nichts Schlimmes.« Das klang zwar beruhigend, aber Asuman war es doch unheimlich, nicht so recht zu wissen, was in dieser Nacht passieren würde.

Aber noch war es nicht so weit. Zwar gab es einige Bewerber, aber sie dachte nicht ans Heiraten. Die Männer kamen meist aus streng gläubigen Familien, und so einen wollte sie nicht. Aber eines Tages kam eine Tante, die ihr ankündigte, von den Nachbarn ihres Bruders würden der in Deutschland lebende Sohn und seine Mutter gern zum Mocca vorbeikommen. Sie hatten Asuman in der Stadt gesehen, als sie noch zur Schule ging. Obwohl sie eigentlich nicht heiraten wollte, da sie inzwischen die einzige Tochter war, die noch beim Vater lebte, stimmte Asuman einem Treffen zu, sagte ihrer Tante aber, die Familie sollte sich keine großen Hoffnungen machen.

An dem Tag, als sie kamen, war Asuman gerade mit ihrer Schwägerin bei den Nachbarn. Als sie nach Hause kamen, stand ein großes deutsches Auto vor der Tür. »Ich wollte am liebsten gar nicht erst hineingehen, denn ich wusste nicht, wie man nein sagt. Aber meine Schwägerin beruhigte mich und meinte, eine Begrüßung sei doch schließlich noch kein Ja. Meinen Vater hatten wir ohnehin nicht recht eingeweiht, worum es bei diesem Besuch ging – wir ließen ihn glauben, die Nachbarn meines Bruders seien zu Besuch gekommen.

Als ich meinen Mann das erste Mal sah, war ich so aufgeregt, dass ich am ganzen Körper zitterte. Meine Schwägerin musste mich festhalten. Er kam mir so ungeheuer groß und mächtig vor. Ich konnte mir nicht vorstellen, so jemanden zu heiraten.

Irgendwie kam es, dass er und ich auf einmal allein in der Küche waren, und er war plötzlich viel aufgeregter als ich. Er tat mir Leid. Wir waren zwar mindestens fünf Minuten allein, sprachen aber in dieser Zeit kein Wort miteinander. Später beim Picknick, das wir für die Gäste vorbereitet hatten, sagte er mir, dass er mich gern wiedersehen würde. Ich sagte kein Wort. Aber ich wusste schon, ich würde ihm folgen.

Zwei Tage später fuhr ich in die Stadt. Da konnte ich ihn noch einmal sehen, und weil ich gekommen war, wusste er, dass ich Ja gesagt hatte. Er erzählte, dass seine Mutter ihm bereits mehrere Mädchen gezeigt habe. Aber erst bei mir sei er sich ganz sicher. Mich wollte er. Trotzdem hielt er noch nicht bei meinem Vater um meine Hand an. Er sagte: Lass uns telefonieren und uns etwas Zeit nehmen. Damit war ich einverstanden.«

Als in der Verwandtschaft bekannt wurde, wen Asuman heiraten würde, wurden ihr Geschichten über ihren zukünftigen Mann erzählt, böse Geschichten. Eine von ihm verschmähte Familie erzählte herum, er habe eine deutsche Freundin, ein uneheliches Kind, er treibe sich herum. Sie rief ihn in Deutschland an und stellte ihn zur Rede. Er gab zu, eine Freundin gehabt zu haben. Aber das sei vorbei; jetzt wolle er nur noch Asuman. Dann ging alles sehr schnell, innerhalb von vier Wochen waren die beiden verheiratet. Asuman bekam Gold und schöne Kleider. Sie war glücklich.

Auch die Hochzeitsnacht verlief unerwartet schön. »In dieser Nacht«, so erzählt sie, »habe ich mich richtig in meinen Mann verliebt, und bis heute bin ich ihm dankbar, wie höflich und liebevoll er zu mir war. Er hat mir Respekt erwiesen und damit mein Herz erobert. Und ich habe seit dieser Nacht großen Respekt vor ihm.«

Nach einer Woche musste er zurück nach Deutschland, ein Jahr lang blieb Asuman mit der Schwiegermutter allein zurück. Das war eine schwierige Zeit. Als ihr Mann wiederkam, um sie zu holen, war er ihr fremd. Nie waren sie allein, immer war die Schwiegermutter dabei. Aber schließlich fuhren sie zusammen nach Deutschland – ohne Schwiegermutter. Es war eine unendlich lange Strecke, von Zentralanatolien nach Norddeutschland. Als sie endlich in Deutschland ankamen, war es dunkel, und es regnete. Es hörte gar nicht auf zu regnen. Die Sonne schien es in diesem Land nicht zu geben. Als Erstes kauften sie zusammen einen Regenschirm. »Mein Mann meinte, in Deutschland müsse man unbedingt einen Regenschirm besitzen. Und Schwarzbrot essen. Das kannte ich nicht und mochte es auch nicht.«

Asumans Gemüt begann sich erst wieder aufzuhellen, als sie die Wohnung sah, die ihr Mann für die ganze Familie, auch Asumans Schwiegereltern, gemietet hatte, eine schöne Wohnung. Bald lernte sie andere türkische Familien kennen, in denen es ebenfalls »Importbräute« gab, mit denen Asuman sich schnell anfreundete. Alle wohnten bei ihren Schwiegereltern, sie hatten gemeinsame Erfahrungen, über die sie reden konnten. Zum Glück sperrte ihr Mann sie nicht ein, und am Wochenende gingen sie oft gemeinsam spazieren, Eis essen oder Kaffee trinken.

Aber Asuman hatte anfangs große Mühe, sich an die Dunkelheit und die Kälte in Deutschland zu gewöhnen. Ihr Mann brach schon morgens um sechs Uhr zur Arbeit auf. Sie selbst sprach kein Deutsch und verstand nichts. In der Nachbarschaft kennt sie niemanden. Einmal hat ihr Mann sie seinen Arbeitskollegen vorgestellt, später hatte sie durch ihren Sohn manchmal Kontakt zu einer deutschen Mutter. Wenn sie etwas braucht, geht sie schräg über die Straße zu den polnischen Nachbarn. Die sind sehr liebenswürdig. Aber sonst kennt sie niemanden, obwohl sie seit elf Jahren in Deutschland lebt. Inzwischen spricht sie zumindest so gut Deutsch, dass alle sie verstehen – aber immer noch, das weiß sie, nicht gut genug, um wirklich Zugang zu dem Land zu haben, in dem sie jetzt lebt.

Asuman bezeichnet sich selbst als »streng gläubig«, auch wenn sie kein Kopftuch trägt. Sie fastet an Ramadan, sie gibt Almosen, nur das fünfmalige tägliche Gebet, das könne sie nicht einhalten. Aber sie versucht, gut zu anderen zu sein, zu helfen, wo sie kann. »Das schulde ich den Menschen.«

Ihr Sohn ist jetzt neun Jahre alt, er kann beten und den Koran lesen. Aber ob er betet, überlässt sie ihm selbst. Er geht in die Moschee, zu einem Hodscha. Ihre Kinder, so Asuman, sollen eine gute Zukunft haben. Dafür fühlt sie sich verantwortlich. Sie sollen in Deutschland zur Schule gehen, eine gute Erziehung erhalten und eines Tages sicher auf ihren eigenen Beinen stehen. Aber niemals sollen ihre Kinder vergessen, woher sie kommen. Es gefällt ihr nicht, wie manche türkische Kinder zwischen den Stühlen der zwei Kulturen sitzen. Es gefällt ihr auch nicht, wie die Deutschen ihre Kinder erziehen. Ihr Sohn soll wissen, wie man sich gegenüber den Älteren benimmt. Aber was er beruflich einmal werden will, darin würde sie sich nie einmischen, sagt sie.

Inzwischen hat die Schwiegermutter für uns gekocht. Sofort steht Asuman auf und hilft ihr, den Tisch zu decken. Es gibt *Tscherkess tavugu*, gekochtes Huhn mit Knoblauchsoße und Weizenpolenta, und gemischten Salat. Die beiden Fußballer sind nur schwer an den Tisch zu bekommen, und die kleine vierjährige Tochter weicht nicht von meinem Schoß. Für sie bin ich die »Tante draußen«. Sie fragt mich, ob ich mit ihr auf die Straße gehen würde, denn dort darf sie sonst nicht hin. Auch die Mutter und die Schwiegermutter verlassen das Haus nur, wenn sie eine andere türkische Familie besuchen oder gelegentlich zum Einkaufen fahren. Normalerweise erledigt der Schwiegervater die Einkäufe und fährt den Sohn zur Schule.

Die Schwiegermutter ist etwa sechzig Jahre alt und sehr stolz auf das Erreichte: »Haben wir hier nicht einen Palast?«, fragt sie mich. »Das hat alles mein Sohn erarbeitet. Und schauen Sie sich meine Schwiegertochter an, haben wir nicht Glück gehabt?« Asuman schweigt und lächelt. »Im Grunde«, fährt die Schwiegermutter fort, »haben wir alles erreicht, was mein Mann und ich in unserem Leben erreichen wollten. Wir bekommen nur eine geringe Rente, brauchen aber bei meinem Sohn keine Miete zu zahlen und kommen gut zurecht. Leider sind meine beiden anderen Kinder nicht hier. Wir haben sie in die Türkei verheiratet.«

Später hörte ich die Geschichte der Kinder. Die älteste Tochter wurde nicht zur Schule geschickt, weil sie auf den jüngeren Bruder aufpassen musste. Als der sechs war, schickte man ihn zur Großmutter nach Anatolien in die Schule. Dort lebte er in einem unbeheizbaren Lehmhaus von vielleicht zwanzig Quadratmetern zehn Jahre lang mit der alten Frau unter einfachsten Bedingungen. Als er 16 war, wurde er nach Deutschland zurückgeholt, rechtlich die letzte Möglichkeit. Die Schwester blieb in Deutschland, weil ihre Mutter ein weiteres Kind bekam, auf das die ältere Tochter aufpassen sollte. Sie hat nie eine Schule besucht, obwohl sie in Deutschland gemeldet war und die Eltern Kindergeld bekamen. Bis zu ihrem 17. Lebensjahr blieb sie zu Hause und versorgte den kleinen Bruder und den Haushalt, während ihre Eltern arbeiten gingen. Dann wurde sie eines Tages von ihrer türkischen Cousine zu einem heimlichen Disko-Besuch überredet. Das Unglück wollte es, dass sie in der Disko von einem türkischen Landsmann gesehen wurde, wie sie gegen das ungeschriebene Gesetz verstoßen hatte, dass eine Jungfrau nie mit einem Mann außerhalb des Hauses sprechen darf. Der Besuch der Disko war der Verlust der Ehre ihrer Familie. »Wenn eine Frau gesehen wird, wie sie mit einem Mann spricht«, schreibt Fatima Mernissi, »dann darf jeder sie verprügeln«, denn sie hat gegen die Gesetze der Gemeinschaft verstoßen. Der Landsmann verprügelte sie nicht, sondern ging am nächsten Tag zum Vater des Mädchens und meldete den Disko-Besuch. Die Folgen waren fatal. Das Mädchen wurde zur Großmutter nach Anatolien geschickt und binnen Jahresfrist verheiratet. Ihren kleinen Bruder musste sie mitnehmen, da sie für die Versorgung zuständig blieb.

Ich gebe dem Drängen von Asumans kleiner Tochter nach und gehe mit ihr spazieren. Sie ist glücklich, als sie auf dem nahen Spielplatz schaukeln kann, und doch ängstlich, wenn ich mich mehr als ein paar Schritte von ihr entferne. Als ich Asuman frage, warum das Kind auf der Straße so viel Angst hat, gesteht sie mir ihren »Trick«: »Ich möchte, dass die Kleine im Haus bleibt, deshalb erzähle ich ihr, auf der Straße sind böse Männer mit einer Spritze, die kleine Kinder töten.«

Wir brauchen die Deutschen nicht

Am nächsten Tag fahre ich mit Asuman zu ihrer Freundin zum Kindergeburtstag. Dort sind 14 Frauen, alle bis auf zwei tragen Kopftuch und lange Mäntel. Jede von ihnen hat zwei bis vier Kinder, die in Haus und Garten einen Heidenlärm veranstalten. Einige ganz junge Frauen tragen ihre Babys auf dem Arm oder schieben Kinderwagen durch den Garten. Im Erdgeschoss des Einfamilienhauses wohnt Shaziye, die uns eingeladen hat. Ihr ältester Sohn feiert seinen zehnten Geburtstag.

Geburtstag wird bei den Türken eigentlich nicht gefeiert. Und Kindergeburtstag schon gar nicht. Diese Art von »Individualismus« kennen meine Landsleute nicht. Aber die Frauen treffen sich gern jedes Wochenende.

Im Haus wohnen noch Shaziyes zwei Schwägerinnen mit ihren Männern und Kindern und ihre Schwiegereltern mit der jüngsten, noch nicht verheirateten Tochter. Im Anbau lebt der älteste Schwager mit Frau und zwei Kindern. Insgesamt beherbergt das relativ große Einfamilienhaus von etwa 200 Quadratmetern zwanzig Personen. Die Männer sind wie üblich nicht zu Hause, wenn Frauen zu Besuch sind, sie sind mit den älteren Söhnen zum Fußballplatz gefahren.

Die Frauen, die um den großen weißen Gartentisch herumsitzen, sind ausschließlich Frauen von Männern aus der zweiten und dritten Migranten-Generation. Fast alle sind »Import-Gelin« im Alter zwischen 18 und 35 Jahren. Sie verbindet ein ähnliches Schicksal, und sie helfen sich gegenseitig, in der neuen Umgebung anzukommen. Die älteren Frauen, die Schwiegermütter, sind heute nicht dabei. Sie treffen sich bei einer anderen Frau, um unter sich zu sein.

Asuman stellt mich den Frauen vor, und ich erzähle beim Tee von meiner Arbeit. Alle sind interessiert und sehr aufgeschlossen und wollen gern einmal ausführlich mit mir sprechen. Später allerdings, nachdem sie mit ihren Männern und Schwiegermüttern gesprochen haben, machen die meisten einen Rückzieher. Die wenigsten Familien gestatten ihren Töchtern, Auskunft zu geben. Nur Shaziye ist sofort bereit und erklärt, sie müsse niemanden fragen. Bei *Börek* und Tee kommt das Gespräch bald auf das Verhältnis zu Deutschland und den Deutschen.

Ich frage herum, wer einen Deutschen oder eine Deutsche kennt. Die Frauen lächeln verlegen. Auf der Straße und beim Einkaufen, als Eltern von Schulkameraden ihrer Kinder würden sie ihnen natürlich begegnen und dabei würde auch das eine oder andere Wort miteinander gewechselt, aber kennen? Oder gar zum Essen einladen? Die Frauen lachen, so absurd finden sie meine Frage. Nein, mit Deutschen hätten sie nichts zu tun. Sie würden in ihren Familien leben, in ihrer Gemeinschaft. Die Deutschen interessierten sie nicht.

Ich bitte Shaziye, die neben mir sitzt und eine Art Wortführerin der Kopftuchfrauen ist, mir ein paar Fragen zu beantworten. Sie ist einverstanden und schlägt vor, ins Haus zu gehen, dort seien wir ungestört.

Shaziye ist etwa dreißig Jahre alt, leicht füllig und mit einem runden Gesicht, ihre Haare gänzlich unter einem eng gebundenen braunen Kopftuch verborgen. Sie trägt einen weiten geblümten Rock, eine helle Bluse und darüber eine gehäkelte Weste.

Auch sie frage ich nach ihrer Kindheit und Jugend und nach ihrer Hochzeit, so wie ich schon viele Frauen befragt habe. Sie erzählt gern und viel. Im Kern ist es immer wieder die gleiche Geschichte, die ich zu hören bekomme. Ein Mädchen vom Dorf, das im Alter von 17 mit einem Verwandten verheiratet wurde, der in Deutschland lebte. Auch Shaziye wurde mit dem Versprechen auf ein sorgenfreies Leben in Deutschland gelockt. Auch bei ihr war der Brautpreis Deutschland, allerdings kaufte ihr zukünftiger Mann ihr – zum Ärger der Schwiegermutter – ein Brautkleid. Alles lief wunschgemäß, nur die Hochzeitsnacht regt sie noch heute auf. Niemand hatte sie vorbereitet. Sie war allerdings dankbar, dass ihr Mann sich weigerte, das blutige Laken abzugeben. Er wollte allein sein mit seiner Frau, was seine Schwester nur schwer akzeptieren konnte. Ständig platzte sie ins Zimmer, um die beiden Brautleute zu fragen, ob sie noch etwas bräuchten.

»Ich hatte keine Vorstellung davon, was in dieser Nacht passieren würde«, erzählt Shaziye, »deshalb legte ich mich einfach ins Bett und wartete ab. Aber wir wussten beide nicht, was wir tun sollten. Erst in der dritten Nacht passierte etwas, ich blutete stark, die Blutungen wollten überhaupt nicht aufhören. Danach fuhren wir nach Ankara, um das Visum zu beantragen. Im Hotel waren wir endlich einmal allein und versuchten es wieder. Aber erfolglos. Mein Mann besorgte sich daraufhin ein Heft und studierte es, dann ging es.«

Die jungen Frauen und Männer stehen beim »ersten Mal« total unter Stress. Sie muss beweisen, dass sie noch Jungfrau ist und kein Verlangen nach Sex hat, denn das wäre unschicklich. Er muss seine Männlichkeit unter Beweis stellen. Und vor der Zimmertür wartet die Verwandtschaft auf das blutige Laken. Kein Wunder, dass sich die jungen Menschen verkrampfen, sich aus Unwissenheit gegenseitig verletzen und die Bräute in der Hochzeitsnacht und während der Tage danach heftiger bluten, als es medizinisch plausibel ist.

Obwohl Shaziye und ihr Mann die Hochzeitsnacht nach mehreren Anläufen »erfolgreich« absolviert hatten, wurde Shaziye nicht schwanger. In der Familie kam Panik auf, und die Schwiegermutter fragte: »Haben wir etwas Falsches gekauft?« Zum Glück klappte es schließlich doch, die Tochter wurde dann schon in Deutschland geboren.

Ich frage Shaziye nach ihrem Bild von den Deutschen. Viel weiß sie dazu nicht zu sagen. Sie spricht kein Deutsch. Eigentlich, so sagt sie mir, wisse sie von den Deutschen nur, dass sie »auch Menschen sind und einen anderen Glauben haben«. Außerdem seien sie so furchtbar pünktlich und entschlossen – wenn sie einmal Nein gesagt hätten, dann könne man nichts mehr machen. Ihre deutsche Nachbarin, die manchmal vorbeikäme, zum Beispiel, erwarte, dass man sich bei ihr anmeldete, wenn man sie besuchen wolle, und wenn sie keine Zeit hätte, würde sie das der Besucherin doch glatt ins Gesicht sagen. Das sei doch schrecklich! »Für uns ist ein Gast ein Gast, und selbst wenn ich keine Zeit habe, lasse ich alles stehen und liegen.«

Schon als ich das Haus betrat, hatte mich irgendetwas an der Einrichtung irritiert. Die Möbel sind dunkel, zwei Polstersessel, eine Couch, ein flacher gekachelter Tisch, ein Fernseher und auf den Fensterbänken grüne blütenlose Zimmerpflanzen und eine langhalsige Messing-Gießkanne. Das ist ungewöhnlich in einem türkischen Haushalt. Man hält eigentlich keine Blumen in der Wohnung. Die Einrichtung entspricht eher der kleinbürgerlichen deutschen Mode der sechziger Jahre, dekoriert mit einem grellen Teppich mit einem Bild der Kaaba in Mekka über dem Sofa und zwei gerahmten Kalligraphien mit dem Glaubensbekenntnis und einer Sure. Saziye registriert meine Blicke und sagt: »Die Möbel und die Blumen waren schon im Haus, als wir hier eingezogen sind.«

Außer mit der Nachbarin hat Shaziye noch nie mit Deutschen gesprochen. »Wir Importbräute kommen alle aus der Türkei und verstehen kein Deutsch. Wir reden nur Türkisch.« Deutschland und seine Menschen, sagt sie, hätten sie nie interessiert. Als sie geheiratet hatte, war es für sie so, als zöge sie in der Türkei um. Sie ging nicht nach Deutschland, sondern in eine fremde Familie, in eine türkische Familie. In ihrem Dorf hatte es keinen Fernseher, keine Bücher, keine Bilder gegeben. Ihre Vorstellungen von Deutschland hatten sich an Istanbul orientiert, mehr kannte sie nicht. Als sie dann die Eltern ihres Mannes traf, sahen die so aus, wie es ihr vertraut war, sehr ländlich-dörflich, sehr einfach angezogen. So musste auch Deutschland sein, dachte sie. Sie wusste, dass auch ihr Leben in Deutschland sehr bescheiden sein würde.

»Meine Zukunft war die Familie, in die ich kam. Mit Deutschland hatte das gar nichts zu tun, das war eine Sache unter uns Türken. Meine Schwiegereltern lebten hier schon lange. Und wenn eine Familie eine Braut nach Deutschland holt, dann kommen alle Familien zusammen, um sie zu beglückwünschen, und bringen ein Hochzeitsgeschenk mit. Und damit ist man sofort in der türkischen Gemeinschaft, weil man gleich einen Gegenbesuch macht. Dann kommen die anderen Bräute zu dir, und du darfst sie wieder mit deiner Schwiegermutter besuchen. So habe ich die anderen Bräute kennen gelernt, und jetzt halten wir alle zusammen und unternehmen am Wochenende etwas gemeinsam. Die Männer haben meist anderes zu tun. Mein Mann ist viel unterwegs, er trifft sich mit seinen Kollegen, geht essen oder spielt Fußball. Vor vier Jahren waren wir einmal in der Großstadt im Kino. Dort gab es einen türkischen Film, der hieß ›Verrücktes Herz‹. Es wäre schön, wenn ich mal mit meinem Mann und meinen Kindern allein sein könnte. Aber die Familie meines Mannes ist so groß, da ist immer jemand da.«

Shaziye ist eine streng gläubige Muslimin, die alle religiösen Pflichten einhält. »Mein Leben ist ohnehin langweilig, es spielt sich im Haus ab, mit meiner Religion kann ich es sinnvoll füllen.

So tue ich etwas für das Jenseits. Ich habe großen Respekt vor den Pflichten, die Allah uns auferlegt hat. Sie zu beachten, dafür ist der Mensch auf die Welt gekommen. Das ist so wie Schulden haben. Wenn ich bei Ihnen Schulden hätte, müsste ich die ja auch zurückzahlen. Für das Leben, das er uns geschenkt hat, schulden wir ihm die Einhaltung der uns auferlegten Pflichten. Ich zahle jeden Tag zurück. Ich unterwerfe mich ihm und mache das von Herzen gern. So lebe ich sündenfrei. Je weniger ich mich draußen bewege und mich von äußeren Dingen ablenken lasse, desto näher bin ich Gott und dem Bösen fern.

Das schafft auch Vertrauen bei anderen. Wir haben gerade eine neue türkische Familie kennen gelernt, die neu in Deutschland ist. Die Frau hat ganz offen mit mir gesprochen. Es ist eine positive Energie, die wir als Familie ausstrahlen. Ich mag nicht über andere oder leeres Zeug reden, dann bete ich lieber, und das gebe ich an meine Landsleute weiter.

Die meisten Frauen wollen über Mode oder über das Einkaufen reden. Das ist überhaupt nicht mein Ding. Selbst wenn ich wollte, könnte ich der Mode nicht folgen. Mode ist doch nicht Bauch zeigen. Wenn ich nach draußen gehe, binde ich mein Kopftuch besonders schön. Als ich nach Deutschland kam, hat hier niemand das Kopftuch getragen, ich glaube, ich war die erste Kopftuchbraut in dieser Stadt. Dann haben andere es mir nachgetan. Ich habe mich nicht verstellt, ich habe mich so gezeigt, wie ich bin. Wer mich mag und will, der muss mich so und nicht anders akzeptieren. An meinem Glauben ändert sich nichts, nur weil ich in Deutschland lebe. Und ich ziehe auch den langen Mantel an, ich bin ›verschlossen‹.«

Als sie noch in der Türkei lebte, habe sie nicht immer Kopftuch getragen. In der Schule und in der Öffentlichkeit war es nicht erlaubt. Aber nach der Schule im Dorf, hat Shaziye es, wie alle anderen Mädchen, angelegt.

Ihren Kindern bringt sie bei, dass andere Menschen an alles

Mögliche glauben. So verschieden wie Tische und Stühle können auch Glaubensbekenntnisse sein. »Von uns aber verlangt die Natur, dass wir an Allah glauben. Seit zwei Jahren haben wir hier einen Hodscha. Und am Wochenende gehen meine Kinder zur Koranschule. Sie tun das wohl nicht gerne, aber es ist nun mal ihre Pflicht.«

Als ich wissen will, was sie davon hält, dass deutsche Mädchen ausgehen dürfen, einen Freund haben, manchmal schon Alkohol trinken oder Sex haben, blickt sie mich ungläubig an: »Wirklich? Nein, das ist doch nicht möglich, das glaube ich nicht. (lange Pause) Ich weiß gar nicht, was ich dazu sagen soll. Mir ist aufgefallen, dass die deutschen Eltern ihre Kinder wie Prinzen und Prinzessinnen aufziehen. Und mit 18 werfen sie sie hinaus, auf die Straße, und das Kind macht, was es will. Deshalb nehmen die auch Drogen und werden Prostituierte. Erst lassen sie alle frei und nackt herumlaufen, und hinterher wundern sie sich. Nein, damit möchten wir nichts zu tun haben. Davor schützen wir unsere Kinder.«

»Wie halten Sie es denn eigentlich aus, hier zu leben? Sie haben nichts mit diesem Land zu tun, verabscheuen seine Kultur und wie die Menschen hier leben.«

»Wir können doch auch hier leben, ohne mit den anderen etwas zu tun zu haben. Wir haben unsere eigenen Vorstellungen. Wir haben hier doch alles, wir brauchen die Deutschen nicht. Mein Kind wird natürlich irgendwann heiraten. Wenn die Eltern sich einig sind, kommen zwei Zeugen, die Kinder sagen, dass sie zusammenleben wollen, und dann sind sie in der *Umma* verheiratet.«

»Und was wäre, wenn Ihr Sohn später eine Deutsche heiraten möchte?«

»Allah möge mich davor behüten. Es ist hier im Ort schon einmal vorgekommen. Die Eltern haben gesagt, sie solle Muslimin werden, dann ginge das. Für ein türkisches Mädchen wäre er ohnehin nicht mehr infrage gekommen, weil er Drogen und Alkohol zu sich nahm. Dann soll er eben eine Deutsche heiraten, bevor er ganz unter die Räder kommt. Aber ich werde alles tun, um meine Kinder davor zu schützen.«

»Wenn es eine Braut aus der Türkei sein soll, wie sollte die sein?«

»Sie sollte schon ein wenig selbstständig sein. Es gibt ja Bräute, die gehen ohne Erlaubnis ihrer Schwiegereltern oder ihres Mannes nicht auf die Straße oder zum Arzt. Wenigstens sollte sie ihre türkischen Nachbarn rufen können. Aber auch das trauen sich viele nicht. Ich hatte in den ersten Jahren Glück, weil unser Haus so voll war und mein Mann oder meine Schwägerin mich begleiteten. Und wenn sie mit ihm einkaufen geht, dann sollte sie nicht immer sagen, ich weiß nicht, er wird schon entscheiden. Ich entscheide viele Dinge selbst, ohne meinen Mann gefragt zu haben.«

Kaza findet man auf keiner Landkarte

Shaziye und die anderen Frauen leben mitten in Deutschland. In einer Kleinstadt mit 10 000 Einwohnern, einigen Fabriken, einem Schloss, einer Fußgängerzone, einer Stadtverwaltung, Schulen, Müllabfuhr und einem schönen Park. Aber sie leben nicht wirklich in Deutschland. Sie leben in einer türkisch-muslimischen Kleinstadt, einer Parallelwelt, die ich mit Oriana Fallaci die »zweite Stadt« oder »Kaza« nenne.

Man findet Kaza auf keiner Landkarte, kein Bahnhof trägt den Namen. Und doch hat dieses Kaza fast alles, was man von einer intakten Gemeinde erwartet. Die mehr als tausend Einwohner sprechen türkisch. Einige Familien leben schon seit dreißig Jahren hier, ihre Kinder sind in Kaza geboren, sind hier zur Schule gegangen und haben geheiratet, meist Frauen aus der

Heimat Türkei. Einige sprechen Deutsch, wenn auch nur bruchstückhaft. Zu der Gemeinde gehören ein Sportplatz, auf dem Fußball gespielt wird, eine Grundschule, in der türkische Kinder neben deutschen Kindern sitzen, und zwei Moscheen. Die eine wird von der DITIP, die andere von Milli Görus betrieben. In drei von türkischen Familien betriebenen Lebensmittelläden kann man Gemüse und vor allem Lebensmittel kaufen, die in der Türkei oder von türkischen Schlachtern und Bäckern produziert werden. Es gibt drei türkische Cafés, in denen die Männer Karten oder OK spielen, ein paar Mietshäuser, vornehmlich aber Einfamilienhäuser, in denen türkische Großfamilien wohnen. Dort läuft überall das türkische Fernsehen mit über 15 Sendern, die über Satellit empfangen werden können. Theater und Kino gibt es nicht. Im türkischen Zeitungskiosk sind täglich die neuesten Ausgaben von »Hürriyet«, »Milliyet« und »Tercüman« erhältlich. Der Ort ist grün, mit vielen Wäldern, Wiesen und Vorgärten, und es kommt schon einmal vor, dass der Verwandtenbesuch aus der Türkei angesichts der grünen Pracht fragt: »Und wer gießt das hier alles?«

Die Männer fahren meist in die nahe Großstadt zur Arbeit. Kaza hat keine eigene Polizei und kennt keine Demokratie. Alles wird untereinander und miteinander nach den Regeln der türkisch-muslimischen *Umma* geregelt. Die Gemeinschaft ist in sich geschlossen, die Berührungen mit Deutschen sind zufällig und nicht weiter von Bedeutung. Hin und wieder muss jemand mit ihnen Kontakt aufnehmen oder zum Sozial- oder Arbeitsamt, dann kommt einer aus der Gemeinschaft mit, der Deutsch spricht und in der Lage ist, die Formulare auszufüllen. Aber sonst sind die Bewohner von Kaza unter sich. Den meisten geht es gut. Wer nichts hat, der wird von der Familie versorgt. Und wer keine Arbeit hat, bekommt Arbeitslosengeld, viele auch Sozialhilfe. Das unterscheidet Kaza von einem türkischen Dorf. Da bekommt niemand etwas vom Staat. Nur mit dem Wetter, da haben die Einwohner von Kaza immer noch ihre Probleme, und dass die Deutschen keinen Respekt vor ihnen haben, das stört auch. Aber im Urlaub fahren alle in die Türkei.

Am Abend fahre ich mit meinem Sohn heim. Er war die ganze Zeit dabei, hat mit den Kindern gespielt. Er spricht ein wenig Türkisch. Als wir im Zug das dritte »Harry-Potter«-Kapitel lesen, fragt er mich plötzlich: »Mama, wann haben die Türken diese Stadt erobert?«

Heirat ist keine Frage

oder

Die Macht der Umma

Warum Muslime so früh heiraten und die Hochzeit das wichtigste Ereignis im Leben einer türkischen Familie ist, warum Zwangsheiraten gegen die Verfassung verstoßen und was gegen arrangierte Ehen getan werden kann

Heirat – ja oder nein, diese Frage stellt sich in der muslimischen Gesellschaft überhaupt nicht. Die Ehe gilt als die einzig angemessene Lebensform. Sie ist die natürliche Bestimmung eines gottgefälligen Lebens. Ein Single-Dasein, wie es in der westlichen Welt inzwischen verbreitet ist, ruft bei Muslimen nur Mitleid hervor. Wer mit 25 oder gar dreißig Jahren nicht verheiratet ist, gilt als fluchbeladener Mensch, dem geholfen werden muss. Seine Verwandten, Nachbarn, Freunde – alle werden sich an der Suche nach einem geeigneten Partner beteiligen.

Die Hochzeit ist der Höhepunkt im Leben einer türkischen Familie. Den Sohn oder die Tochter ehrenvoll zu verheiraten und eine große Feier auszurichten, ist die vornehmste Aufgabe der Eltern. Dieser Aufgabe wird der Lebensplan untergeordnet, dafür wird gespart, auch auf Kosten anderer Ziele wie eine ordentliche Berufsausbildung. Hochzeiten werden monatelang vorbereitet und mit einem ungeheuren Aufwand gefeiert. Dabei sind viele Konventionen zu beachten. Zuerst wird »der Mocca genommen« und so das Eheversprechen eingeholt, dann wird von den Eltern der Braut eine große Verlobungsfeier ausgerichtet, die Aussteuer ausgestellt und schließlich der Henna-Abend veranstaltet, an dem sich die Braut von ihrer Familie verabschiedet. Nach dem Gang zum Standesamt findet endlich die Hochzeitsfeier statt. Je aufwändiger diese ist, desto höher das Ansehen der Familie. Für die Hochzeit meines Neffen in Kayseri hat sich sein Vater vermutlich auf Jahre verschuldet. 350 geladene Gäste im besten Hotel am Platze zu bewirten, war für den Lehrer eine Ehre, und er wird sich immer wieder mit Stolz das Sieben-Stunden-Live-Video ansehen, um sich selbst zu feiern.

»Die Ehe ist im Islam kein Sakrament«, schreibt die Islamwissenschaftlerin Ursula Spuler-Stegemann in »Muslime in Deutschland«, »sondern ein zivilrechtlicher Vertrag zwischen zwei Familien. Er wird durch die Unterschriften beider Seiten besiegelt, wobei die Frau noch nicht einmal persönlich zugegen sein muss, sondern der Vater, der älteste Bruder oder ein anderer männlicher Befugter als Vertreter fungieren kann. Allerdings soll die Braut ihre Zustimmung zu der Eheschließung geben. Ein kurzes Zeremoniell, bei dem ein Imam die *Fatiha*, die erste Sure des Koran, rezitiert, ist bei einer Hochzeit zwar die Regel; das konstitutive Element für das Zustandekommen einer Ehe ist allein der Vertrag.«

Die Tradition des Misstrauens

Warum setzen vor allem traditionell orientierte muslimische Eltern alles daran, ihre Töchter möglichst früh zu verheiraten? Das hat seine Wurzeln in der Tradition des Islam. Vor allem die Sunna, das sind die Aussagen und Taten des Propheten, die bis 250 Jahre nach Mohammeds Tod gesammelt wurden, und die Scharia, die aus Koran und Sunna abgeleiteten Gesetze, reduzieren die Frau auf die *Aurah*, ihre Sexualität. Die Frau ist verführerisch und teuflisch. Sie stellt eine Gefährdung, eine Versuchung für die Männer dar. Der Mann ist ein triebhaftes Wesen, das angesichts der Frau nicht mehr zu kontrollieren ist. Er muss vor der Frau geschützt werden, sie muss deshalb aus der Öffentlichkeit verschwinden. Patriarchenlogik.

Sobald ein junges Mädchen zur Frau wird, muss es verheiratet werden, damit es die Ehre der Familie nicht beschmutzen kann. Unverbindliche Freundschaften zwischen Jungen und Mädchen sind nicht gestattet. Die Vorstellung, dass sich ein Junge und ein Mädchen anfreunden, ist für einen frommen Muslim mit Versuchung, Ehrverlust und Sünde besetzt.

»Freundschaft aber zwischen Mann und Frau ist im Islam verboten«, schreibt der muslimische Missionar Mohammed Rassoul in seinen Anweisungen für Muslime in Deutschland »Der deutsche Mufti«, »denn die einzige Bindung zwischen ihnen darf nur durch die Ehe hergestellt werden ... es ist eine Allah missfällige Handlung, die Unzucht gleichkommt.«

Voreheliche Kontakte, gar vorehelicher Geschlechtsverkehr wären für eine muslimische Familie der GAU, der größte anzunehmende Unfall, in der Familiengeschichte. Da jungen Mädchen als sündigen Wesen grundsätzlich misstraut wird, schränken die Eltern die vorehelichen Kontakte der jungen Mädchen massiv ein. Schon der Flirt in der Schule, das Treffen an der Straßenecke gilt als anstößig und unerwünscht. Die einfachste Lösung, um den Sexualtrieb der Töchter in kontrollierte Bahnen zu lenken, scheint die frühe Heirat zu sein. Denn nun wird der Ehemann für die Tochter zuständig, das entlastet die Familie, denn die Ehre der Familie ist an die Tugendhaftigkeit der Tochter geknüpft, und über deren Lebenswandel wachen der Vater, die Brüder oder der Onkel. Es ist eine Tradition des Misstrauens. Den Mädchen wird sexuelles Interesse unterstellt, auch wenn sie selbst weit davon entfernt sind. Der Konflikt ist programmiert. Mitten im natürlichen Ablösungsprozess von den Eltern erleben die Mädchen, dass ihnen nicht geglaubt wird und dass sie fremdbestimmt werden.

Manchmal allerdings soll mit der arrangierten Ehe auch ein

ganz anderes Problem gelöst werden. Die Kinder sollen »von der Straße« geholt werden. Junge Männer, die nach Meinung ihrer Eltern unter schlechten Einfluss geraten sind, die Kontakt zu Drogen haben oder ihre Aggressivität nicht bändigen können, werden mit einem Mädchen aus der Türkei verheiratet. Die Eltern möchten sichergehen, dass sich ihre Kinder nicht von ihnen und dem türkisch-muslimischen Kulturkreis entfremden. Und die beste Gewähr dafür ist in ihren Augen, dass man eine unverdorbene junge Frau aus der Türkei holt, die den Jungen ruhiger und vernünftig macht und ihm die Flausen austreibt und die fraglos alles macht, was die Schwiegermutter sagt.

Die Ehe ist die Form, in der Sexualität gelebt wird. Sex ist eine Gabe Gottes, dem Menschen zur Befriedigung und zur Fortpflanzung gegeben. Gesprochen wird allerdings nie darüber, weder in der Familie noch in der Schule oder in der Öffentlichkeit. In meinen Gesprächen mit den Frauen habe ich feststellen müssen, dass keine von ihnen vor der Hochzeitsnacht aufgeklärt wurde. Was in dieser Nacht passieren sollte, wussten sie nicht.

Auch ich wurde von meiner Tante in die »Kunst der Liebe« eingewiesen. Ich war 14, und sie sagte mir, wie man es mit einem Mann machen soll: »Du legst dich hin, machst die Hände zur Faust und schließt die Augen. Und ›o gelir ve bosalir‹, er kommt und entleert sich. Aber wenn du dich bewegst, wird er sich lange an dir aufhalten.« Seit 25 Jahren mache sie es so, und ihr Mann habe sich noch nie beklagt.

Die Frau hat dafür zu sorgen, dass der Mann befriedigt wird, sie hat ihm Kinder zu gebären und den Haushalt zu führen. Von Liebe ist nicht die Rede. Die Liebe des Sohnes gehört der Mutter oder Gott. Die Frau ist Sexualpartnerin. Ein sozialer Aufstieg gelingt ihr nur, wenn sie selbst Mutter eines Sohnes wird. Der höchste Status, den eine Frau in der türkisch-muslimischen Familie erreichen kann, ist der der *Caynana*, der Schwiegermutter. Erst dann darf sie selbst entscheiden, ihm die Braut aussuchen, über deren Leben bestimmen und ihr Befehle erteilen, und sie tut dies oft ohne Gnade und Rücksicht, wie ich in vielen Gesprächen erfahren musste. Bis dahin bleibt die »Gelin« die Fremde, die kein Recht auf die Liebe ihres Ehemannes hat und auch nicht auf die eigenen Kinder. Nach muslimischer Tradition gehören die Kinder dem Mann oder seiner Familie. Ein gemeinsames Sorgerecht gibt es nicht.

Die Tragödie der arrangierten Ehe

Über die Zahl der Zwangsehen in Deutschland gibt es keine verlässlichen Erhebungen. Dabei ist das Problem in seiner ganzen Dramatik seit Jahren bekannt.

Die Berliner Senatsverwaltung für Wirtschaft, Arbeit und Frauen hat für das Jahr 2002 in einer Umfrage bei mehr als 50 Einrichtungen aus dem Jugendhilfe- und Migrationsbereich 230 zwangsverheiratete Mädchen und Frauen ermittelt. Die meisten dieser Frauen, die sich in ihrer Not an eine der Einrichtungen gewandt haben, waren unter 22, viele erst 16 Jahre alt. Wer einzuschätzen weiß, welcher Mut oder welche Verzweiflung vorhanden sein müssen, bevor eine junge Frau einen solchen Schritt tut, der ahnt, dass die tatsächliche Zahl der Zwangsverheirateten erschreckend hoch sein muss.

Im September 2003 hat das Bundesministerium für Familie in einer Studie zur Lebenssituation von Frauen in Deutschland auch 150 türkische Frauen befragt. Jede zweite Frau gab an, dass ihr Ehepartner von den Eltern ausgesucht wurde, jede vierte kannte den Partner vor der Ehe nicht, und zwölf von den 150 Frauen fühlten sich zur Ehe gezwungen. Drei von vier Frauen waren mit der Wahl ihrer Eltern einverstanden.

Zwangsheirat ist nach einer Definition von amnesty international eine »Ehe, die ohne eindeutige Zustimmung von beiden

Partnern geschlossen wird oder deren Zustimmung durch Nötigung, sozialen und psychischen Druck oder emotionale Erpressung zustande gekommen ist«. Nach Angaben dieser Menschenrechtsorganisation wurden in den östlichen und südöstlichen Provinzen der Türkei 45,7 Prozent der Frauen nicht gefragt, bevor sie ihrem Ehepartner versprochen wurden, und über die Hälfte aller Frauen, 50,8 Prozent, wurden ohne ihre Zustimmung verheiratet.

Im Bericht der Bundesbeauftragten für Ausländerfragen kommt der Tatbestand der Zwangsehe und der arrangierten Ehe auch im Jahr 2002 nicht vor. Nur die Scheinehe wird erwähnt. Eine »Scheinehe« liegt vor, wenn die Ehepartner gar nicht beabsichtigen, eine eheliche Gemeinschaft einzugehen, sondern nur heiraten, um einem von beiden den Aufenthalt in Deutschland zu ermöglichen.

Im Jahr 2001 gab es laut der vom Auswärtigen Amt geführten Statistik einen Zuzug von 21 447 Personen aus der Türkei aufgrund von Familienzusammenführungen. Aufenthaltsgenehmigungen, die erteilt wurden, weil eine Person bei einem Inlandsaufenthalt eine in Deutschland lebende Person geheiratet hat, sind dabei nicht erfasst. Auch nicht erfasst wurden die Fälle, in denen junge Frauen oder Männer in den Ferien in die Türkei gebracht und dort verheiratet wurden, um sie dann in der Türkei zurückzulassen, wie ich es bei vielen meiner türkischen Freundinnen erlebt habe. Für 2002 und folgende Jahre wurden die Zahlen für türkische Migranten nicht besonders ausgewiesen.

Es geht in jedem Jahr nicht um Hunderte, sondern um Tausende junger Menschen. Ich gehe davon aus – alle Recherchen sprechen dafür –, dass mindestens die Hälfte dieser Ehen arrangiert oder erzwungen wurden. Warum sollte ein junger Mann aus Berlin, Hamburg oder Köln ausgerechnet ein Mädchen aus Anatolien heiraten, das er meist höchstens einmal vor der Eheschließung gesehen hat? Bestimmt nicht aus Liebe, sondern weil die Eltern, die Familie, die Tradition und die Religion ihm nicht gestatten, selbst eine Partnerin zu wählen. So werden in jedem Jahr Tausende von jungen Menschen zwischen 15 und 25 Jahren verheiratet, ohne dabei die freie Entscheidung zu haben – ein klarer Verstoß gegen Artikel 2 des Grundgesetzes und, wie die UNO im Jahr 2001 feststellte, eine »moderne Form der Sklaverei«.

Bei meinen Gesprächen mit über fünfzig türkischen Frauen war keine darunter, die sich ihren Partner selbst ausgesucht hat. Alle Frauen wurden verheiratet, sie konnten nicht selbst wählen. Eine der ersten Forderungen an die politisch Verantwortlichen muss deshalb lauten, verlässliches empirisches Material über das Ausmaß dieses Problems zu erarbeiten, um es damit endlich auf die Tagesordnung zu setzen.

Andere Länder haben sich schon intensiver dieses Themas angenommen, auch weil sie darin ein Schlüsselproblem der Integration sehen. Das dänische Institut für Sozialforschung gibt an, dass 91 Prozent der »neuen Dänen« mit türkischem Hintergrund mit einem Partner aus ihrem Heimatland verheiratet wurden. Weniger als 10 Prozent dieser Gruppe von »neuen Dänen« heirateten eine in Dänemark lebende Person aus der eigenen oder einer anderen Volksgruppe. Allerdings, so zeigt eine Analyse des Statistischen Amtes in Dänemark aus dem Jahr 2001, spielt das Alter der Heiratskandidaten bei dieser Entscheidung eine zentrale Rolle. Von den 18- bis 20-jährigen weiblichen Migranten heirateten 68 Prozent eine Person von außerhalb, bei den 21- bis 23-jährigen waren es 62 Prozent und bei den 24- bis 26-jährigen nur noch 55 Prozent. Von den 18 bis 20 Jahre alten Männern heirateten 78 Prozent eine Person aus dem Ausland, bei den 21- bis 23-jährigen waren es 65 Prozent und bei den 24- bis 26-jährigen noch einmal um einen Prozentpunkt weniger. Je älter die Heiratskandidaten waren, desto eher gingen sie mit einem Partner oder einer Partnerin aus Dänemark die Ehe ein.

Diese Tatsache ist nicht unbedingt ein verlässliches Anzeichen für eine gelingende Integration. Zumindest aber ist die Chance größer, dass zwei, die im Migrationsland heiraten oder miteinander verheiratet werden, sich zumindest kennen und vielleicht sogar der eine oder andere sich den künftigen Partner selbst ausgesucht hat.

Die dänische Regierung geht davon aus, dass die meisten der mit einem Partner aus dem Herkunftsland geschlossenen Ehen nicht aufgrund von Liebesbeziehungen eingegangen wurden, sondern Zwangs-, Schein- oder arrangierte Ehen sind, und sie hat darauf mit einem »Aktionsplan gegen Zwangsheirat« reagiert: »Es ist nicht hinzunehmen, dass junge Menschen mit Zwang oder Druck gegen ihren Willen zur Ehe gezwungen werden. Die Achtung des Rechts auf den freien Willen, der Schutz des Individuums und die Gleichberechtigung sind lebenswichtig. Eine demokratische Gesellschaft beruht auf der Freiheit des Einzelnen. Das bedeutet, dass alle jungen Menschen, gleich welcher ethnischen Herkunft, das Recht haben sollen, einen Partner ihrer Wahl auszuwählen.«

Das Problem der arrangierten Ehen oder der Zwangsheiraten betrifft nicht nur junge Frauen, sondern auch junge Männer. Und der Ex- bzw. Import geht in beide Richtungen. Junge türkische Frauen aus Deutschland werden in den Ferien in der Türkei oft mit einer Heirat überrumpelt. Der nichts ahnenden Braut in spe wird der türkische Reisepass abgenommen und sie wird an ihrem Wohnsitz in Deutschland abgemeldet. Die Aufenthaltsgenehmigung einer Person geht nach § 44 des Ausländergesetzes verloren, wenn sie »aus einem seiner Natur nach nicht vorübergehenden Grund ausreist«. Spätestens nach sechs Monaten erlischt die Möglichkeit, nach Deutschland zurückzukehren. Wenn die junge Frau das nicht weiß und keine Möglichkeit hat, sich bei deutschen Behörden zu melden, muss sie für immer in der Türkei bleiben. Im extremsten Fall ist sie dann die Frau eines ihr fremden Mannes in einem Land, dessen Sprache sie nur unvollständig beherrscht. Ihr einziger Schutz wäre die deutsche Staatsangehörigkeit. Damit könnte sie jederzeit nach Deutschland zurückkehren.

Zwischen einer arrangierten Ehe und einer Zwangsehe gibt es für mich keinen wesentlichen Unterschied, das Ergebnis ist dasselbe. Wenn das Mädchen oder der Junge die Möglichkeit haben, den von den Eltern ausgesuchten Partner abzulehnen, spricht man von einer arrangierten Ehe, wenn die Partner ungefragt oder gegen ihren Willen verheiratet werden, ist es eine Zwangsehe. Betretenes Schweigen oder leises Weinen des Mädchens wird als Zustimmung gewertet; Mädchen sind nun einmal schüchtern. Von einer freien Willensentscheidung ist dieses Verfahren sicherlich weit entfernt. Denn wer nein sagt, muss mit Pressionen rechnen oder die Flucht antreten. Wer weiß, wie stark der Druck der Familie auf die einzelnen Mitglieder ist, wird auch bei arrangierten Ehen nicht von einer freien Entscheidung sprechen können. Die Situation ist für die jungen Menschen ausweglos. Sie befinden sich bildlich gesprochen in einem geschlossenen Raum, dem Elternhaus. Darin gibt es zwar viele Türen, von denen aber nur eine geöffnet ist. Sie werden gedrängt, das Haus zu verlassen, und die Tür, durch die sie gehen müssen, ist die Ehe mit dem von den Eltern ausgesuchten Partner. Alle anderen Möglichkeiten sind versperrt.

Wenn die jungen Menschen von ihren Eltern mit der Tatsache konfrontiert werden, dass es Zeit ist zu heiraten, fügen sie sich in der Regel, denn so haben sie es gelernt. Ob sie nach Deutschland oder in eine Stadt in der Türkei verheiratet werden, macht für sie keinen allzu großen Unterschied, Deutschland gilt als attraktiver, weil es hier einen Sozialstaat gibt, der zur Not die ganze Familie ernährt und kleidet. Die Bundestagsabgeordnete der Grünen, Irmgard Schewe-Gerigk, meint, eine Zwangsehe und eine arrangierte Ehe unterscheiden sich im Druck, der auf die

Ehepartner ausgeübt werde. Sie schreibt: »Wenn beispielsweise einer ›arrangierten Heirat‹ zunächst einmal zugestimmt wird und erst nach der Verlobung Zweifel aufkommen, kann der Druck, die Ehe zu vollziehen, so groß werden, dass aus einer arrangierten Ehe eine Zwangsehe wird.« Gegen die arrangierte Ehe scheint sie keine Einwände zu haben.

Auch bei der Definition von Zwangsheirat durch die Vertreterin von »Terre des Femmes«, Rahel Volz, habe ich grundsätzliche Zweifel. Sie meint: »Im Gegensatz zur arrangierten Ehe, die auf freiwilliger Zustimmung beider Ehegatten beruht, liegt Zwangsheirat dann vor, wenn die Betroffene sich zur Ehe gezwungen fühlt.« Auch hier wird davon ausgegangen, dass die Betroffenen eine Alternative haben. Aber sie haben keine Wahl, und »freiwillig« ist daran gar nichts. Ihnen wird das Grundrecht auf Unverletzlichkeit der Person verwehrt. Arrangierte Ehen sind Zwangsheiraten, denn eine Religion, eine Kultur oder ein Stammesbrauch, der dem Einzelnen sein Recht auf freie Entfaltung der Persönlichkeit verweigert, widerspricht der deutschen Verfassung und den Menschenrechten.

Bei Diskussionen zu diesem Thema habe ich oft das Argument gehört, die Deutschen hätten sich nicht darin einzumischen, wie die Türken heiraten. Die Deutschen ginge das nichts an. Es sei das Recht eines Migranten, zu heiraten und mit seiner Frau zusammenzuleben, ganz gleich wie das zustande gekommen ist. Wenn die Türken ihre Kinder so verheirateten, müsse man das akzeptieren. Ich frage: Gelten für Türken und Muslime oder Menschen aus anderen Gesellschaften andere Gesetze als für die Mehrheitsgesellschaft? Ungefragt wird eine Kultur verteidigt, weil sie fremd ist und es anderen (uns) grundsätzlich nicht zusteht, das Fremde zu kritisieren? Die Bundesbeauftragte für Ausländerfragen spricht in diesem Zusammenhang gern von der notwendigen »Anerkennung der kulturellen Differenz«. Es wird dabei aber nicht gefragt, wie diese Kultur mit ihren Menschen umgeht, ob sie ihre Mädchen verkauft oder wie Sklaven hält. Ist eine Kultur demokratiefähig, die dem Einzelnen das Recht auf Selbstbestimmung verweigert; ist eine Kultur gesellschaftsfähig, die die Gesetze dieses Landes ignoriert?

Für mich ist eine Ehe nur akzeptabel, wenn beide Partner aus freiem Willen und freier Entscheidung sich füreinander entscheiden. Das Argument, die Migranten kämen aus einer anderen kulturellen Tradition, zu der eben arrangierte Ehen gehörten, die man zu respektieren habe, akzeptiere ich nicht. Warum sollte eine demokratische Gesellschaft, wie die bundesdeutsche, auf die Einhaltung ihrer eigenen Gesetze und Grundrechte verzichten? Warum sollten wir eine rückständige Tradition akzeptieren, die gegen das Selbstbestimmungsrecht der Menschen gerichtet ist? Hinzu kommt: Jede arrangierte Ehe entfremdet die Türken ein Stück weiter von der deutschen Gesellschaft.

Meine Gespräche mit den Importbräuten zeigen, dass Zwangsheirat und arrangierte Ehen in Deutschland tägliche Praxis und keine kriminellen Ausnahmen der türkisch-muslimischen Migrantengesellschaft sind. Die Zwangs- und arrangierten Ehen der türkisch-muslimischen Gemeinschaft in Deutschland sind ein großes Hindernis für die Integration der Türken und anderer muslimischen Gemeinschaften in Deutschland. Sie sind ein schweres Schicksal für jeden, der davon betroffen ist. Sie sind eine soziale Tragödie. Zwangsheirat und arrangierte Ehen gehören verboten. Die deutschen Behörden haben nach Meinung der Rechtsprofessorin Dorothee Frings »lange Zeit die Familienbeziehungen von Migranten als quasi ›exterritorial‹ betrachtet und damit auch das Problem erzwungener Ehen aus ihrem Blickfeld verbannt«.

Wenn in der Politik von Zwangsheirat gesprochen wird, dann sind damit meist auch Frauenhandel und Zwangsprostitution gemeint – eindeutig Verbrechen, die verhindert werden müssen. Bei den Zwangsehen und den arrangierten Ehen sind Erpressung und Nötigung im Spiel, die bestraft werden müssen. Aber es muss uns um mehr gehen als die Ahndung von Gesetzesverstößen. Es geht um die Verteidigung der Menschenrechte. Und es geht darum, die jungen Menschen selbst in die Lage zu versetzen, eigene Entscheidungen treffen zu können. Sie müssen vor der Bevormundung durch ihre Familie geschützt werden. Es geht um Vorbeugung und Verhinderung von Entmündigung und nicht nur um die Verfolgung von Straftaten. In der deutschen Öffentlichkeit fehlen die Sensibilität und die Erkenntnis bei den Parteien, den Behörden, den Schulen und der öffentlichen Meinung, dass es sich hierbei um ein Problem handelt, das die Zukunft der Gesellschaft betrifft.

Was tun? Einige Vorschläge

Der »Brautpreis Deutschland« erfreut sich trotz der fremdbestimmten Ehe unter Mädchen und jungen Frauen in der Türkei höchster Beliebtheit. Man weiß dort kaum etwas von Deutschland, und das sorgt für die Haltbarkeit der Träume von einem besseren Leben. Und diese Hoffnungen werden von Eltern, Verwandten und Bekannten kräftig geschürt. Viele Tausend junge Türken und Türkinnen wollen nach Deutschland und sind bereit, fast jeden Preis dafür zu zahlen – auch den eines fremden Partners. Ihren Ehepartner hätten sie sich auch in der Türkei kaum selbst aussuchen dürfen, und ein selbstbestimmtes Leben gibt es für sie so oder so nicht.

Ich bin mir deshalb darüber im Klaren, dass jede Forderung, die darauf zielt, die Einreise nach Deutschland zu erschweren, eine Reihe von mächtigen Gegnern auf den Plan rufen wird. Die Türkinnen und Türken, die nach Deutschland wollen, ihre Landsleute in Deutschland, die ihre Kinder verheiraten wollen und sich in ihrer Tradition behindert sehen, die Muslime, die sich in ihrer Religionsauslegung gestört sehen, ihre Organisationen und Presseorgane, die Politik »für die Türken« betreiben, und die politischen Kräfte in Deutschland aller Farben, die die Grenzen möglichst weit aufmachen wollen und jede Anforderung an einreisende Ausländer unter Rassismusverdacht stellen.

Ich lasse mich aber nicht davon abbringen: Eine demokratische Gesellschaft muss ihre Errungenschaften verteidigen. Wenn Menschen zu uns nach Deutschland kommen, dann müssen sie das zu den Bedingungen tun, die in diesem Land gelten. Und eine Grundbedingung der Lebensfähigkeit unserer Demokratie sind die Freiheit und der Schutz des Einzelnen. Das kann nicht zur Disposition gestellt werden.

Die baden-württembergische Ausländerbeauftragte hat nach einer Fachtagung zur Zwangsheirat im Oktober 2003 das Fazit gezogen: »Je selbstständiger eine junge Frau ist, desto eher schafft sie es, sich gegen patriarchalische Strukturen im Elternhaus zu wehren. Je besser die Integration von zugewanderten Familien gelingt, desto selbstbewusster und sicherer werden die Mädchen und jungen Frauen mit einer drohenden und vollzogenen Zwangsverheiratung umgehen können. Es geht hierbei um die bestmögliche Vermittlung der deutschen Sprache, Kenntnisse der eigenen Rechte und auch um die Kenntnis der Schutz und Hilfe bietenden Einrichtungen.« Sie forderte die türkischen und muslimischen Organisationen und Verbände auf, in ihren Gemeinden »die Überzeugung zu fördern, dass Zwangsheiraten rechtswidrig sind und eben nicht durch traditionelle, kulturelle oder religiöse Gründe gerechtfertigt werden können«.

Die Landesregierung von Baden-Württemberg hat im Herbst 2004 eine Bundesratsinitiative zur Bekämpfung der Zwangsheirat beschlossen, und der Justizminister des Landes, Prof. Ulrich Goll, fordert: »Zwangsheirat muss durch einen eigenen Straftatbestand öffentlich geächtet werden.« Die Regierung möchte ins Strafgesetzbuch den § 234 b einfügen, der lauten soll:

»(1) Wer eine Person rechtswidrig oder mit Gewalt oder durch Drohung mit einem empfindlichen Übel zur Eingehung der Ehe nötigt, wird mit Freiheitsstrafe von drei Monaten bis zu fünf Jahren bestraft. Rechtswidrig ist die Tat, wenn die Anwendung der Gewalt oder die Androhung des Übels zu dem angestrebten Zweck als verwerflich anzusehen ist.

(2) Ebenso wird bestraft, wer eine andere Person seines Vorteils wegen durch die Ausnutzung einer Zwangslage oder der Hilflosigkeit, die mit ihrem Aufenthalt in einem fremden Land verbunden ist, zur Eingehung der Ehe bringt.

(3) Ebenso wird bestraft, wer eine andere Person durch List, Gewalt oder Drohung mit einem empfindlichen Übel in ein Gebiet außerhalb des räumlichen Geltungsbereichs dieses Gesetzes verbringt oder veranlasst, sich dorthin zu begeben, oder davon abhält, von dort zurückzukehren, um sie zur Eingehung der Ehe zu bringen.

(4) Der Versuch ist strafbar.«

Diese Forderungen kann ich nur nachdrücklich unterstützen, glaube aber, dass sie nicht ausreichen. Auch die Initiative von Bündnis 90 / Die Grünen, Zwangsheirat als besonders schweren Fall der Nötigung ins Gesetz aufzunehmen, ist an sich begrüßenswert, rückt damit doch die Tatsache überhaupt ins Rechtsbewusstsein. Aber eine zivile Gesellschaft lebt nicht von Verboten, sondern von Normen und Werten, über die ein gesellschaftlicher Konsens erzielt worden ist und die verinnerlicht wurden. Wir schrecken vor Mord an einem Mitbürger nicht deshalb zurück, weil Mord bestraft wird, sondern weil wir gelernt haben, Mord als von der Gesellschaft geächtetes Verbrechen zu sehen. Auch Zwangsheiraten und arrangierte Ehen werden nicht primär durch Verbote verhindert, sondern werden erst dann nicht mehr praktiziert werden, wenn allen klar ist, dass unsere Gesellschaft sie nicht akzeptiert. Ein Gesetz kann Signalcharakter haben und den Betroffenen Schutz bieten. Es ist ein allererster Schritt, der allerdings unter dem praktischen Problem leidet, dass er den Kindern abverlangen würde, ihre eigenen Eltern anzuzeigen. Und welche Tochter möchte ihre Mutter wohl ins Gefängnis bringen? Die Beweisnot vor den Gerichten wird dazu führen, dass das Gesetz praktisch kaum zur Anwendung kommen wird.

Wir müssen uns deshalb bewusst machen, dass es bei den Zwangsheiraten und den arrangierten Ehen um eine politische, kulturelle und religiöse Auseinandersetzung geht, die an die Wurzeln unserer Demokratie rührt. Akzeptieren wir sie als kulturelle Eigenart, als Privileg einer islamischen oder irgendeiner anderen Kultur, werden die demokratische Zivilgesellschaft und die Grund- und Freiheitsrechte beschädigt.

Jeder Mensch hat das Recht, sein Leben selbst zu bestimmen. Und eine Gesellschaft hat die Verpflichtung, besonders auch den jungen Menschen eine selbstbestimmte Entwicklung zu ermöglichen. Freiheit ist nicht, wenn jeder machen kann, was er will, sondern Freiheit heißt, dass die Gesellschaft jeden in die Lage versetzt, seine Freiheitsrechte auch wahrzunehmen. Niemand darf gezwungen werden, etwas zu tun, wogegen er sich nicht wehren kann. Um das zu gewährleisten, müssen Regeln aufgestellt werden, die Menschen aus anderen Kulturen als Einschränkungen empfinden mögen. Diese Einschränkungen sind aber hinzunehmen, weil die Gesellschaft damit sich und die Schwachen vor Missbrauch schützt. Deshalb einige Vorschläge zur Diskussion.

Gesetzliche Ächtung: Eine Möglichkeit, Zwangsehen und arrangierte Ehen zu verhindern, bestünde darin, sie per Gesetz für nichtig zu erklären und auf Antrag eines Ehepartners aufheben zu lassen. Aufenthaltsgenehmigungen, die auf der Basis von

Zwangsehen und arrangierten Ehen erteilt wurden, wären dann nichtig, und alle Personen, die sich am Zustandekommen beteiligt hätten, könnten zur Rechenschaft gezogen werden. Frauen und Männer, die die eigene Zwangsehe zur Anzeige bringen, stünden unter dem Schutz des Gesetzes, obwohl gleichzeitig Vorsorge getroffen werden muss, dass dieses Recht nicht missbräuchlich genutzt wird. Eine klare juristische Regelung und soziale Kontrolle zur Vermeidung von Missbrauch müssen gewährleistet sein. Die Betroffenen würden nicht ausgewiesen, sondern könnten ein Bleiberecht erhalten und unter den Schutz der Jugendhilfe o. Ä. gestellt werden. Zwangsheiraten und ohne freien Willen zustande gekommene Ehen würden so durch den Gesetzgeber geächtet, ihre Opfer geschützt.

Bisher ist die Regelung so, dass die Frau, die ihren Mann zum Beispiel in den ersten sechs Monaten nach ihrer Einreise in Deutschland verlässt, zurückgeschickt wird. Das hat in der Praxis dazu geführt, dass kaum eine Frau die Zwangsehe anzeigt, weil das ihren sozialen Tod bedeuten würde. Wenn sie ins Heimatland zurückgeschickt wird, hat sie noch größere Repressalien zu erleiden als die, die in der Ehe auf sie warten. Diese Regelung geht einseitig zu Lasten der Frau. Bisher aber ist eine Aufhebung der Ehe nur binnen einer Frist von zwölf Monaten möglich. Die Praxis in den Beratungsstellen zeigt, dass viele junge Frauen erst nach Ablauf der Frist um Hilfe bitten. Eine Abschaffung der Aufhebungsfrist ist deshalb sinnvoll und auch von den Baden-Württembergischen Gesetzesinitiatoren vorgesehen. Wenn künftig alle – außer den Opfern –, die am Zustandekommen einer Zwangsehe beteiligt sind, mit Bestrafung rechnen müssten, dann würde die Macht der Männer respektive der Schwiegermütter endlich gebrochen.

Mindestalter bei Familienzusammenführung: Es gibt eine ganz einfache Regelung, die der Mehrzahl von Zwangsehen und arrangierten Ehen auf elegante Weise den Boden entziehen würde, ohne dass wir eine weltanschauliche oder religiöse Debatte führen müssten. Die niederländische Regierung hat am 5. März 2004 beschlossen – ähnlich wie die Regierung in Dänemark es schon am 15. August 2003 verkündet hat –, dass Familienzusammenführungen aufgrund von Eheschließung nur genehmigt werden, wenn beide Partner mindestens das 21., so die Niederländer, oder nach dem dänischen Modell das 24. Lebensjahr vollendet haben.

Derzeit sind die meisten Frauen, die aufgrund von Familienzusammenführungen nach Deutschland kommen, unter 21 Jahre alt, und sie kommen nach meiner Erkenntnis mehrheitlich durch Zwangs- bzw. arrangierte Ehen hierher.

Viele dieser Ehen werden aus materiellen Gründen geschlossen oder weil der »Brautpreis Deutschland« lockt. Ich halte es für sinnvoller, diesen arrangierten Ehen von vornherein die Grundlage zu entziehen, als sie hinterher strafrechtlich verfolgen zu müssen. Also Vorbeugung statt Strafe und Opferschutz, ein Prinzip, das sich auch sonst bewährt hat. Die dänischen Untersuchungen zeigen, dass der Einfluss der Familie mit zunehmendem Alter der Kinder sinkt. Diese können sich eher gegen eine fremdbestimmte Partnerwahl durch die Eltern zur Wehr setzen. Ich bin sicher, dass die Zahl der Ehen, die auf die Schnelle mit einem Partner im Ausland arrangiert werden, rapide abnehmen wird, wenn ein Mindestalter der Ehepartner gefordert wird. Dies würde entsprechende ausländergesetzliche Regelungen voraussetzen.

Die Tochter ist die Ehre der Familie, und die Familie ist für die Unberührtheit der Tochter verantwortlich. Die Keuschheit einer über 20-jährigen Tochter zu bewachen, dürfte aber für die Familie viel schwerer sein als bei einer jüngeren. »Ältere« Frauen stehen nicht mehr so stark unter familiärer Aufsicht und sind auch sonst schon selbstständiger. Vielleicht haben sie schon einen Beruf erlernt oder studieren, bevor sie sich entschließen zu heiraten. Mit der Selbstständigkeit der jungen Frauen wird ihre Entscheidungsfähigkeit gestärkt.

Bei einem 24-jährigen Mann kann man davon ausgehen, dass er in seiner beruflichen Entwicklung so weit ist, eine eigene Familie unterhalten zu können. Er ist nicht mehr von seiner Familie wirtschaftlich abhängig, seine Eltern können ihm dann zumindest nicht mehr aus diesem Grund vorschreiben, wen er zur Frau nimmt. Ein junger Mann unter 21 Jahren wird allein nicht die Mittel aufbringen, die er braucht, um in der Türkei eine Hochzeit auszurichten. Er ist dabei auf seine Familie angewiesen. Sie wird schon aus diesem Grund bestimmen, wann es »so weit« ist. Ich bin keine Juristin, sondern Soziologin. Mögen die Juristen diskutieren, ob solche Regelungen verfassungsrechtlich möglich sind und wie man sie mit anderen Normen in Übereinstimmung bringen kann.

Nachweis eines eigenen Haushalts: Eine Einreise des Ehepartners sollte künftig nur genehmigt werden, wenn der Ehepartner über einen Zeitraum von mindestens einem Jahr nachweist, dass er ein für den Familienunterhalt ausreichendes Einkommen durch Arbeit bezieht und einen eigenen Haushalt führt. Der bereits in Deutschland lebende Partner wäre für seinen Partner verantwortlich und könnte innerhalb bestimmter Fristen keine Sozialhilfe beantragen. Er müsste nachweisen, dass er mit seinem Ehepartner einen selbstständigen Haushalt führen wird. Es ist übliche Praxis bei türkischen Migranten, die Importbräute als kostenlose Haushaltshilfen im Familienhaushalt einzusetzen. Da sie oft in den Wohnungen ihrer Schwiegereltern festsitzen, haben sie meist keine Möglichkeit, überhaupt Kontakte zur deutschen Gesellschaft zu knüpfen. Diese Art von moderner Sklaverei muss aufhören.

Verbot von Verwandtenehen: Auch bei den in Deutschland lebenden türkischen Familien ist die Tendenz ungebrochen, die Braut häufig aus dem Verwandtenkreis besorgen zu lassen. Oft beharren die Eltern aus Tradition oder aus wirtschaftlichen Gründen auf der Verwandtenehe. Schließlich heiratete der Prophet, obwohl der Koran in bestimmten Verwandtschaftsverhältnissen ein Ehehindernis sah, selbst seine Cousine Zainab, und so hat sich die Ehe von Cousin und Cousine trotz der Prophezeiung und geschürt durch die Furcht, das Kind einer fremden Familie anzuvertrauen, stark verbreitet.

Genaue Zahlen über Verwandtenehen hat niemand, weil sie nie systematisch erhoben wurden. Bei einer Befragung, die im Rahmen eines Forschungsprojekts am Universitätsklinikum Rudolf Virchow in Berlin stattfand, gab jede fünfte von über dreihundert Frauen an, einen Verwandten geheiratet zu haben. In ländlichen Gebieten der Türkei heiraten mitunter sogar über vierzig Prozent innerhalb der Familie, wie eine Untersuchung der Universität Diyarbakir von 1996 ergab.

Dass eine Heirat unter Blutsverwandten erhebliche gesundheitliche Risiken für die in dieser Ehe gezeugten Kinder mit sich bringt, wird ignoriert.

Entweder fehlt es an Aufklärung über solche medizinischen Gefahren, oder sie werden in Kauf genommen, weil ohnehin alles dem Plan Allahs folgt.

Je enger das Verwandtschaftsverhältnis, desto größer die Gefahr einer genetisch bedingten Erkrankung. Bei den unter Türken verbreiteten Ehen zwischen Cousin und Cousine verdoppelt sich das Risiko, dass der Nachwuchs behindert zur Welt kommt. In der Praxis für vorgeburtliche Diagnostik eines Berliner Frauenarztes wurden im Jahr 2002 bei 160 Cousin-Cousinen-Ehepaaren 14 Föten mit »schweren Anomalien« diagnostiziert – immerhin eine Rate von 8,5 Prozent. Und die Dunkelziffer solcher mit Anomalien geborenen Kinder dürfte sehr hoch sein.

Eine Behinderung wird als *Kismet* und als »Strafe Gottes« gesehen. Diese Kinder werden versteckt.

Ehen von Blutsverwandten dürfen künftig nicht anerkannt werden, die Einreise des Ehepartners zwecks Familienzusammenführung bei naher Verwandtschaft nicht erlaubt werden.

Ächtung der Mehrehe: Vielweiberei ist in Deutschland ein Straftatbestand. Und der muss auch für Muslime gelten. Es darf keine Familienzusammenführung mit anschließender Familienversicherung und Versorgung durch das Sozialamt bei Mehrehen geben. Mehrehen müssen für nichtig erklärt werden.

Sprach- und Integrationskurse: Personen, die einen ständigen Aufenthalt in der Bundesrepublik beantragen, müssen schon bei der Einreise ihr Verständnis der deutschen Sprache und Kultur prüfen lassen. Sie müssten danach an Sprach- und Integrationskursen teilnehmen, die mit einem Abschlusstest enden, der bestanden werden muss, bevor eine dauerhafte Aufenthaltsgenehmigung erteilt wird. Andernfalls erhalten sie nur eine Aufenthaltsduldung, die immer wieder neu beantragt werden muss. Das neue Zuwanderungsgesetz schreibt solche Kurse bereits vor. Vor allem für die jungen Frauen wäre dies die einzige vom Staat vorgegebene Möglichkeit, die Sprache des Landes zu erlernen, in dem sie zukünftig leben werden, und seine Normen und Werte kennen zu lernen. Die deutsche Gesellschaft könnte sich so zum ersten Mal überhaupt einen Eindruck davon verschaffen, wer Bürger ihres Landes wird. Deshalb ist es wichtig, diese Integrationskurse auch dazu zu nutzen, Kontakte zu diesen Menschen aufzubauen, ihnen Vertrauen in die Rechtsstaatlichkeit der deutschen Gesellschaft zu vermitteln und ihnen die Chancen aufzuzeigen, die diese Gesellschaft auch ihnen bietet.

Ziel all dieser Maßnahmen wäre es, jedem, gleich welcher Herkunft und Religion, zu ermöglichen, sich seinen Ehepartner selbst auszusuchen, und die Botschaft zu vermitteln, dass jeder sich dabei der Unterstützung der deutschen Gesellschaft sicher sein kann. Ich möchte, dass die Integration der hier lebenden Türken und Muslime gefördert wird und der weiteren Entwicklung einer Parallelgesellschaft entgegengewirkt wird.

Die Regierung, die Parteien, die gesellschaftlichen Institutionen, die Behörden, Lehrer, Sozialarbeiter, die Türken und Muslime selbst müssen diese Praxis ändern wollen. Wenn sich etwas ändern soll, muss sich die Einstellung der Gesellschaft zu diesem Problem ändern.

Wer die Mutter zum Weinen bringt, wird ertrinken

Und wir dürfen in der Auseinandersetzung um dieses Thema nicht länger einem Missverständnis aufsitzen: Es geht bei der Frage der Zwangsehen nicht nur um familiäre Bräuche oder religiöse Traditionen, sondern vor allem geht es dabei um das Welt- und Menschenbild des Islam im Verhältnis zur demokratischen Gesellschaft.

In unserer Demokratie und Rechtsprechung stehen die Freiheit, die Rechte und Pflichten des Individuums und sein Schutz durch und vor dem Staat im Mittelpunkt aller Überlegungen. In den muslimisch orientierten Gemeinschaften und Gesellschaften steht die *Umma*, die Gemeinschaft, im Vordergrund. Muslimische Gesellschaften sind Kollektive: die Familie, die Sippe, die Türken, die *Umma*.

Das Recht auf persönliche Entscheidung ist Muslimen deshalb nur in engen Grenzen gegeben. In erster Linie trägt jedes Mitglied der Gemeinde mit seinem Handeln Verantwortung gegenüber der Familie, der Gemeinschaft und Gott. Der Einzelne ist nicht für sich da, sondern für die Gemeinschaft. Umgekehrt heißt das auch, die Gemeinschaft übernimmt Verantwortung, Entscheidungen für den Einzelnen. Er wird beschützt. Das Individuum ist nicht selbstständig, sondern nur Teil des Ganzen. Dieses Selbstbild – ich bin nur ein Teil des Ganzen, andere bestimmen und verantworten, was passiert, und alles geschieht nach Gottes Wille – macht die Menschen passiv und wenig anspruchsvoll und neugierig auf das, was da kommt. Es lässt die jungen Bräute meist klaglos ihr Schicksal ertragen.

Dieses Menschen- und Weltbild wird nicht hinterfragt, es ist »fraglos gegeben«, es kann auch gar nicht infrage gestellt werden, weil der Islam als Gesetzesreligion gottgegeben ist. Dieses Kulturmuster prägt das Handeln der muslimischen Migranten in Deutschland bis in den letzten Winkel ihres Alltags – ihr Leben, ihr Verhalten, die Erziehung ihrer Kinder. Und diese Werte haben mit den Werten und Normen der deutschen Mehrheitsgesellschaft nicht viel gemein.

Wer glaubt, dass sich diese Haltung im Laufe der Generationen gleichsam »auswächst«, der irrt. Ich wollte in einer Untersuchung wissen, ob Jugendliche aus Familien der dritten und vierten Generation von Migranten noch der Verpflichtung auf die *Umma*, die Gemeinschaft und die Familie, folgen, und wieweit die religiöse Tradition sie noch prägt.

Diese türkischen Jugendlichen leben in einer deutschen Großstadt, und ihr Konsumverhalten ist von den Möglichkeiten dieser Freizeit- und Lifestyle-Gesellschaft geprägt. Sie lieben Karate- und Actionfilme wie ihre deutschen Altersgenossen, und ihre Berufswünsche unterscheiden sich nicht von denen anderer. Ich wollte wissen, ob die deutsche Mehrheitsgesellschaft auf das Menschen- und Weltbild dieser Jugendlichen Einfluss genommen hat, Ideen von Selbstbestimmung und Individualität, Grundrechte und Demokratie sich verbreiten, ob also das

»Modell Deutschland« gegen das »Modell Medina« an Boden gewinnt.

Ich bin in Schulen in Hamburg und Berlin gegangen, habe dort über einhundert oft mehrstündige Interviews geführt, am Unterricht in den Klassen teilgenommen. Ich habe mit den Hodschas in den Moscheen gesprochen und mit den Familien der Jugendlichen. Ich stellte allen Jugendlichen die Frage: »Bist du religiös?« Und immer erhielt ich die gleiche Antwort, wie der 16-jährige Mete aus Hamburg-Wilhelmsburg sie mir gab: »Allah ist für mich alles.« Alle befragten Jugendlichen bezeichneten sich als religiös und als Muslime. Die Selbstzuordnung zum Islam ist selbstverständlicher Teil ihrer türkischen Identität – und die türkische Identität ist muslimische Identität. Es gibt keinen Unterschied dazwischen. Dabei geht es den Jugendlichen weniger um Religiosität im Sinne strenger Gläubigkeit, sondern um das Bekenntnis ihrer Zugehörigkeit zum türkisch-muslimischen Kulturkreis. Auch diejenigen unter ihnen, die ein ambivalentes Verhältnis zur Religiosität haben, stellen ihr Bekenntnis zum Islam nicht infrage. In ihrer Lebenswelt, also der Familie, der Verwandtschaft, der türkischen Nachbarschaft, ist die muslimische Religionszugehörigkeit eine soziale Selbstverständlichkeit. Wer sich dem entziehen wollte, würde den Verlust der Identität riskieren und mit Sanktionen bedroht werden.

Eine zentrale Rolle in ihrem Selbstverständnis nehmen die Dankbarkeit und der Respekt gegenüber den Eltern und Älteren ein. Kinder haben ihnen gegenüber eine grundsätzliche Daseinsschuld. Für den 15-jährigen Emil wäre es eine Sünde, eine Deutsche, eine Christin, zu heiraten. Sein Vater würde ihn fragen: »Habe ich dich großgezogen, damit du mich verrätst?« Man gehört sich schließlich nicht selbst, sondern der Familie, der *Umma*. Und dieser muss Respekt gezollt werden.

Respekt ist neben der Ehre der Begriff, der am häufigsten von meinen muslimischen Gesprächspartnern gebraucht wird, um sich von den Ungläubigen abzugrenzen. Mit Respekt ist aber anderes gemeint, als aufgeklärte Menschen darunter verstehen. Wenn Muslime »Respekt« vor dem Islam einfordern, dann meinen sie nicht die Achtung oder Anerkennung ihres Glaubens, sondern den Respekt vor dem Stärkeren – in ihren Augen die Anerkennung, dass der Orient und mit ihm der Islam auf dem Vormarsch sind. Respekt ist eine Machtfrage.

Während man im westlichen Kulturkreis unter Respekt die gegenseitige Anerkennung und Achtung der Differenz, der Verschiedenartigkeit zweier Kulturen versteht, ist für den Muslim »Respekt« immer auch mit Unterwerfung verbunden. Es ist gerade keine Begegnung auf gleicher Augenhöhe. Als Muslim unterwirft man sich, »respektiert« den Älteren, so wie man sich – jeden Tag fünfmal, auf den Knien, gen Mekka gewandt, mit dem Gesicht auf dem Boden – Gott unterwirft. Respekt ist im Alltag der Respekt vor den Gesetzen Allahs, der Respekt der Jüngeren vor den Älteren, der Frau vor dem Mann usw. Respekt ist Voraussetzung und Teil der »Ehre«.

Mete und Emil sind Jugendliche aus Hamburg-Wilhelmsburg, einem Stadtteil, in dem jeder zweite Jugendliche unter 18 Jahren ein Ausländer ist, der Ausländeranteil insgesamt liegt bei 40 Prozent. Wilhelmsburg ist so etwas wie unser aller Zukunftsvision. Wenn die demographische Entwicklung so weitergeht, wenn deutsche Familien immer weniger Kinder bekommen, dann werden in den Städten mit über hunderttausend Einwohnern in zwanzig Jahren über fünfzig Prozent der Bevölkerung einen Migrationshintergrund haben. Während Ende des 19. und Anfang des 20. Jahrhunderts Wilhelmsburg der Ort war, von dem aus monatlich Tausende Auswanderer Deutschland in Richtung Amerika verließen, ist es nun ein Ort der Einwanderer vornehmlich aus der Türkei geworden. Der islamische Einfluss im Stadtteil ist in den letzten Jahren kontinuierlich gewachsen. Vor den in rotem Klinker gebauten Mietshäusern, die in den zwanziger Jahren für die Arbeiterfamilien in der Nähe des Hafens und der Werften errichtet wurden, sieht man mehrheitlich Frauen und Mädchen mit Kopftüchern, sind die Bewohner, die Läden, die Gaststätten meist türkisch. Wer von den deutschen Bewohnern kann, zieht von der Insel, die zwischen dem Hafen, der Autobahn und den Elbbrücken liegt, fort. Zurück bleibt ein »Problemstadtteil« mit Bewohnern, die überdurchschnittlich häufig von Sozialhilfe und Arbeitslosengeld leben und unter denen der islamische Einfluss kontinuierlich an Boden gewinnt.

Obwohl sie merken – vor allem die Mädchen –, dass sie ihre an den Möglichkeiten der Moderne orientierten Lebensziele in der engen Welt ihres Stadtteils und ihrer Familien nicht erreichen werden, gelingt es kaum jemandem, sich aus der sozialen Umklammerung zu lösen. Und je unwahrscheinlicher die Möglichkeiten einer Karriere außerhalb dieser Welt werden, desto mehr gewinnt das »Modell Medina« an Attraktivität. Die Rückbesinnung auf die vermeintlich »heile Welt« der türkisch-muslimischen Gemeinschaft mit ihren klaren Strukturen und Aufgaben scheint für manche jungen Menschen eine Identifikation zu bieten, die attraktiv erscheint, wenn ringsum die Krise herrscht.

Alle von mir befragten Jugendlichen hatten zwar den Wunsch, nicht verheiratet zu werden, sondern sich ihren Partner selbst auszusuchen. Hier hat die deutsche Gesellschaft schon Spuren hinterlassen und Bedürfnisse geweckt. In der Realität werden sie sich aber wohl doch anders entscheiden, denn der Respekt vor den Älteren verbietet es ihnen, sich dem Wunsch der Eltern zu widersetzen. »Wir gehören ihnen nun mal«, sagte mir der 16-jährige Mete, und ihr Herz brechen, das könnte er nicht.

In seiner Freitagspredigt sprach der Imam einer Hamburger Moschee vor einiger Zeit von der »Daseinsschuld«, die jeder Mensch gegenüber Gott und seiner Mutter hat – nichts Ungewöhnliches, eine solche Predigt könnten jeder Hodscha und jeder Imam in jeder muslimischen Moschee halten: »Das Recht der Mutter am Kind kennt keine Grenze. Denkt daran, einen Stoß im Bauch der Mutter, den ihr ihr gegeben habt, könnt ihr nicht durch vier Pilgerreisen nach Mekka vergelten. Wer das Herz der Mutter bricht, wird gebrochen, wer die Mutter zum Weinen bringt, wird ertrinken. Wer die Mutter verletzt, wird als ewig Verletzter verdammt sein.«

Eine schleierhafte Debatte
oder
Falsch verstandene Toleranz

Warum muslimische Frauen Kopftuch und die Deutschen schwer an ihrer Schuld tragen und einige von ihnen muslimischer als die Muslime sind

Es ist Hochsommer in Deutschland, aber seit zwei Wochen regnet es. Für jemanden wie mich, die in einem Land aufgewachsen ist, in dem fast neun Monate im Jahr die Sonne scheint, ist das auch nach über dreißig Jahren noch eine harte Prüfung. Ich sitze im Zug und fahre nach Münster, wo mir eine weitere Prüfung bevorsteht – eine Podiumsdiskussion über das Kopftuch.

Im »Spiegel« lese ich einen Artikel mit dem Titel »Allah in Delmenhorst«, einem Ort, der fast auf meiner Strecke liegt. Darin wird eine fundamentalistische Schiiten-Familie porträtiert, die in der Provinz im Internet den www.muslim-markt.de betreibt. Fast könnte man über die Familie Özoguz lachen, aber als ich ihre Antworten auf einige Fragen der Reporterin lese, bleibt mir dann doch das Lachen im Halse stecken. Natürlich sei die USA am Massaker des 11. September schuld, die Todesstrafe im Iran notwendig und Chomeinis Mordaufruf gegen den Schriftsteller Salman Rushdie nur zu dessen eigenem Schutz gewesen. »Sein Leben«, sagt der Hausherr, sei »durch Millionen empörter Muslime« gefährdet gewesen, die seine »Satanischen Verse« gehasst hätten, »aber als die Fatwa gesprochen war, da war klar: Der Mann ist bedroht. Er wird Schutz bekommen. Und den bekam er auch.« Bizarr – einen Mordaufruf in einen Samariterdienst umzudeuten, darauf muss man erst mal kommen. Mir fehlt inzwischen der Humor oder die nötige Distanz, um über solche Sprüche lachen zu können. Sie sind nämlich bitterernst gemeint.

Die katholisch-soziale Akademie in Münster hat mich eingeladen. Ich kann die Zahl der Diskussionen zum Thema Kopftuch, an denen ich schon teilgenommen habe, nicht mehr an den Fingern zweier Hände abzählen. Es waren viele – große Veranstaltungen mit mehreren hundert Teilnehmern ebenso wie kleine intime Runden. Sie gehören alle zum »interreligiösen Dialog«, den die Kirchen mit den Muslimen führen wollen. Außer den christlichen Akademien kümmern sich vor allem die politischen Stiftungen der Parteien um die Auseinandersetzung mit diesem Thema, das nicht nur in der Bundesrepublik so viel Staub aufwirbelt. Man lädt gern Gegner, Befürworter, Betroffene, Politiker und Fachleute dazu ein, immer um Ausgewogenheit bemüht. Die Themen solcher Veranstaltungen werden möglichst neutral formuliert. Nichts scheinen die Initiatoren mehr zu fürchten als den Vorwurf, gegenüber anderen Kulturen »nicht liberal« oder gar »intolerant« zu sein. Ich wurde jedenfalls noch nie zu einer Veranstaltung eingeladen, die unter dem Motto »Keine Kopftücher an unseren Schulen!« firmiert hätte – was ich mir durchaus wünschen würde, denn, um es gleich vorwegzunehmen: Kopftücher haben in meinen Augen weder bei Lehrerinnen noch bei Schülerinnen in der Schule etwas zu suchen. Aber kein Veranstalter scheint sich zu trauen, in dieser Frage öffentlich Stellung zu beziehen. Heute lautet das Thema »Kopftuchverbot: pro und contra«.

Der Saal ist voll, etwa einhundert Zuhörer. Kurz vor Beginn erscheint eine Gruppe von etwa zwanzig arabischen Studenten und Studentinnen, die Frauen tief verschleiert, mit großen schwarzen, eng um den Kopf gebundenen Tüchern. Sie werden von einer blonden Frau in meinem Alter begleitet, die sich ganz nach vorn setzt, während die Gruppe in den hinteren Reihen Platz nimmt.

Der Moderator stellt die Diskutanten auf dem Podium vor. Zuerst spricht die Leiterin einer Gesamtschule aus dem Ruhrgebiet, an deren Schule neun von zehn Kindern aus muslimischen Migrantenfamilien stammen. Mit den deutschen Kindern hätten diese nahezu keine Probleme – wohl aber untereinander. Eine immer größer werdende Zahl von Mädchen würde inzwischen mit Kopftuch in die Schule kommen und ihre nicht Kopftuch tragenden Mitschülerinnen als »Schlampen« beschimpfen, als »Unreine«. Das Kopftuch, so die Schuldirektorin, und die Unkenntnis der deutschen Sprache stellten ein ernstes Integrationshindernis im Schulalltag dar. Die bisherigen Konzepte der multikulturellen Pädagogik hätten versagt.

Kopftuch und Koran

Warum tragen muslimische Frauen das Kopftuch? Aus religiösen Gründen, behaupten seine Befürworter, die sich dabei auf den Koran berufen. Vom Schleier ist im Koran die Rede, das stimmt. Aber anders als das tägliche Beten oder Fasten, die zeitlose Gebote zur Ehre Allahs sind, gilt dies nicht für die Bekleidungsvorschriften. Sie verdanken sich einem *bestimmten historischen Kontext*. Sie wurden einst als Maßnahme eingeführt, um Frauen vor sexueller Gewalt und Männer vor Ehrverlust zu schützen.

Statt die Täter zu bestrafen, wurden die Opfer verschleiert. Der Schleier wurde also nicht, wie von den Strenggläubigen behauptet, als ein Zeichen des Glaubens eingeführt, sondern um die Frauen vor den Zudringlichkeiten der Männer zu schützen. Weil Männer durch die teuflische Aura der Frau in ständige Versuchung geführt werden und sich nicht beherrschen können, müssen die Frauen durch den Schleier »unsichtbar« gemacht und aus der Öffentlichkeit verbannt werden. Eine geniale Doppelstrategie. Sie funktioniert noch heute. Der Schleier trennt die Gläubigen von den Ungläubigen, die Reinen von den Lasterhaften, die Guten von den Bösen, die Öffentlichkeit – das Reich des Mannes – von dem »Haus« – das Reich der Frau.

Aber wie kommt eine Demokratie dazu, den Schleier oder das Kopftuch zu akzeptieren? Hier brauchen wir den Schleier nicht als Schutz gegen sexuelle Gewalt. Dafür gibt es Gesetze. Und diese zwingen nicht das Opfer zur Freiheitseinschränkung, sondern den potenziellen Täter bei Androhung von Strafe zur Selbstbeherrschung.

Heute aus dem Koran eine allgemeine religiöse Pflicht für das Kopftuch abzuleiten, ist nicht akzeptabel. Ich weiß, die Muslime sagen, der Koran ist nicht interpretierbar, er ist nicht historisierbar, er gilt Wort für Wort. Aber es käme doch auch niemand in den Sinn, Frauenraub, Frauentausch, Frauenkauf, Blutrache und das Halten von Sklavinnen als religiöse Pflichten zu akzeptieren, weil sie im Koran legitimiert sind. Das Kopftuch ist *kein* Zeichen des Glaubens. Es ist nicht mit dem christlichen Kreuz und der jüdischen Kippa gleichzusetzen. Während Kreuz und Kippa religiöse Symbole darstellen, die den Glauben bekunden, die Demut gegenüber Gott bezeugen, ist das Kopftuch das Zeichen für die Reduktion der Frau auf ihr Geschlecht. Unter Berufung auf ihre *Aurah* wird sie aus dem öffentlichen Raum ausgegrenzt und diese Ausgrenzung auch noch als »zu ihrem eigenen Schutz« vorgenommen verkauft, ähnlich wie die Familie Özoguz die Fatwa gegen Rushdie nur zu seinem eigenen Besten erklärt.

So hat sich in den muslimischen Gemeinschaften eine Trennungslinie zwischen Männern und Frauen herausgebildet. Der Mann steht in der Öffentlichkeit, die Frau ist Privatheit, das Haus und die »Ehre des Mannes«. Sie sei ohnehin, so die islamische Lehre, kein Vernunft-, sondern ein sexuelles Wesen, ihr fehle es an den biologischen Voraussetzungen für Vernunft. Wenn eine Religion oder ein Glaube lehrt, die Frau sei von Natur aus dem Mann nicht gleichwertig, steht das im Widerspruch zu Artikel 3 des Grundgesetzes. Wie kann die deutsche Gesellschaft das akzeptieren?

Die religiösen Muslime, für die Schleier oder Kopftuch als obligatorisch gelten, sind auch in Deutschland auf dem Vormarsch, besonders seit den Anschlägen vom 11. September 2001 ist ihre Zahl rapide angestiegen. Nach einer Studie des Zentrums für Türkeistudien aus dem September 2003 definierten sich 71 Prozent der Migranten als religiöse Muslime, davon 19 Prozent als sehr religiös, das sind 14 Prozent mehr als im Vergleichsjahr 2000, also vor den Anschlägen des 11. September.

Ihre strikte Verpflichtung auf den Koran ist etwas anderes als die Zugehörigkeit zu einer Glaubensrichtung, wie bei den Christen. Während der Glaube bei den Christen zur »Privatsache« geworden ist, eine Wahl, die der Einzelne trifft und auch jederzeit durch »Austritt« wieder revidieren kann, ist die muslimische Religiosität in der türkischen Gesellschaft fraglos gegeben. Und sie bezeichnet nicht nur die Zugehörigkeit zu einem Glauben, sondern die Unterwerfung unter ein ganzes Ensemble sozialer Gebote, die historisch tief verwurzelt sind und trotz aller Einflüsse der Moderne von Generation zu Generation weitergegeben werden, auch noch an die bereits hier geborenen Nachfahren von Migrantenfamilien. Gestützt wird die Autorität dieser sozial-kulturellen Tradition durch »Kaza«, eine fast autonom zu nennende Parallelwelt – die Verwandtschaft, die türkische Nachbarschaft, die Koranschulen, türkische Läden, türkische Medien. Es ist die mitten in der deutschen Gesellschaft mit allem Lebensnotwendigen ausgestattete Parallelwelt der türkisch-muslimischen Gemeinschaft, die auf keiner Landkarte verzeichnet ist, aber dennoch existiert.

Ich habe in Deutschland lebende junge Kopftuchträgerinnen befragt, von denen nahezu alle zwischen ihrem vierten und 13. Lebensjahr regelmäßig die Koranschule besucht haben, in der sie, so sagen sie, ihren Glauben gefunden oder gefestigt hätten. Sie erzählten mir, dass sie ihr Kopftuch gern trügen, dass sie sich daran gewöhnt hätten und sich ein Leben ohne Kopftuch nicht mehr vorstellen könnten. Sie seien stolz, sich von nicht Kopftuch tragenden Musliminnen und von den Ungläubigen, zu unterscheiden. Sie wollen mit den Deutschen, den Unreinen nichts zu tun haben, wie mir eine Vertreterin der Schura, einer Vereinigung muslimischer Vereine in Hamburg, stolz erklärte. Sie verabscheuen das ehrlose Leben der Frauen im Westen, sie fühlen sich stark und den Unreinen moralisch und geistig überlegen. Als Zeichen ihrer Abgrenzung tragen sie das Kopftuch. Ja, es sei oft ein hartes Leben, sie müssten viel für ihren Glauben tun, aber Allah würde sie im Jenseits dafür belohnen. Es sei ihre Pflicht, nach Gottes Gesetzen zu leben. Mit Blick auf die ohne Kopftuch und religiöse Pflichten aufwachsenden Schulkameradinnen sagen sie, die hätten es jetzt vielleicht besser, aber dafür würden sie im Jenseits bestraft werden. Sie hingegen hätten es »geschafft«.

Wenn man sich vor Augen hält, dass sich die jungen Frauen in einem für die Persönlichkeitsentwicklung wichtigen Ablöseprozess von den Eltern, in der Pubertät, befinden, sind die Folgen, die das Kopftuch als Symbol für ihre Rolle als Frau hat, fatal. Denn mit dem Kopftuch übernimmt die junge Muslimin zugleich den ganzen türkisch-muslimischen Common Sense von der Trennung der Gesellschaft. Die Frau gehört ins Haus, der Mann in die Öffentlichkeit. Sie ist die Ehre des Mannes, die sie nicht beflecken darf. Sie ist ein ausschließlich sexuelles Wesen, das zu seinem eigenen Schutz aus der Öffentlichkeit ausgegrenzt werden muss.

Wenn eine Religion auf diese Weise die Unterwerfung der Frau unter den Mann einfordert, dann verstößt sie damit gegen

Artikel 3 unseres Grundgesetzes. Dies gilt für alle Religionen, für die die Gleichberechtigung von Mann und Frau keine Selbstverständlichkeit ist, sondern in denen mit – angeblich – religiösen Vorschriften die Ungleichheit sogar noch untermauert wird.

Die Toleranz der Deutschen

Es gibt die besonders unter bundesdeutschen Linken und Liberalen verbreitete Auffassung, das Kopftuch sei ebenso harmlos wie seinerzeit die lila Latzhose in den Anfängen der Frauenbewegung. Auch das Kopftuch wolle schlicht ein Anderssein dokumentieren, es sei ein Zeichen der kulturellen Identität, mit dem sich junge Musliminnen gegen die Mehrheitsgesellschaft abgrenzen wollten. In anderen Worten: Es sei eher als ein Symbol der Rebellion gegen den Anpassungsdruck der sie umgebenden Gesellschaft zu verstehen.

Wenn junge Frauen sich bewusst für das Kopftuch entscheiden, dann wollen sie sich in der Tat oft abgrenzen. Vor allem aber wollen sie demonstrieren, dass sie rein sind. Die Entscheidung wurde von ihrer sozialen Umgebung gefällt und die Anpassung daran positiv sanktioniert (dafür loben meine Eltern mich, die Gemeinschaft schätzt mich, dafür komme ich ins Paradies etc.).

Das Verschleiern sagt über die Trägerin aus: Ich bin ehrbar. Im Umkehrschluss heißt das: Alle nicht verschleierten Frauen sind unrein und damit letztlich eine Schande für die muslimische Gemeinschaft, der Schikanierung durch andere preisgegeben, so wie die Gesamtschulleiterin aus dem Ruhrgebiet es zutreffend beschrieben hat.

Als bewusste Demonstration wird das Kopftuch heute nicht in erster Linie von der stummen Mehrheit getragen, die durch familiären Druck ins Haus und in die Tradition gepresst wird, sondern es sind oft junge gebildete Frauen, die ihr Kopftuch als Symbol der Emanzipation begreifen. Psychologisch ist das ein interessanter Vorgang. Da es den muslimischen Frauen nur zum Preis des Bruchs mit der Familie möglich wäre, sich gegen die Konvention zu stellen, reagieren sie nicht mit Rebellion, wie man es von deutschen Jugendlichen kennt, sondern – vor die Entscheidung gestellt: »love it, change it or leave it« – reagieren sie mit Überanpassung und werden zu Vorkämpferinnen des Islam. Sie erkaufen sich ein Stück Freiheit von der Familie, indem sie sich in Glaubensfragen als mustergültige Koranschülerinnen gebärden. Dafür werden sie von der *Umma* gelobt. Und sie fordern diese Anerkennung auch von der deutschen Gesellschaft. Sie grenzen sich ab, um als »anders« anerkannt zu werden. Vielleicht spüren sie, dass die deutsche Gesellschaft gerade denen fürsorglichen Schutz gewährt, die sich als besonders anders geben, weil die Deutschen dieses immer wieder als Bewährungsprobe für ihre eigene »Toleranz« missverstehen.

Aber statt »tolerant« ein anderes kulturelles Muster zu akzeptieren, ohne sich dabei klar zu machen, was da eigentlich akzeptiert wird, schiene es mir für überzeugte Demokraten doch angemessener, darüber zu diskutieren, wie wir den jungen Frauen Möglichkeiten eröffnen, sich von dem sozialen Druck der *Umma* zu befreien und die Freiheit der selbst bestimmten Entscheidung zu gewinnen.

Als ich 1968 von Istanbul nach Deutschland kam, trug außer den alten Frauen in Anatolien keine Frau ein Kopftuch. Das ist erst wieder anders geworden, seit der Ayatollah Chomeini von den Frauen die Verschleierung verlangte und die iranische Revolution dieses Gebot mit blutigem Ernst durchsetzte.

Chomeinis besonderer Hass galt nicht nur seinem Erzfeind, dem Schah Reza Pahlewi, gegen den er die Fatwa aussprechen ließ, sondern vor allem auch der Kaiserin Farah Diba, für ihn der Prototyp der modernen Frau, frei und emanzipiert, mit anderen Worten: »ungehorsam« gegenüber der »islamischen Moral«.

Das Kopftuch ist zum Symbol des politisch simplifizierten Islam geworden, es ist das Fähnlein, mit dem die Islamisten zeigen wollen: Wir sind hier, und wir sind viele. Die Islamisten haben das Kopftuch zu einer politischen Frage gemacht. Und sie bedienen sich der Argumente des Rechtsstaates für ihre Zwecke. Sie wollen uns eine Diskussion um Toleranz und Freiheit aufzwingen, statt die für ein Leben in dieser Gesellschaft entscheidenden Fragen zu beantworten: Wie stehen die Muslime zur Selbstbestimmung und zur Gleichberechtigung der Frau? Wie stehen sie zur Scharia? Kann ihre Tochter heiraten, wen sie möchte? Was tun sie für die Integration?

Treiben wir, wie manche meinen, die jungen Frauen den Fundamentalisten nur in die Arme, wenn wir sagen, wir wollen an unseren Schulen kein Kopftuch sehen?

Das Gegenteil ist der Fall. Religionen haben, wenn sie klug sind, immer auf gesellschaftliche Entwicklungen reagiert. Eine lebendige Religion passt sich an. Noch ist nicht klar, ob die reformerischen Kräfte sich gegen die großen Vereinfacher durchsetzen werden. Ich hoffe, dass die Aufrufe der muslimischen Organisationen in Frankreich, das gesetzliche Kopftuchverbot zu respektieren, kein bloß taktisches Verhalten war. Denn die Integration könnte eine Chance für den Islam sein, sich der Krankheit des Fundamentalismus zu entledigen. Aber auch die westlichen Demokraten dürfen sie nicht verspielen. Deshalb dürfen sie auch nicht einen Fußbreit von der Wahrung der Grundrechte abweichen. Das wäre schädlich für die Muslime, die sich integrieren wollen, und schlecht für unsere Gesellschaft. Und zugleich müssen alle Versuche abgewehrt werden, dass sich die organisierten Muslime des Rechtsstaates für ihre eigenen Zwecke bedienen. »Der Islam in der Diaspora braucht den säkularen Staat, die Demokratie und die Menschenrechte wie die Luft zum

Atmen«, schreibt M.S. Abdullah in »Was will der Islam in Deutschland?« (1993). Einige streng gläubige Muslime haben gemerkt, »dass das deutsche Grundgesetz geradezu ein Vorteil für sie ist«. »Nicht dass diese Verfassung für sie ein Wert an sich wäre«, schreibt Ursula Spuler-Stegemann in ihrem Buch »Muslime in Deutschland«, »wichtig scheint nur zu sein, dass sie die Minderheiten schützt und ihnen Freiheiten gewährt, die sie in keinem einzigen islamischen Land haben können. Das Grundgesetz ist dem Islam nützlich. Denn es bietet die Basis dafür, dass man Rechte einfordern kann.« Der bis vor das Verfassungsgericht ausgefochtene Streit um das Kopftuch ist dafür ein deutliches Zeichen.

Wenn wir den Islamisten das Feld überlassen oder lax mit unseren Grundwerten umgehen, dann wird überall das passieren, was die *Süddeutsche Zeitung* am 6. April 2004 zu berichten wusste. Im Religionsunterricht, den die Islamische Förderation auf Gerichtsbeschluss an Berliner Grundschulen durchführen darf, gibt es Materialien, in denen steht: »Im Namen Allahs. Es gibt zwei Arten von Menschen, die einen sind unsere Geschwister im Glauben, mit den anderen sind wir durch das Mensch-Sein verbunden.« Das Grundgesetz kennt keine »zwei Arten von Menschen«, im Gegenteil: Als die Deutschen ihre Verfassung formulierten, saß ihnen noch die Erfahrung mit dem Nationalsozialismus im Nacken, der allerdings auch »zwei Arten von Menschen« gekannt hatte. Wie kann es zu dieser – euphemistisch gesprochen – »Blauäugigkeit« kommen, dass der Berliner Senat bereit ist, verfassungsfeindliche Materialien zu finanzieren, die dann auch noch an Grundschulen als Lehrmaterial eingesetzt werden dürfen?

Wo der Islamunterricht an Schulen eingeführt wurde, nimmt die Zahl der Kopftuch tragenden Mädchen zu. Für den Vorsitzenden der Islamischen Förderation, die diesen offiziell abgesegneten Religionsunterricht betreibt, Burhan Kesici, ist das Kopftuch – unter Berufung auf den Koran – obligatorisch. Wohlgemerkt: Hier ist von Grundschulkindern die Rede, von Mädchen zwischen sechs und zwölf Jahren (Berlin hat sechs Grundschuljahre), denen abverlangt wird, sich zu verschleiern. In muslimischen Ländern wird ein Mädchen verschleiert, wenn es als heiratsreif gilt, das heißt geschlechtsreif ist. Im Iran dürfen Mädchen ab dem neunten Lebensjahr verheiratet werden. Was bedeutet es, wenn sich in Deutschland Sechs- oder Achtjährige mit dem Kopftuch bedecken sollen? Sehen die muslimischen Männer in ihnen Sexualobjekte? Wenn ein Mädchen verschleiert wird, dann heißt das auch: Du bleibst künftig im Haus, du hast nicht die gleichen Rechte wie dein Bruder, du nimmst fortan nicht mehr am Sport- und Schwimmunterricht oder an Klassenfahrten teil – wenn es dem Mädchen denn vorher überhaupt gestattet war. Das hinterlässt Spuren in der Psyche, der Sexualität und der sozialen Identität. Ich habe das am eigenen Leibe erfahren.

Die Schule ist für viele muslimische Mädchen der Ort, an dem sie Respekt und Gleichbehandlung erfahren. Die Schule ist der einzige Freiraum, der ihnen offen steht. Dort haben sie die Chance, Alternativen zu der traditionellen und religiösen Weltsicht ihres Elternhauses kennen zu lernen, in der ihnen eine feste Rolle zugeschrieben wird. Die Schule hat die Verpflichtung, junge Menschen zu befähigen, Selbstbestimmung, Chancengleichheit und Gleichberechtigung kennen zu lernen und als Grundwerte auch für ihre eigene Lebensgestaltung mitzunehmen. Deshalb hat für mich das Kopftuch an der Schule nichts zu suchen. Natürlich auch nicht bei Lehrerinnen, denn damit würde man den Druck auf die jungen Mädchen nur noch verstärken, sich in das angebotene kulturelle Frauenmuster zu fügen.

Müssen wir wirklich in solchen Fragen tolerant sein? Es ist richtig: Auch die Gesellschaft, die Einwanderer aufnimmt, muss zu Veränderungen bereit sein. Es geht mir auch gar nicht darum,

jedwede kulturelle Eigenheit wegzuassimilieren. Aber wenn –
sei es aus religiösen, kulturellen, traditionellen oder egoistischen
Gründen – Menschenrechte verletzt werden, hört für mich die
Toleranz auf. Das Grundgesetz schützt in Artikel 2 die Freiheit
der Person und in Artikel 6 die Kinder vor Willkür und Ver-
wahrlosung.

Die staatliche Neutralität gegenüber den Religionen darf
nicht so weit gehen, dass Grund- und Menschenrechte im Namen der Religionsfreiheit verletzt werden. Damit fielen wir hinter alles zurück, was die Aufklärung historisch in einem langen
Prozess an Freiheiten für den Einzelnen gebracht hat. Und wir
gäben damit das Fundament unserer zivilen Gesellschaft auf –
den Rechtsstaat.

Muslimischer als die Muslime

Wenn ich all dies, so wie in dieser Diskussionsrunde in Münster,
gesagt habe, kommt, was immer kommt, wenn ich in Gegenwart von Muslimen und ihren deutschen Freunden den Islam
kritisiere oder auf Fehlentwicklungen hinweise: erstens Empö-
rung, zweitens Zweifel an meiner Kompetenz, und drittens werde ich als »unechte« Muslimin entlarvt.

Als Erster erhebt sich aus der Studentengruppe ein älterer
Herr, vermutlich ein Araber oder ein Nordafrikaner, und meint,
ich wüsste gar nichts vom Islam. Dann sagt er etwas für einen Islamisten Typisches: In Deutschland gäbe es eine Verfassung, die
man zu achten habe. Und diese garantiere ihm, dass er nach der
islamischen Lehre leben könne. Er sei Muslim und lebe nach
dem Islam, und den Islam könne man nicht nach Lust und Lau-
ne auslegen. Für ihn gälten nur die muslimischen Gesetze, und
nach diesen zu leben, garantiere ihm das Grundgesetz. Das muslimische Gesetz ist die Scharia. Der Mann meint die Scharia,

sagt es aber nicht. Nicht einmal von dem in der Diskussionsrunde anwesenden Juraprofessor kommt an dieser Stelle Widerspruch.

Das ist die übliche Argumentation. Nur wer sich Allahs Gesetz unterwirft, ist ein richtiger Muslim. Nie wird er den Islam kritisieren. Im Gegenteil: Er muss ihn – so lautet das Gesetz der *Umma* – gegen die Ungläubigen verteidigen. Und wer kein richtiger Muslim ist, versteht auch nichts vom Islam. Nur ein Liebender weiß, was Liebe ist; nur ein Dieb weiß, was Diebstahl ist? Kritisiert ein Muslim den Islam, ist er kein Muslim, denn er begeht Gotteslästerung. Ein einfaches Weltbild, aber wirkungsvoll. Man soll nicht glauben, dass hochgebildete Wissenschaftler davor gefeit wären.

Wissenschaftler sind gemeinhin in den Gegenstand ihrer Forschung verliebt. Wären sie es nicht, wie könnten sie ihm ihr Leben widmen? Selten nur halten »Experten« kritischen Abstand zu ihrem Forschungsgegenstand. Bei einigen Islamwissenschaftlern allerdings hat der Mangel an Distanz inzwischen besorgniserregende Ausmaße angenommen.

Einige deutsche Orientalisten neigen dazu, muslimischer als die Muslime aufzutreten. Das hat unter anderem auch einen sehr handfesten Grund: Würde ein Islamforscher den Islam kritisieren, riskierte er Einreiseverbot in muslimische Länder, da jede Kritik als Gotteslästerung gilt. Er würde just von denen als Feind betrachtet, die zu erforschen er bemüht ist. »Kurz gesagt, es würde ihn seinen Kopf als Forscher kosten!«, schreibt der französische Theologieprofessor Jean-Claude Barreau in seinem Buch »Die unerbittlichen Erlöser«. Kritik am Islam ist ein Tabu, zumindest im einschlägigen Wissenschafts- und Politikbetrieb.

Wer in der Orientalistik den Islam kritisiert, so der Orientalist und Co-Autor der renommierten »Encyclopedia of Islam«, Hans-Peter Raddatz, wird zur »wissenschaftlichen Unperson«, seine Bücher werden nicht mehr besprochen oder zitiert, er hat –

gehört er zu den Jüngeren – kaum Aussicht, auf einen Lehrstuhl berufen zu werden. »Entsprechend desolat stellt sich die geistige Unabhängigkeit der zeitgenössischen Orientalistik dar.«

Islamwissenschaft ist aufgrund des öffentlichen Furors zum neuen Modefach geworden. Nach Soziologie und Psychologie in den siebziger und achtziger Jahren, Informatik und Mediendesign in den Neunzigern sind nun die Orientalistik und die Interkultur en vogue. Aber das Wissenschaftsverständnis, das sich heute in diesen Fächern breit macht, hat mit Erkenntnis kaum noch etwas zu tun. Man versucht, den Islam zu »verstehen«, statt sich kritisch mit ihm auseinander zu setzen, man setzt alles daran herauszufinden, was man noch tun kann, damit er in unserer Gesellschaft »ankommt«.

Ich habe im Sommersemester 2004 im Fachbereich Erziehungswissenschaften der Universität Hamburg ein Seminar über »Islam im Alltag« angeboten. Dort haben inzwischen die islamistischen Studenten das Sagen, und zwar mit Duldung, ich hoffe nicht Fürsprache des Lehrkörpers. Als ich in der ersten Sitzung mein Programm und meinen methodischen Ansatz vorstellte, forderten verschleierte Studentinnen streng »Respekt« vor dem Islam ein. Das sollte heißen: Kritik am Islam ist unerwünscht. Nur unter Aufbietung aller pädagogischen und fachlichen Autorität gelang es mir, in einigen Sitzungen überhaupt so etwas wie eine Arbeitsatmosphäre herzustellen. Zum Glück hat sich im Laufe des Semesters die Mehrheit der Studenten durchgesetzt, und wir konnten uns über den Konflikt von Religion und Alltag bei den Migranten auseinander setzen.

Selbst unter den Direktoren von Orientinstituten findet man solche »Islamversteher«, die die islamistische Gemeinschaft Milli Görüs für einen harmlosen Betverein zu halten scheinen und sich dafür einsetzen, diesen Verein »differenziert« zu betrachten, was nichts anderes heißen soll, als ihn aus der Beobachtung durch den Verfassungsschutz herauszunehmen. Inzwischen würden sich doch auch bei Milli Görüs liberalere Kräfte durchsetzen.

Milli Görus heißt übersetzt »nationale Sicht« – ein Begriff aus dem politischen Vokabular des Islamismus, dem es um eine Wiedereinführung der Scharia in der Türkei geht. Die deutschen Vertreter von Milli Görüs bestreiten eine solche Verbindung und übersetzen ihren Namen mit »neue Weltsicht«. Auch wenn sich innerhalb dieser Organisation verschiedene Strömungen zeigen, nichts deutet darauf hin, dass von diesem Verein irgendein Beitrag zur Integration ausgehen könnte. Im Gegenteil.

Es gibt heute viele unter den Orientalisten und den Ausländerbeauftragten, bei den Grünen und den Vertretern der Kirchen, die aus lauter Angst davor, als ausländerfeindlich oder intolerant zu gelten, auch noch die wunderlichsten Argumente finden, »ihre« Ausländer zu verstehen und um jeden Preis zu verteidigen. Sie propagieren ein Toleranzverständnis, das einer Selbstaufgabe gleichkommt. Die Freiheitsrechte haben bei ihnen im Zweifelsfalle gegenüber dem Verständnis für eine andere Kultur hintanzustehen.

So argumentierte auch der Jurist auf dem Podium der Veranstaltung in Münster, der kein Widerwort sprach, als der mir antwortende Muslim für sich die Gottes-Rechte als bindend reklamierte und dies auch noch als ein Verfassungsrecht glaubte einklagen zu dürfen. Manche deutschen Wissenschaftler scheint in Verfassungsfragen vor allem die Sorge umzutreiben, die Rechte einer Minderheit könnten bedroht sein. Eben darüber sprach der Jurist auf dem Podium dann auch ausführlich und legte unter Rückgriff auf allerlei kapriziöse Auslegungsvolten dar, warum ein Kopftuchverbot verfassungsrechtlich nicht haltbar sei.

Als Nächste meldete sich die blonde Dame zu Wort und stellte sich als Religionswissenschaftlerin der Universität Münster vor. Auch sie sprach mir jede Kompetenz ab, über das Kopftuch zu sprechen, weil ich keine »echte« Muslimin sei. Das Kopftuch aber sei ausschließlich eine Sache der Muslime. Ausländer müssten bei uns ihre Kultur leben können, und die Deutschen dürften den Migranten nicht vorschreiben, wie sie zu leben hätten.

In eine ähnliche Kerbe schlug selbst die ehemalige Verfassungsrichterin Jutta Limbach bei den Landauer Gesprächen 1995, als sie erklärte, Religionsfreiheit bedeute auch, die Normen anderer zu tolerieren. Auf Nachfrage, was sie unter solchen »anderen Normen« verstünde und ob es denn zweierlei Recht in einem Staat geben könne, wusste sie nur zu antworten, ein solches Verfahren sei beim Verfassungsgericht nicht anhängig. Das finale Wort zu solcher Rechtsunsicherheit hat der Imam von Izmir 1999 gesprochen: »Dank eurer Gesetze werden wir euch beherrschen.«

Die radikalen Islamisten, so schreibt Mordechay Levy, ein amerikanischer Philosoph mosaischer Herkunft, in dem Buch »Der Islam und der Westen«, »verabscheuen die demokratischen Werte, da sie von Menschenhand stammen und damit im Widerspruch zur Scharia stehen, die göttlichen Ursprungs ist. Nur wenn sie selbst politisch bekämpft werden, scheuen sie sich nicht, an die Menschenrechte zu appellieren. Manch schuldbewusster Abendländer lässt sich von dieser Heuchelei beeindrucken.«

Die Schuldfrage – deutsch und türkisch

An den Universitäten wie in der Politik ist inzwischen die Generation der 68er – Alternative, Grüne, Liberale, Soziale, Schwule, Frauenbewegte, eben all jene, die gesellschaftlich für mehr Freiheit, Selbstbestimmung und Gleichberechtigung gekämpft haben – in ihrem Marsch durch die Institutionen ganz oben angekommen. Sie sind Minister, Staatssekretäre, Bundesbeauftragte, Gleichstellungsbeauftragte, sie haben Lehrstühle, hohe Posten in Verwaltung und Forschung und erwecken doch den Eindruck, als hätten sie auf dem Weg nach oben vergessen, wofür sie dereinst losmarschiert sind.

Während viele von ihnen auf der einen Seite für die gleichgeschlechtliche Ehe eintreten, Diskriminierung von Frauen in Beruf, Gesellschaft und Familie aufs Schärfste geißeln, scheinen dieselben Leute gegenüber dem Islam mit Blindheit geschlagen zu sein. Da protestiert kaum einer, wenn Schwule im Islam gesteinigt werden, da wird Verständnis für kulturelle Eigenheiten aufgebracht, wenn Mädchen von Teilen des Schulunterrichts fern gehalten werden, da wird nicht eingegriffen, wenn Sechsjährige das Kopftuch tragen müssen oder Frauen wie Sklavinnen verschachert werden. Wie kann zum Beispiel Marieluise Beck, die Beauftragte der Bundesregierung für Ausländerfragen, nach mehreren Jahren Amtszeit immer noch davon überrascht werden, dass Zwangsheirat unter türkischen Migranten übliche Praxis ist – so bei einer Veranstaltung des Bundesfrauenrates der Grünen, als die Berliner Anwältin Seyran Ates und ich sie darauf hinwiesen. »Haben Sie Zahlen?«, fragte mich die Ausländerbeauftragte, deren Aufgabe es doch von Amts wegen ist, solchen Problemen nachzugehen. Die bittere Tatsache von Zwangsheirat und arrangierten Ehen scheint nicht in das Politikbild der »Anerkennung der kulturellen Differenz« zu passen.

»Ist die Hinwendung zum Islamismus ein Reflex verweigerter Integration?«, wurde im Aufruf zu einer von der Migrationsbeauftragten und der Heinrich-Böll-Stiftung veranstalteten Tagung »Muslime in der säkularen Demokratie« im November 2004 gefragt. Schon in einer solchen Formulierung wird der deutsche »Schuldkomplex« deutlich. Von wem wird die Integration »verweigert«? Von der deutschen Mehrheitsgesellschaft natürlich – die Muslime hatten keine andere Wahl, als sich im »Reflex« (!) – zu radikalisieren, oder wie ist diese Frage gemeint?

Aber es geht noch weiter: »Wird damit die Grundlage einer auf Anerkennung kultureller Differenz bei gleichzeitiger staatsbürgerlicher Gleichheit basierenden Einwanderung infrage gestellt?« Fallen Zwangsheiraten, »verkaufte« Bräute, Vielweiberei unter das Gebot der »Anerkennung kultureller Differenzen«? Die wohlfeile, von den Deutschen so gern bemühte Wortmünze »kulturelle Differenz« verdeckt, dass damit unter Schutz gestellt wird, was unseren Grundrechten Hohn spricht. »Was muss getan werden, um die soziale und gesellschaftliche Integration von MigrantInnen aus der muslimischen Welt zu fördern?« Es sind wieder die deutschen Helfer gefragt, die Muslime aus ihrem »Elend« zu retten – nebenbei gesagt, eine besonders subtile Form der Entmündigung. Können die Migranten nicht *selbst* den Mund aufmachen, können die Muslime nicht *selbst* etwas für ihre Integration tun, so diese denn in ihrem Interesse liegt? Ist Integration denn eine Einbahnstraße? Wohl kaum.

Das scheint mir der »Schleier« zu sein, mit dem die Deutschen zu kämpfen haben: Es gibt eine panische Angst davor, Islamisten wegen ihrer Religion oder Herkunft zu diskriminieren, lieber nimmt man deren Verletzung von Grundrechten billigend in Kauf. Das aber verdankt sich auch einem spezifischen Identitätsproblem der Deutschen. Tolerant, so hat Rudolf Wernstedt, Sozialdemokrat und niedersächsischer Landtagspräsident, es einmal ausgedrückt, könne letztlich nur der sein, der weiß, wer er ist. »Sonst führt Toleranz zur Übernahme des Anderen oder produziert Missverständnisse.«

Die Deutschen haben sich engagiert mit ihrer nazistischen Vergangenheit und den Verbrechen an anderen auseinander gesetzt, was sicherlich viel zu dem zivilen und demokratischen Gepräge dieser Republik beigetragen hat. Aber zuweilen verstellt das besondere Schuldgefühl gegenüber Juden, Sinti, Roma, Homosexuellen und anderen den klaren Blick auf die heutigen Realitäten von Unterdrückung und Ausgrenzung. Gerade die gut meinenden Deutschen neigen dazu, in jedem hier Asyl suchenden Ausländer gleichsam den Wiedergänger eines vor dem Holocaust zu rettenden Juden zu sehen. Schuldbewusstsein scheint hierzulande wichtiger zu sein als die Verteidigung der Verfassung. Und als Ausweis dafür, dass man aus der deutschen Schuld gelernt hat, als Fortschritt gegenüber der »rassistischen« Vergangenheit gilt, dass heute in Deutschland endlich jeder Ausländer seine Kultur, seine Religion leben und jeder so sein kann, wie er möchte.

Aber das Schuldbewusstsein erstreckt sich nicht nur auf die deutsche Vergangenheit. Es hat längst seine nahtlose Fortsetzung in dem Schuldbewusstsein gefunden, »zu den Reichen« – die ihren Reichtum zu Unrecht, nämlich durch »Ausbeutung«, erworben haben – und nicht »zu den Verdammten dieser Erde« zu gehören. Die »Verdammten dieser Erde«, das ist heute die »Dritte Welt«, und der Orient wird in dieses Opferbild eingeschlossen, selbst seine korrupten, über reiche Erdölvorkommen verfügenden diktatorischen Regime.

Das Bewusstsein von Schuld, so hat uns Freud gelehrt, ist für das christliche Abendland konstitutiv. Die Christen haben es verinnerlicht. Es beruht auf der biblischen Erzählung von der Erbsünde, die zur Unterscheidung zwischen Gut und Böse führte. Sie hat die Christen das Paradies gekostet, ihnen aber ein Stück Aufklärung geschenkt, denn das eigene Gewissen, die moralische Unterscheidungsfähigkeit sind unabdingbarer Teil des freien, sich seiner Verantwortung bewussten Individuums.

Im Islam gibt es so etwas nicht. Der Koran kennt keinen ausgangsoffenen Kampf zwischen Gut und Böse, den der Einzelne mithilfe moralischer Werte und gesellschaftlicher Normen immer wieder selbstverantwortlich entscheiden muss. Ein praktizierender Muslim erlangt Gewissheit, das Heil zugeteilt zu bekommen, einzig und allein durch die Unterwerfung unter alle Gebote Allahs. Dieses Verhalten erspart ihm Gewissensqualen, die dem Christentum immanent sind.

Die guten Deutschen und nicht wenige Christen verzeihen den Muslimen alles, nur um ihre eigene vermeintliche Schuld abzutragen. Die Argumentationskette ist schlicht. Ausländer sind arm (weil sie von uns ausgebeutet werden) und gut (weil sie nicht so sind wie wir). Also muss die deutsche Gesellschaft ihre Schuld abtragen – und ihnen helfen. Durch politische Rücksichtnahme und durch finanzielle Zuwendungen.

Es hat sich inzwischen herumgesprochen, dass ein wesentliches Hindernis bei der Integration von Muslimen in diese Gesellschaft ihr eklatanter Mangel an Deutschkenntnissen ist. Immer wieder höre ich von Deutschen und von Türken das Argument, der deutsche Staat habe ja auch nichts für die Integration getan. Es gäbe keine bezahlten Sprachkurse für Ausländer. Ich frage: Warum muss der Staat bezahlen, wenn jemand Deutsch lernen will? Ich halte es für eine Selbstverständlichkeit für jeden, der sich entschließt, auf längere Dauer in ein fremdes Land zu gehen, dass er sich bemüht, die Sprache dieses Landes zu erlernen, ob mit oder ohne staatliche Hilfe. Türken, die auch nach Jahren noch kein Deutsch sprechen, wollen das oft gar nicht, weil sie sich längst in »Kaza«, in ihrer türkischen Gemeinschaft, eingerichtet haben. Wir brauchen die Deutschen nicht, hat mir die seit vielen Jahren hier lebende »Importbraut« Shayize gesagt.

Es gibt auch in meiner Verwandtschaft Onkel, Tanten, Cousins und Cousinen, die seit dreißig Jahren und länger schon in Deutschland leben und immer noch kein Deutsch sprechen. Türkische Männer und Frauen hätten in jeder Volkshochschule Gelegenheit, die deutsche Sprache zu erlernen. Die deutsche Gesellschaft ist doch nicht schuld daran, dass diese Menschen sich weigern, »in dieser Gesellschaft anzukommen«. Trotzdem macht sie sich selbst eben das zum Vorwurf. Es gab in den ersten Jahren der Anwerbung von Arbeitskräften Versäumnisse und Fehler. Die Türken wie auch die Deutschen waren davon ausgegangen, dass die »Gastarbeiter« nur vorübergehend hier bleiben und dann wieder verschwinden würden. Das Problem ihrer Integration schien sich gar nicht zu stellen. Aber schließlich hat sich jeder in Deutschland lebende Türke irgendwann persönlich entschlossen, in diesem Land zu bleiben. Spätestens von diesem Zeitpunkt an hätte er anfangen können, Deutsch zu lernen. Aber stattdessen haben die Türken sich massenhaft in ihre Moscheen zurückgezogen und verteidigen ihre islamische Welt. Sie haben sich längst ihre eigene Parallel-Gesellschaft geschaffen, auch mithilfe der deutschen Errungenschaften von Sozialversicherung und Arbeitslosenunterstützung. Und trotzdem meint die deutsche Gesellschaft, bei den Ausländern in der Schuld zu stehen. Das kann ich nicht verstehen.

Bittere Wahrheiten

oder

Woran die Integration scheitert

Einen türkischen Mocca rührt man nicht um. Die Köchin bestimmt, wie viel Zucker in die Kanne kommt und wie süß der Mocca damit wird. Der Gast trinkt ihn in kleinen Schlucken und muss dabei Acht geben, den Kaffeesatz nicht in den Mund zu bekommen. Denn der Satz ist bitter, man rührt besser nicht daran. Der Mocca ist ein bisschen wie die türkische Gesellschaft – an der Oberfläche süß, aber je tiefer man eindringt, desto bitterer wird er. Nach Genuss des Moccas stellt man die Tasse kopfüber auf die Untertasse und wartet, bis sich der Satz abgesetzt hat und man aus ihm das Schicksal, *Falbakmak*, lesen kann. Denn im Kaffeesatz liegt die Wahrheit verborgen – zumindest dem orientalischen Aberglauben zufolge: Vergangenes und Zukünftiges zeigen sich in den Figuren, die aus dem trocknenden Kaffeemehl entstehen. Das Kaffeesatzlesen ist eine beliebte Beschäftigung vornehmlich unter den Frauen, es ist ein Spiel, aber zugleich spiegelt sich darin die Schicksalsgläubigkeit meines Volkes, das sich so schwer tut, seine eigene Zukunft in die Hand zu nehmen.

Natürlich gibt es die anderen Türken. Von denen war in diesem Buch bisher nicht die Rede. Es gibt Seyran Ates, die engagierte Rechtsanwältin in Berlin, die ohne Furcht die Rechte der türkischen Frauen verteidigt, es gibt Vural Öger, den erfolgreichen Reiseunternehmer, oder den Grünen-Politiker Cem Özdemir, die SPD-Bundestagsabgeordnete Lale Akgün, den wunderbaren Filmemacher Fatih Akin und den Komiker Kaya Yanar. Es gibt viele Türken, die in Deutschland angekommen sind, sie haben außer ihrer Herkunft mindestens zwei Dinge gemeinsam. Sie haben die deutsche Gesellschaft als ihre Gesellschaft angenommen, setzen sich mit ihr auseinander – und sie sprechen Deutsch. Sie und viele tausend andere Türken haben sich integriert, sind fester Bestandteil der deutschen Kultur und Demokratie geworden und bereichern diese, auch wenn nicht alle so weit gegangen sind, die deutsche Staatsangehörigkeit zu beantragen. Aber in Deutschland leben über zweieinhalb Millionen Menschen türkischer Herkunft, und die Mehrheit ist nicht diesen Weg gegangen.

Vor über vierzig Jahren begannen deutsche Firmen, in der Türkei »Gastarbeiter« anzuwerben. Es waren billige Arbeitskräfte, die für die expandierende deutsche Wirtschaft gebraucht wurden. Niemand – weder unter den Deutschen noch unter den Türken – ahnte damals, dass aus den drei- oder fünfjährigen Verträgen lebenslange Verbindungen werden könnten. Beide Parteien lebten in der festen Absicht, eine »Ehe auf Zeit« miteinander einzugehen. Inzwischen wissen wir: Es kam anders. Die deutsche Politik wollte sich diesen Fehler lange nicht eingestehen und versäumte es, eine aktive Integrationspolitik zu betreiben, und die Türken blieben hier, allerdings ohne sich Gedanken darüber zu machen, in welchem Land sie leben. Die Deutschen gingen davon aus, dass die Eingewanderten die Werte und Konventionen der hiesigen Gesellschaft übernehmen würden: Spätestens in der dritten und vierten Generation von Migranten würden sich die kulturellen Differenzen sicher verflüchtigen. Die Türken ihrerseits machten – bis auf wenige Ausnahmen – keine Anstrengungen, ihre zweite Heimat zu akzeptieren. Sie blieben Türken und wurden wieder Moslems – das Fremdsein in der Fremde bewirkte bei ihnen eher die Flucht in die Regression; wie bei einem Kind, das sich von seiner Mutter vernachlässigt fühlt. Sie geben den Deutschen die Schuld, sie nicht integriert zu haben, und die Deutschen reagieren darauf mit dem, was inzwischen zu einem festen Bestandteil ihrer Identität geworden zu sein scheint: mit Schuldbewusstsein. Auf beiden Seiten ein Irrtum mit fatalen Folgen. Wer die Augen öffnet und genau hinsieht, wird erkennen: Die Integration der Mehrheit der in Deutschland lebenden Türken ist gescheitert.

Eine der Ursachen hierfür ist zweifellos die nach wie vor vorhandene strukturelle Benachteiligung von »Ausländern« und eine durchaus verbreitete, sei es unterschwellige, sei es manifeste, fremdenfeindliche Haltung. Aber das ist nicht das Hauptproblem. Verantwortlich für das Scheitern ist eine verfehlte Integrationspolitik, die von der Lebenslüge getragen wurde, Deutschland sei kein Einwanderungsland. Von dieser Lebenslüge Abschied zu nehmen, lernen die Deutschen erst langsam, selbst die, die glauben, immer schon offen für »die Fremden« gewesen zu sein.

Denn auch die linken und liberalen »Multikultis« haben mit ihrer eher folkloristischen Sichtweise auf die Ausländer der Integration einen Bärendienst erwiesen. Unter dem Signum der Toleranz haben sie die jeweiligen »Eigenheiten« der türkisch-muslimischen Gesellschaft in Deutschland verteidigt und damit nicht selten die Selbstausgrenzung der Migranten befördert. Eine Toleranz, die selbst noch die Intoleranz und alltäglichen Gewaltverhältnisse als Bestandteil eines »anderen kulturellen Kontextes« hinzunehmen, ja, zu respektieren bereit ist, entlarvt sich letzten Endes als wertlos und gibt damit jeden Anspruch preis, die Gesellschaft nach allgemein gültigen Rechten und Verpflichtungen zu gestalten. Menschenrechte, Grundrechte sind nicht teilbar, nicht kulturell relativierbar. Sie sind die Fundamente einer aufgeklärten Gesellschaft und müssen unter allen gesellschaftlichen Umständen verteidigt werden. Wer dazu nicht bereit ist, redet der Gegenaufklärung das Wort. Solange die deutsche Gesellschaft sich diesen – ihren eigenen – Identitätskern nicht wirklich bewusst macht und ihn nicht offensiv zu verteidigen bereit ist, wird die Integration nicht gelingen können. Die in der Verfassung verbürgte Freiheit des Individuums gekoppelt an soziale Verpflichtung ist das Angebot, das die deutsche Demokratie anderen machen kann. Es ist ein großartiges Angebot, gerade auch für Menschen aus anderen Kulturen, die solche Rechte des Einzelnen nicht kennen.

Ich habe die Hoffnung, dass die in Deutschland lebenden Muslime und Türken erkennen, welche Möglichkeiten ihnen eine säkularisierte demokratische Gesellschaft bietet. Jeder kann seine Religion und seine Kultur leben – solange er die Rechte der Einzelnen achtet und akzeptiert, dass der Glaube eine persönliche Sache ist.

Ich habe allerdings Zweifel, ob die Mehrheit der in Deutschland lebenden Türken die Integration wirklich will – ihr vorherrschendes Verhalten spricht eher eine gegenteilige Sprache. Die meisten lesen keine deutsche Zeitung, schon gar keine deutschen Bücher. Die meisten sehen ausschließlich türkisches Fernsehen, kaufen in türkischen Läden und haben keinen privaten Kontakt zu Deutschen. Das Land, in dem sie leben, ist ihnen fremd, und es bleibt ihnen fremd. Respekt und Anerkennung findet bei ihnen, wer – wie unser Nachbar Ali – in einer niedersächsischen Kleinstadt eine Moschee eröffnet, wer auch noch das letzte Provinznest mit einem Laden beglückt, in dem es koschere Lebensmittel zu kaufen gibt. Dagegen wäre nichts zu sagen, wenn diese Welt durchlässig wäre gegenüber ihrer Umwelt, wenn nicht alles darauf gerichtet wäre, auch hier in Deutschland Verhältnisse zu schaffen, die möglichst genau so sind wie das, was meine Landsleute aus der Türkei kennen. Ihr Lebensrahmen ist und bleibt die Türkei, es sind die anderen türkischen Familien, die Koranschule, der Fußballverein, die Teestube und die *Umma*, die Gemeinschaft aller Muslime und der türkische Nationalismus. Man bleibt unter sich und den türkisch-muslimischen Geboten verhaftet.

Und dieses Verhalten wird auch von den einflussreichen türkischen Institutionen bestärkt, die es in Deutschland gibt. Keine von ihnen, keine der in Deutschland erscheinenden türkischen Zeitungen, keiner der religiösen Vereine betreibt eine wirklich aktive Integrationspolitik – bei den einen ist es Überzeugung, bei den anderen Angst, ihren Einfluss auf die hier lebenden Türken zu verlieren. Sie beschwören den Verfassungsgrundsatz »eine Fahne, ein Volk«, feiern ihren türkischen Nationalismus, und ihr Interesse ist es, die Stellung »der Türken« zu verbessern. Ein Interesse an der deutschen Gesellschaft ist nicht festzustellen. Die Verantwortung, die sie haben, nehmen sie nicht wahr – eine weitere Ursache für das Scheitern der Integration. Man könnte auch sagen: für die Wiederkehr des Immergleichen.

Nilüfer ist 16 und in Deutschland geboren. Im Frühjahr 2004 hat sie den zwanzigjährigen Ibrahim in Anatolien geheiratet. Ibrahim wird im Rahmen der Familienzusammenführung mit ihr nach Deutschland gehen. Nilüfers Mutter ist 31 Jahre alt. Sie kam mit 15 als Importbraut nach Deutschland, aus demselben Dorf wie Ibrahim, und hat hier vier Kinder geboren, von denen Nilüfer das älteste ist. Ihre Schwester, die ein Jahr jünger ist, wird im nächsten Jahr heiraten und auch ihren Import-Damat, ihren Import-Bräutigam, bekommen. Dann ist Nilüfer sicher schon schwanger. Die Familie lebt von Sozialhilfe, kein Familienmitglied wird in den nächsten Jahren arbeiten. Die Frauen nicht, weil sie Kinder bekommen oder den Haushalt versorgen müssen, die Männer nicht, weil der Vater mit vierzig bereits Invalide ist und die Damats keine Arbeitsgenehmigung bekommen. Aber auch sonst würden sie kaum Arbeit bekommen, denn sie haben nichts gelernt und sprechen kein Deutsch. Nilüfer und Ibrahim haben mir eine Einladung zu ihrer Hochzeitsfeier in einem griechischen Restaurant im Teutoburger Wald geschickt. Die türkisch verfasste Hochzeitskarte schmückt ein Hadith:

»Wer heiratet, hat in seinem Leben die Hälfte seiner Pflichten zu Allah erfüllt. In der anderen Hälfte möge er Angst vor ihm haben.« Wie soll man eine solche Familie in die deutsche Gesellschaft integrieren können, deren ganze Vorstellung vom Leben in der Unterwerfung unter Gottes Gesetz besteht?

Wer dauerhaft in Deutschland leben will, darf seine Kinder nicht in dem Glauben erziehen, dass ihre Heimat die Türkei ist und bleiben soll. Wer dauerhaft in Deutschland leben will, darf nicht länger durch Importbräute, Zwangsheirat und arrangierte Ehen den unseligen Kreislauf der immerwährenden Erneuerung der eigenen kulturellen Herkunft betreiben. Bildung ist der Schlüssel zur Integration, und darin wird von der türkisch-muslimischen Gemeinschaft viel zu wenig investiert. Noch immer schneiden Kinder aus Migrantenfamilien in der Schule eklatant schlechter ab als deutsche Kinder – auch weil türkische Eltern sich viel zu wenig um die Schulbildung ihrer Kinder kümmern. Wer seine Tochter mit 15 verheiraten will, hat kein Interesse, dass sie Abitur macht.

Zur Integration gehören die Anerkennung der demokratischen Gesetze und die Kenntnis der Sprache. Viele türkische Kinder der vierten und fünften Migrantengeneration sprechen kein Deutsch, wenn sie in die Schule kommen. Ihre Mütter sprechen kein Deutsch, weil sie als Importbräute nach Deutschland gekommen sind und niemand dafür gesorgt hat, dass sie die Sprache erlernen und Kontakt zur deutschen Gesellschaft erhalten. Dass in der neuen Zuwanderungsverordnung endlich Sprach- und Integrationskurse verpflichtend sind, begrüße ich sehr – und mit großer Erleichterung. Denn Sprach- und Demokratiekenntnisse sind der entscheidende Schlüssel, um den Zustand der Sprach- und Rechtlosigkeit dieser Einwanderer endlich zu beenden.

Eine Demokratie lebt von Demokraten. Zum Demokraten wird man nicht automatisch durch die Gewährung von Grund-

rechten. Unabdingbar dazu gehört die Übernahme von Verantwortung. Diese muss ermöglicht, aber sie muss auch aktiv angenommen werden. Ich wünsche mir, dass die Migranten in den
Parteien, in Gewerkschaften, in Verbänden am demokratischen
Prozess teilnehmen. Ich wünsche mir, dass sie endlich den Mund
aufmachen und sich an dieser politischen und sozialen Willens-
bildung beteiligen. Das mag dem einen oder anderen Deutschen
vielleicht nicht schmecken, ich bin aber sicher, dass sich diese
Gesellschaft einer solchen Mitwirkung nicht verschließen, sondern darin eine Chance der Bereicherung erkennen wird. Von
den Deutschen wünsche ich mir, dass sie sehr viel selbstbewusster ihre Errungenschaften und Werte verteidigen. Dass sie keine
falsche Toleranz üben gegenüber jenen, die unsere Gesetze ver-
achten und sie nur benutzen, um im Namen der Freiheit ihren
religiösen Einfluss zu erweitern und ihre reaktionäre Praxis fort-
zuschreiben.

Eine Gemeinschaft, die dem Kollektiv, oder wie es im Islam
heißt: der *Umma*, der Sippe, der Familie, dem Älteren das selbst-
verständliche Recht einräumt, über andere Mitglieder der Gemeinschaft zu herrschen, sie zu bevormunden, sie gegen ihren
Willen zu verheiraten und zu versklaven, ist für mich in der Demokratie nicht gesellschaftsfähig. Wer Gottes Wort über demokratische Gesetze stellt, wird immer im Widerspruch zu dieser
Gesellschaft stehen, sich ausgrenzen aus der Zivilgesellschaft,
eine parallele Welt mit eigenen Regeln schaffen. Und die ist nicht
demokratieverträglich.

Anders als meine Eltern und meine Geschwister bin ich in
Deutschland geblieben. Mein Vater, von uns der Erste, der hierher gekommen war, kehrte auch als Erster aus meiner Familie
wieder in die Türkei zurück. Als es zu einer Situation kam, die
ihm in dem Konflikt mit mir eine Entscheidung abverlangte,
beugte er sich wieder den Konventionen der *Umma*. Ihm ist es

trotz gutem Willen nicht gelungen, seine Freiheit zu nutzen. Meine Geschwister und meine Mutter sind inzwischen auch wieder in der Türkei, sie haben ihr Schicksal für sich positiv wenden können.

Ich bin nach dem Fall der Mauer in die neuen Bundesländer gegangen, wo ich in Greifswald, Neu-Brandenburg und Wolgast ehemalige Verwaltungskräfte »auf Demokratie« geschult habe. Mein Unterrichtsfach war das Staatsrecht, meine Schüler ehemalige Mitarbeiter der Stadt- und Kreisverwaltungen und des Ministeriums für Staatssicherheit, die in zweijährigen Kursen umgeschult werden sollten. Ich erinnere mich noch genau an den 11. November 1992. Die Schulleitung hatte mich nach Neu-Brandenburg geschickt, um in der zur Verwaltungsschule umfunktionierten ehemaligen Stasizentrale die dortigen Mitarbeiter zu unterrichten. Die Kursteilnehmer hatten die bisherigen Dozenten abgelehnt, sie wollten sich von den »Wessis« nichts erzählen lassen. Ich sollte einen letzten Versuch wagen, die störrische Klasse zu gewinnen. Als ich in die zum Unterricht vorgesehene Aula kam, waren die ersten Reihen leer. Die Teilnehmer, etwa 35, vornehmlich Männer mittleren Alters in Strickjacken und Anzügen, hatten sich in die letzten Reihen gesetzt, die Stühle umgedreht und wandten mir den Rücken zu. Was tun?

Ich begann, ohne mich um den Affront zu kümmern, mit dem Unterricht, erklärte: »Was ist ein Staat?«, zeichnete Schaubilder an die Tafel und redete und redete. Wie damals in Istanbul, als ich den Kindern Kino vorspielte oder als 14-Jährige allein Konzerte auf dem Küchentisch gab. Ich war in meinem Element. Auch ohne Publikum Lust an der Darstellung zu haben, darin kannte ich mich schließlich aus. Und ich konnte nachvollziehen, wie fremd sich die vor mir sitzenden neuen Bundesbürger fühlten, als sie von Demokratie und Persönlichkeitsrechten hörten. Aber ich war stolz darauf, gerade dieses Fach zu unterrichten. Ich bin in diesem Land angekommen, schätze seine Verfassung, habe einen deutschen Pass und glaube an die frohe Botschaft der Freiheit.

Es dauerte drei Stunden, bis ich eine Reaktion von meinen Schülern erhielt. Ich war gerade dabei, die Elemente einer Staatsverfassung, von der Staatsgrenze über die Staatsgewalt, zusammenzufassen, wobei ich den versammelten Rücken des ehemaligen DDR-Staatsvolkes die Frage stellte: »Und wer ist denn nun das Volk?«, und dabei ein großes Fragezeichen hinter das Wort »Volk« malte. Nach und nach drehten sich alle Teilnehmer um, und als der Erste zu lachen begann, war das sehr befreiend.

Literatur

ABDULLAH, M. S. Was will der Islam in Deutschland? Gütersloh 1993

ACBA, LEYLA BIR ÇERKEZ Preusesin hatıraları (Die Geschichte einer tscherkessischen Prinzessin). Lu.M. Yayinlari. Istanbul 2004

ALTUNDAL, MERAL Osmanlida Harem (Harem im Osmanischen Reich). Altin Kitaplar Yayinevi. Istanbul 1999

ARSEL, ILHAN Seriat ve Kadin. (Scharia und die Frauen). Istanbul 1998

ATES, SEYRAN Große Reise ins Feuer. Die Geschichte einer deutschen Türkin. Berlin 2003

AVAGYAN, ARSEN Cerkezler (Die Tscherkessen). Belge Uluslararasi Yayincilik. Istanbul 2004

DAVIS, ROBERT Christian Slaves, Muslim Masters. White Slavery in the Mediterranean, the Barbary Coast and Italy, 1500–1800. Basingsloke 2004

DIE AUSLÄNDERBEAUFTRAGTE DES SENATS VON BERLIN (HRSG) Die Ehre in der türkischen Kultur. Berlin 1997

DIES. Der Islam und die Muslime. Geschichte und religiöse Traditionen. Berlin 1995

DIE BEAUFTRAGTE DER BUNDESREGIERUNG FÜR AUSLÄNDERFRAGEN Bericht über die Lage der Ausländer in der Bundesrepublik Deutschland. Berlin und Bonn 2002

ARMSTRONG, KAREN Kleine Geschichte des Islam. Berlin 2001

AL-KHAYYAT, SANA Ehre und Schande. Frauen im Irak. München 1991

BERLINER ARBEITSKREIS GEGEN ZWANGSVERHEIRATUNG Informationsbroschüre Zwangsverheiratung. Berlin 2002

BARREAU, JEAN-CLAUDE Die unerbittlichen Erlöser. Vom Kampf des Islam gegen die moderne Welt. Reinbek 1992

BREUER, RITA Familienleben im Islam. Traditionen – Konflikte – Vorurteile. Freiburg 1998

BUNDESMINISTERIUM DES INNEREN. Islamismus. Texte zur Inneren Sicherheit. Berlin 2003

CICEK, HALIS Psychische und psychosomatische Störungen – unter besonderer Berücksichtigung psychosexueller Störungen bei Arbeitsmigranten aus der Türkei. Berlin 1989

DERMENGHEM, ÉMILE Mohammed. Reinbek 1960

FAROQHI, SURAIYA Osmanlı Kulturu ve gundelik yasam (Osmanische Kultur und Alltagsleben). Tarih Vakfi Yurt Yayinlari. Istanbul 2002

FRIEDRICH-EBERT-STIFTUNG (HRSG.) Islamische Organisationen in Deutschland. Bonn 2000

GRONAU, DIETRICH Nazim Hikmet. Mit Selbstzeugnissen und Bilddokumenten. Reinbek 1991

HELLER, ERDMUTE / MOSBAHI, HASSOUNA Hinter den Schleiern des Islam. Erotik und Sexualität in der arabischen Kultur. München 1994

HOSKING, GEOFFREY Russland. Nation und Imperium 1552–1917. Berlin 2000

KELEK, NECLA Die religiöse Fundierung der türkischen Frau. Hamburg 1990 (Diplom-Arbeit)

DIES. Islam im Alltag. Islamische Religiosität und ihre Bedeutung in der Lebenswelt von Schülerinnen und Schülern türkischer Herkunft. Münster 2002

KREISER, KLAUS/NEUMANN, CHRISTOPH Kleine Geschichte der Türkei. Stuttgart 2003

KÄSLER, DIRK Einführung in das Studium Max Webers. München 1979

KÜNG, HANS Der Islam. Geschichte, Gegenwart, Zukunft. München 2004

LEVY, MORDECHAY Nimm meine Schuld auf dich. In: Der Islam und der Westen. Hrsg. von Michael Thumann. Berlin 2003

MICHAUD, ROLAND UND SABRINA Der Zauber des Orients. Die islamische Welt im Spiegel von Vergangenheit und Gegenwart. Stuttgart 2003

MEDDEB, ABDELWAHAB Die Krankheit des Islam. Heidelberg 2002

MERNISSI, FATIMA Geschlecht, Ideologie, Islam. München 1987

DIES. Die vergessene Macht. Frauen im Wandel der islamischen Welt. Berlin 1993

DIES. Der Harem ist nicht die Welt. Elf Berichte aus dem Leben marokkanischer Frauen. Darmstadt 1998

DIES. Die Angst vor der Moderne. Frauen und Männer zwischen Islam und Demokratie. München 1996

DIES. Der politische Harem. Mohammed und die Frauen. Frankfurt 1989

DIES. Harem. Westliche Phantasien – östliche Wirklichkeit. Freiburg 2000

PAMUK, ORHAN Istanbul ve hativalar (Istanbul und Erinnerungen). Istanbul 2004

PAPATYA. Schutz für Mädchen und junge Frauen aus dem islamischen Kulturkreis vor familiärer Gewalt. Berlin o. J.

ROSEN, RITA »… Muss kommen, aber nix von Herzen« Zur Lebenssituation von Migrantinnen. Opladen 1986

RILL, BERND Kemal Atatürk. Reinbek 2001

RADDATZ, HANS-PETER Von Gott zu Allah? Christentum und Islam in der liberalen Fortschrittsgesellschaft. München 2001

SABATTINA Sterben sollst du für dein Glück. Gefangen zwischen zwei Welten. St. Anrä-Wördern 2003

SCHIFFAUER, WERNER Die Gewalt der Ehre. Frankfurt 1983

STEINBACH, UDO Geschichte der Türkei. München 2001

SCHRÖTER, HILTRUD Mohammeds deutsche Töchter. Bildungsprozesse, Hindernisse, Hintergründe. Königstein 2002

SPULER-STEGEMANN, URSULA Muslime in Deutschland. Information und Klärungen. Freibung 2002

SPULER-STEGEMANN, URSULA / SCHIRRMACHER, CHRISTINE Frauen und die Scharia. München 2004

TERRE DES FEMMES E. V. Zwangsheirat. Lebenslänglich für die Ehre. Tübingen 2002

TRALOW, JOHANNES Roxelane. Reinbek 1987

ULFKOTTE, UDO Der Krieg in unseren Städten. Frankfurt 2003

WALTHER, WIEBKE Die Frau im Islam. Leipzig 1980

WIETHOLD, BEATRIX Kadinlarimiz – Frauen in der Türkei. Hamburg 1981

YOANAN, GABRIELE Weltreligionen in Berlin. Berlin 1993

ZAPTCIOGLU, DILEK Die Geschichte des Islam. Frankfurt 2002

Necla Kelek
Die verlorenen Söhne

Plädoyer für die Befreiung
des türkisch-muslimischen Mannes
Gebunden

Nach »Die Fremde Braut« wendet sich Necla Kelek der anderen Hälfte der türkisch-muslimischen Gesellschaft zu: den Vätern, die als Patriarchen das Leben der Familie bestimmen, den Söhnen, die sich von den Müttern vorschreiben lassen, wen sie zu heiraten haben, und den Brüdern, die ihre Schwestern kontrollieren und bestrafen – bis hin zum »Ehrenmord«. Anhand von Lebensgeschichten muslimischer Männer untersucht Kelek das auf Ehre, Schande und Respekt, tatsächlich aber auf Gehorsam und Gewalt aufgebaute System der türkisch-muslimischen Erziehung und schildert die exemplarische Sozialisation türkischer Jungen – von der Wiege über die Beschneidung bis zu den Aufgaben als Vater.

»Es ist ein Buch, das uns Deutsche tief nachdenklich über unsere Integrationspolitik zurücklässt. Dieses Buch wird die politische Klasse bis hin zu aufgeklärten Stammtischen und Dönerbuden kaum zur Ruhe kommen lassen. Es zu lesen, sei allen dringend empfohlen.« *Deutschlandradio Kultur*

»Kelek hat eine Streitschrift vefasst, wie sie lange überfällig war.« *FAZ*

Kiepenheuer & Witsch www.kiwi-koeln.de